Waar de schimmen zijn

Waar de schimmen zijn

MICHAEL RIDPATH

afgeschreven

De Fontein

© 2010 Michael Ridpath
© 2010 voor deze uitgave: Uitgeverij De Fontein, een imprint van
De Fontein I Tirion bv, Postbus 1, 3740 AA Baarn

Oorspronkelijke uitgever: Corvus, een imprint van Atlantic Books
Oorspronkelijke titel: *Where the shadows lie*
Uit het Engels vertaald door: Gert-Jan Kramer
Omslagontwerp: Wil Immink Design
Zetwerk: ZetSpiegel, Best
ISBN 978 90 261 2760 1
NUR 305

Voor Barbara, zoals altijd

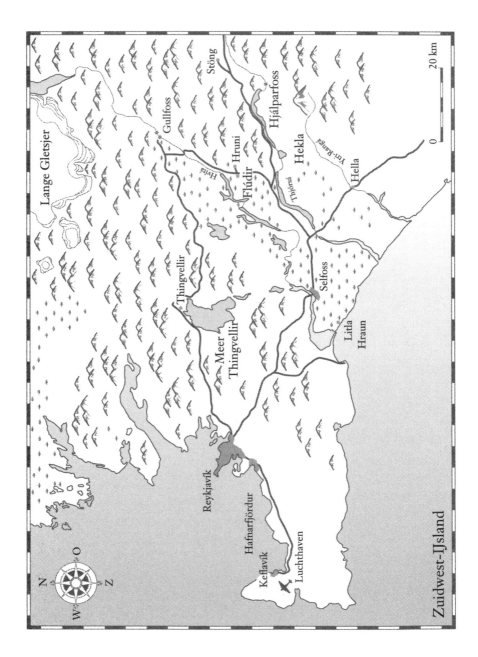

Zuidwest-IJsland

1

Professor Agnar Haraldsson vouwde de brief op en stak hem terug in de kleine vergeelde envelop.

Hij keek nogmaals naar het adres dat in een kaarsrecht, sierlijk handschrift stond geschreven: Högni Ísildarson, Laugavegur 64, Reykjavík, IJsland. De postzegel toonde het profiel van een baardloze Britse koning. Een Edward of een George, daar was Agnar niet zeker van.

Zijn hart bonsde en de envelop maakte een dansje in zijn trillende hand. Hij had de brief die ochtend ontvangen in een grotere envelop met een moderne IJslandse postzegel en een poststempel uit Reykjavík.

Dit was alles waarop Agnar had durven hopen. Het was zelfs meer dan dat; het was perfect.

Als hoogleraar IJslandse taal aan de universiteit van IJsland had Agnar het voorrecht gehad een aantal van de oudste manuscripten van de saga's uit zijn land in handen te mogen houden. Ze waren met oneindig veel zorg door monniken gekopieerd op rollen kalfsperkament, met het donkere sap van de berendruif als inkt en veren uit de linkervleugel van zwanen als pen. Die magnifieke documenten vormden het erfgoed van IJsland, de ziel van IJsland. Maar geen ervan zou in de buitenwereld zo veel beroering veroorzaken als dit ene velletje papier.

En geen ervan was zijn eigen ontdekking.

Hij keek op van zijn bureau en naar het kalme meer voor hem. Het glinsterde zeldzaam diepblauw in de aprilzon. Tien minuten eerder had het staalgrijs geblonken. Over een paar minuten zou het dat opnieuw doen, want donkere wolken uit het westen joegen achter de wolken aan die in het oosten verdwenen over de besneeuwde bergtoppen aan de overkant van het meer.

Een perfecte locatie voor een zomerhuis. Het houten optrekje was gebouwd door Agnars vader, een ex-politicus die nu in een bejaarden-tehuis zat. Hoewel de zomer nog even op zich liet wachten, had Agnar er dit weekend zijn toevlucht gezocht om ongestoord te kunnen wer-ken. Zijn vrouw was pas bevallen van hun tweede kind, en Agnar zat nog met een stapel vertaalwerk en een krappe deadline.

'Aggi, kom terug naar bed.'

Hij draaide zich om en zag de adembenemend mooie gestalte van Andrea, een balletdanseres en derdejaars studente literatuur, die naakt en met warrig blond haar over de kale houten vloer naar hem toe leek te glijden.

'Sorry, schat, dat kan niet,' zei hij, met een knikje naar de papier-chaos voor hem.

'Weet je dat zeker?' Ze boog zich voorover om hem te kussen, en liet haar vingers onder zijn overhemd glijden en over het haar op zijn borst. Haar blonde manen kriebelden tegen zijn neus. Ze trok zich terug. 'Weet je dat echt zeker?'

Hij glimlachte en zette zijn bril af.

Misschien kon hij zich wel één afleiding veroorloven.

2

Rechercheur Magnus Jonson slenterde door de woonstraat in Roxbury naar zijn auto. Er wachtte hem nog een hoop tikwerk op het bureau voordat hij naar huis kon. Hij was moe, zo vreselijk moe; hij had al een week niet fatsoenlijk geslapen. Misschien was dat de reden waarom de geur zo hard bij hem was aangekomen.

Het was een vertrouwde geur: rauw vlees van een week over de datum, met een vleugje van iets metaalachtigs. Hij had het in al zijn jaren bij de afdeling Moordzaken van de politie in Boston vele malen geroken.

Maria Campanelli, vrouw, blank, zevenentwintig.

Ze was al zesendertig uur dood. Na een ruzie had haar vriendje haar neergestoken en laten wegrotten in haar appartement. Ze waren momenteel naar hem op zoek, en Magnus had er alle vertrouwen in dat hij gevonden zou worden. Maar om zeker te zijn van een veroordeling moesten ze ervoor zorgen dat de papierhandel voor de volle honderd procent klopte. Een hoop mensen ondervragen betekende een hoop formulieren invullen. De afdeling had een paar jaar terug een schandaal te verduren gekregen, met een reeks uitglijders in de bewijsvoering, verkeerd gearchiveerde documenten en zoekgeraakte bewijsstukken. Sindsdien hadden advocaten van de verdediging zich op elk foutje gestort.

Magnus was goed in papierwerk, en dat was een van de redenen waarom hij onlangs tot brigadier was bevorderd. Misschien had Colby gelijk. Misschien moest hij rechten gaan studeren.

Colby.

In het jaar dat ze hadden samengewoond had ze geleidelijk de druk opgevoerd: waarom ging hij niet weg bij de politie om rechten te studeren en waarom gingen ze niet trouwen? En toen, zes dagen geleden, gebeurde het: ze liepen gearmd terug van hun favoriete Italiaanse restaurant in de North End toen er een jeep kwam langsgereden met het achterste portierraampje omlaag. Magnus had Colby tegen het trottoir gegooid, precies op het moment dat er snel achter elkaar schoten klonken van een semiautomatisch geweer. Misschien dachten de schutters dat ze hun doelwit hadden geraakt, of misschien waren er te veel omstanders, maar de jeep reed weg zonder het karwei af te maken.

Daarom had ze hem uit haar appartement geschopt. Daarom had hij slapeloze nachten doorgebracht in de logeerkamer bij zijn broer thuis in Medford. Daarom had de geur hem zo aangegrepen: voor het eerst sinds lange tijd was de geur van de dood persoonlijk geworden.

Ook hij had languit op de vloer van dat appartement kunnen liggen. Of Colby.

Het was de warmste dag van het jaar tot nu toe, wat de stank natuurlijk nog erger had gemaakt, en Magnus zweette in zijn colbertje. Hij voelde dat iemand zijn elleboog aanraakte.

Het was een kerel van rond de vijftig, Latijns-Amerikaans, kaal, kort en te dik, ongeschoren. Hij droeg een groot blauw overhemd dat over zijn spijkerbroek hing.

'Rechercheur?'

Magnus stopte. 'Ja?'

'Ik denk dat ik iets heb gezien. Op de avond dat het meisje werd neergestoken.' De stem van de man klonk kortaf, dringend.

Magnus kwam in de verleiding om tegen de kerel te zeggen dat hij moest ophoepelen. Ze hadden een getuige die het vriendje had zien komen, een getuige die hem zes uur later had zien vertrekken, drie getuigen die een luidruchtige ruzie hadden gehoord, en nog een getuige die een gil had gehoord. Maar je kon nooit genoeg getuigen hebben. De zoveelste verklaring die hij zou moeten uittikken als hij terugkwam op het bureau.

Magnus zuchtte en reikte naar zijn notitieboekje. Hij had nog een paar uur te gaan voordat hij naar huis kon om een rondje hard te lopen en te douchen. Dat had hij wel nodig om die geur uit zijn gedachten te verdrijven. Als hij tegen die tijd niet te uitgeput was om te hardlopen.

De man keek nerveus om zich heen in de straat. 'Niet hier. Ik wil niet dat iemand ons ziet praten.'

Magnus stond op het punt om te protesteren – het vriendje van het slachtoffer was kok bij het Boston Medical Center, niet echt iemand om bang voor te zijn – maar haalde toen zijn schouders op en volgde de man. Die haastte zich een smalle zijstraat in, tussen een vervallen, grauwe woning met planken muren en een klein appartementencomplex van rode baksteen. Het was weinig meer dan een steeg, met aan het eind een of ander bouwterrein met een hoog gaashek. Op de straathoek stond een zwaar getatoeëerde jongen in een geel T-shirt met zijn rug naar Magnus toe een sigaret te roken.

Eenmaal in de steeg leek de kale kerel zijn pas te versnellen. Magnus nam grotere stappen om hem bij te houden. Hij wilde net roepen of het niet wat langzamer kon, toen hij zich bedacht.

Magnus had lopen slapen. Nu was hij klaarwakker.

Te midden van het woud van tatoeages op de armen van de jongen had Magnus boven de ene elleboog een kleine stip gezien, en boven de andere een patroon van vijf stippen. Een één en een vijf. Vijftien. De tatoeage van een bende die zichzelf de Cobra 15 noemde. Ze opereerden niet in Roxbury. Deze jongen bevond zich ver buiten zijn territorium, minstens een kilometer of vijf, misschien zes. Maar de Cobra 15 deden zaken met Soto; het waren lokale distributeurs. De inzittenden van de jeep in de North End hadden voor Soto gewerkt, dat wist Magnus zeker.

Magnus wilde instinctief blijven staan en zich omdraaien, maar hij dwong zichzelf geen pas op de plaats te maken en de jongen te alarmeren. Denk. Denk snel na.

Hij hoorde voetstappen achter zich. Pistool of mes? Zo dicht bij de plaats delict zou het geluid van een pistoolschot riskant zijn. Er liepen nog steeds een paar agenten rond. Maar de jongen wist dat Magnus gewapend was en niemand komt met een mes naar een vuurgevecht. Een pistool dus. Die de jongen op dat moment waarschijnlijk van tussen zijn broeksband haalde.

Magnus dook naar links, greep een vuilnisbak en gooide hem tegen de grond. Toen hij zich op straat liet vallen, rolde hij eenmaal rond, trok zijn pistool en richtte het op de jongen, die zijn eigen wapen trok. Magnus' vinger kromde zich om de trekker. Toen trad zijn opleiding in werking. Hij aarzelde. De regel was duidelijk: niet schieten als de kans bestaat dat je een burger raakt.

In de ingang van de steeg stond een jonge vrouw, met boodschappenzakken in beide armen, die Magnus met open mond aanstaarde. Ze was breed, heel breed, en stond direct achter de jongen in het gele T-shirt, in de vuurlinie van Magnus.

De aarzeling gaf de jongen de tijd om zijn eigen wapen te heffen. Magnus keek recht in de loop. Een patstelling.

'Politie! Laat je wapen vallen!' riep Magnus, ook al wist hij dat de jongen er geen gehoor aan zou geven.

Wat nu? Als de jongen als eerste schoot, zou hij Magnus mogelijk missen, en dan kon Magnus zijn eigen schot lossen. Hoewel hij één meter negentig was en ruim negentig kilo, lag Magnus voorover op straat, deels verborgen door de omgegooide vuilnisbak. Een vrij klein doelwit voor een paniekerige jongen.

Misschien zou de jongen zich terugtrekken. Als die vrouw nu eens opzij zou gaan. Ze stond nog steeds als aan de grond genageld, haar mond open in een poging om te gillen.

Toen zag Magnus de ogen van de jongen omhoogflitsen en achter Magnus kijken. De kale man.

De jongen zou niet hebben weggekeken van Magnus' pistool als de kale man zich afzijdig hield. Hij zou dat alleen riskeren als de kale man zich met de situatie bemoeide, hem te hulp schoot, zelf ook een wapen had en Magnus van achteren naderde. Wacht een paar tellen tot de kale man Magnus in de rug heeft geschoten, dat leek de jongen van plan te zijn.

Magnus haalde zijn trekker over. Eén keer maar, niet de twee keer zoals hem tijdens de opleiding was geleerd. Hij wilde het aantal kogels dat richting de zware vrouw vloog tot een minimum beperken. De jongen werd in de borst geraakt; hij schokte en vuurde zijn wapen af. Hij miste Magnus.

Magnus pakte de vuilnisbak en slingerde hem achter zich. Hij draaide zich om en zag dat de lege container de schenen van de kale man raakte. De man reikte onder zijn buik naar zijn eigen pistool, maar klapte dubbel toen hij over de bak struikelde.

Magnus vuurde tweemaal en raakte de man beide keren. Eenmaal in de schouder en eenmaal in de kale kruin van zijn hoofd. Een zootje.

Magnus krabbelde overeind. Lawaai drong tot hem door. De dikke vrouw had haar boodschappen laten vallen en stond nu te gillen. Luid, heel luid. Ze bleek niets aan haar longen te mankeren. Vlakbij begon een politiesirene te loeien. Er klonken roepende stemmen en rennende voetstappen.

De kale man bleef stil liggen, maar de jongen lag languit met zijn rug op de grond. Zijn borst zwoegde, zijn gele T-shirt kleurde rood en zijn vingers kromden zich om zijn pistool, terwijl hij de kracht probeerde op te brengen om het op Magnus te richten. Magnus stampte op zijn pols en schopte het wapen aan de kant. Hij stond hijgend boven de jongen die had geprobeerd hem te doden. Zeventien of achttien, Latijns-Amerikaans, gemillimeterd zwart haar, een gebroken voortand, een litteken op zijn nek. Strakke spieren onder de spiralen van inkt op zijn armen en borst, complexe bendetatoeages. Een harde jongen. Een jongen van zijn leeftijd bij Cobra 15 kon al enkele doden op zijn naam hebben staan.

Niet die van Magnus. Althans niet vandaag. Maar morgen?

Magnus rook kruit en zweet en angst, en opnieuw de bijtende metaalgeur van bloed. Te veel bloed voor één dag.

'Ik haal je van de straat.'

Hoofdinspecteur Williams, chef van de afdeling Moordzaken, was streng. Hij was altijd streng, dat was een van de dingen die Magnus in hem waardeerde. Hij waardeerde het ook dat Williams helemaal vanuit zijn kantoor aan Schroeder Plaza, in het centrum van Boston, was gekomen om zich ervan te verzekeren dat een van zijn mensen veilig was. Ze bevonden zich in een anonieme motelkamer in een anoniem motel, ergens langs de I-91 tussen Springfield, Massachusetts, en Hartford, Connecticut, begeleid door FBI-agenten met accenten uit het Midwesten. Sinds de schietpartij had Magnus niet mogen terugkeren naar het bureau.

'Ik denk niet dat dat nodig is,' zei Magnus.

'Nou, ik wel.'

'Hebben we het over een getuigenbeschermingsprogramma?'

'Misschien. Dit is de tweede keer in een week dat iemand heeft geprobeerd je uit de weg te ruimen.'

'Ik was moe. Ik lette niet goed op. Het zal niet meer gebeuren.'

Williams trok zijn wenkbrauwen op. Zijn zwarte gezicht vertoonde diepe rimpels. Hij was klein, compact, vastberaden, een goede baas, en eerlijk. Daarom was Magnus een halfjaar eerder naar hem toe gestapt toen hij een mobiel telefoongesprek had opgevangen van zijn partner, rechercheur Lenahan, die had zitten praten met een andere agent over knoeien met bewijsmateriaal in een moordonderzoek.

Ze hadden voor joker op de uitkijk gezeten. Magnus was een ommetje gaan maken en liep terug naar de wagen toen hij in het herfstzonlicht net achter het passagiersraam bleef staan. Het raam stond op een kier. Magnus kon Lenahan duidelijk horen, die met mooie praatjes en dreigementen ene rechercheur O'Driscoll overhaalde om het enige juiste te doen en de vingerafdrukken op een wapen uit te wrijven.

Magnus en Lenahan waren niet lang partners geweest. Met drieënvijftig was Lenahan twintig jaar ouder dan Magnus. Hij was ervaren, slim, populair, en leek iedereen bij de politie van Boston te kennen, vooral degenen met een Ierse achternaam. Maar hij was lui. Hij gebruikte zijn drie decennia aan ervaring en kennis van politieprocedures om zo min mogelijk te doen.

Magnus dacht daar anders over. Zodra hij de ene zaak had afgesloten kon hij haast niet wachten om aan de volgende te beginnen; zijn vastberadenheid om de pleger van een misdrijf te pakken te krijgen was legendarisch op de afdeling. Lenahan was van mening dat er goede en slechte mensen waren, dat was altijd zo geweest en dat zou altijd zo blijven. Daar kon hij noch Magnus noch het voltallige politieapparaat van Boston heel veel aan veranderen. Magnus was van mening dat elk slachtoffer, en de familie van elk slachtoffer, gerechtigheid verdiende, en Magnus zou zijn uiterste best doen om dat voor elkaar te krijgen. De partnercombinatie Jonson-Lenahan was dus niet bepaald in de hemel gesloten.

Maar tot op dat moment had Magnus nooit gedacht dat Lenahan corrupt was.

Er zijn twee dingen die een agent meer haat dan wat dan ook. Het eerste is een corrupte agent. En het tweede een agent die een van zijn collega's verlinkt. Voor Magnus was de keuze simpel: als mensen zoals Lenahan konden wegkomen met het vernietigen van bewijs voor een moord, was alles wat hij in zijn carrière had nagestreefd zinloos.

Magnus wist dat de meeste van zijn collega's het met hem eens zouden zijn. Maar sommigen zouden een oogje dichtknijpen, zichzelf ervan overtuigen dat Magnus het verkeerd had verstaan, dat die goede oude Sean Lenahan niet een van de slechte jongens kon zijn. En anderen zouden denken: als die goede oude Sean Lenahan een pensioenpotje voor zichzelf in de wacht heeft gesleept door geld af te pakken van een crimineel die net een andere crimineel heeft vermoord, laat hem er gelukkig mee zijn. Dat had hij wel verdiend na dertig jaar trouwe dienst voor de burgers van Boston.

Vandaar dat Magnus regelrecht naar Williams, en alleen Williams, was gestapt. Williams had de situatie begrepen. Een paar weken later kreeg Magnus promotie en werden hij en Lenahan uit elkaar gehaald. Er werd een undercoverteam van de FBI uit een andere staat bijgehaald. Er werd een groot onderzoek gestart en Lenahan werd in verband gebracht met twee andere rechercheurs: O'Driscoll en Montoya. De FBI-agenten ontdekten welke bende hen omkocht; een Dominicaanse, geleid door een man die luisterde naar de naam Pedro Soto en opereerde vanuit Lawrence, een uitgestorven fabrieksstadje net buiten Boston. Soto leverde grote partijen cocaïne en heroïne aan straatbendes in heel New England. De drie corrupte rechercheurs werden gearresteerd en aangeklaagd. Toen de zaak uiteindelijk voorkwam, werd Magnus aangekondigd als kroongetuige.

Maar de FBI had tot nu toe niet genoeg bewijs verzameld om Soto aan te klagen. Hij liep nog altijd vrij rond.

'Als je één keer wordt verrast, kun je nog een keer worden verrast,' zei Williams. 'Als we niets doen ben je over twee weken dood. Ze willen je te grazen nemen en dat gaat ze een keer lukken.'

'Maar ik begrijp niet waarom ze mij willen omleggen,' zei Magnus. 'Tuurlijk, als ik getuig gaat Lenahan voor de bijl, maar ik kan Soto of de Dominicanen niets maken. En u zei dat Lenahan niet meewerkt.'

'De FBI denkt te weten wat Lenahan voor spelletje speelt. Het laatste wat hij wil, is in een zwaar beveiligde gevangenis belanden met een stel veroordeelde moordenaars. Geen enkele agent zou dat willen. Dan is hij dood nog beter af. Maar zonder jouw getuigenverklaring komt hij op vrije voeten. Wij vermoeden dat hij de Dominicanen een ultimatum heeft gegeven: ze ruimen jou op of hij levert hen uit aan ons. En als hij het niet doet, doet zijn maat Montoya het wel. Als jij dood bent, gaan Lenahan en de andere twee vrijuit en kan Soto zijn activiteiten voortzetten alsof er niets is gebeurd. Maar als jij in leven blijft om te getuigen, gooit Lenahan het op een akkoordje met de FBI, en moeten Soto en zijn jongens hun handel staken en huiswaarts keren naar de Dominicaanse Republiek. Als wij hen niet eerst te pakken krijgen.'

Williams keek Magnus recht in de ogen. 'Daarom moeten we bedenken wat er met jou dient te gebeuren.'

Magnus wist dat Williams een punt had. Maar getuigenbescherming betekende een nieuw leven beginnen onder een nieuwe identiteit aan de andere kant van het land. Dat wilde hij niet. 'Heb je een idee?' vroeg hij aan Williams.

'Eigenlijk wel.' Williams glimlachte. 'Je bent toch IJslands staatsburger?'

'Ja. En Amerikaans. Ik heb twee paspoorten.'

'Spreek je de taal?'

'Een beetje. Ik sprak het als kind. Op m'n twaalfde kwam ik hier wonen bij mijn vader. Maar ik heb het niet meer gesproken sinds hij is gestorven.'

'Hoe lang is dat geleden?'

'Toen ik twintig was.'

Williams liet een korte stilte vallen om zijn deelneming te betuigen. 'Je zult het dan toch beter spreken dan de rest van ons.'

Magnus glimlachte. 'Ik denk het wel. Waarom?'

'Een paar maanden terug werd ik gebeld door een oude vriend bij de New Yorkse politie. Hij had gehoord dat iemand in mijn eenheid IJslands sprak. Hij had net het hoofd van de IJslandse politie op bezoek gehad, en die wilde bij zijn New Yorkse collega's een rechercheur lenen als adviseur. Hij was niet per se op zoek naar iemand met een hoge rang, alleen iemand die ervaring had met de vele uiteenlopende misdrijven die ons fantastische land heeft te bieden. Blijkbaar worden er in IJsland niet veel moorden gepleegd, of althans niet tot voor kort. Als die rechercheur toevallig IJslands kon spreken, zou dat mooi meegenomen zijn.'

'Ik herinner me niet dat iemand me hierover heeft verteld,' zei Magnus.

Williams grijnsde. 'Dat kan kloppen.'

'Waarom niet?'

'Om dezelfde reden dat ik het je nu vertel. Je bent een van mijn beste rechercheurs en ik wil je niet kwijt. Alleen zie ik je nu liever levend in een iglo in IJsland dan dood op een trottoir in Boston.'

Magnus had het allang opgegeven om mensen uit te leggen dat er geen iglo's voorkwamen op IJsland. En ook geen Eskimo's, en slechts heel zelden ijsberen. Hij was sinds de dood van zijn vader niet meer in IJsland geweest. Hij had zo zijn twijfels over een terugkeer, maar op dat moment leek het de minst slechte optie.

'Ik heb een uur geleden de politiecommissaris van IJsland gebeld. Hij is nog steeds op zoek naar een adviseur. Hij klonk erg enthousiast bij het idee van een rechercheur die de taal spreekt. Dus wat denk je ervan?'

Er was niet echt een andere keus.

'Ik doe het,' zei Magnus. 'Op één voorwaarde.'

Williams fronste. 'En dat is?'

'Ik neem mijn vriendin mee.'

Magnus had Colby eerder kwaad gezien, maar nooit zo kwaad.

'Waar denk je dat je mee bezig bent? Mij zomaar door je handlangers laten ontvoeren. Is dit soms een geintje? Een of ander bizar romantisch gebaar waarmee je mij denkt terug te krijgen? Want als het dat is, kan ik je nu meteen vertellen dat het niet gaat werken. Dus geef die kerels opdracht mij terug te brengen naar kantoor!'

Ze zaten op de achterbank van een FBI-busje op het parkeerterrein van een Friendly's-restaurant. Twee agenten waren langs het kantoor gereden van het bedrijf in medische apparatuur waar Colby werkte als intern adviseur om haar snel mee te nemen. Ze stonden vijftien meter verderop bij hun auto, met de twee agenten die Magnus hadden vervoerd.

'Ze hebben weer geprobeerd me te vermoorden,' zei Magnus. 'Ditmaal is het ze bijna gelukt.'

Hij kon nog steeds niet geloven hoe stom hij was geweest, hoe hij zichzelf van de hoofdstraat had laten meelokken naar een steeg. Sinds de schietpartij was hij langdurig ondervraagd door twee rechercheurs van het team dat onderzoek deed naar politieel vuurwapengebruik. Hun was verteld dat ze maar één kans kregen om hem te spreken, dus hadden ze hem flink aan de tand gevoeld, met name over zijn besluit om de trekker over te halen terwijl er een onschuldige burger in de vuurlinie stond.

Magnus had geen spijt van dat besluit. Hij had de grote zekerheid van zijn eigen dood ingeruild voor een kleine kans dat de vrouw gewond zou raken. Maar hij had een beter antwoord voor de rechercheurs. Als de gangsters hem hadden neergeschoten, zouden ze vermoedelijk alsnog de vrouw hebben neergeschoten omdat ze een getuige was. Die uitleg stond de jongens van het onderzoeksteam wel aan. Ze vermeden zorgvuldig de vraag of hij dat voor of na het overhalen van de trekker had bedacht. Ze zouden alles volgens het boekje doen, maar ze stonden aan zijn kant.

Dit was de tweede keer dat hij in diensttijd iemand had doodgeschoten. Na het eerste incident, toen hij pas twee maanden als politieagent in uniform patrouilleerde, had het schuldgevoel hem wekenlang slapeloze nachten bezorgd.

Deze keer was hij alleen blij dat hij nog leefde.

'Jammer dat het ze niet is gelukt,' foeterde Colby. Twee rode stipjes van woede gloeiden op elke wang; de hoeken van haar bruine ogen glinsterden furieus. Haar mond stond strak. Toen beet ze op haar lip en trok met een vertrouwd gebaar lokken van haar donkere krullende haar achter haar oren. 'Sorry, dat meende ik niet. Maar het heeft niets met mij te maken. Ik wil er niets mee te maken hebben, daar komt het op neer.'

'Het heeft al iets met jou te maken, Colby.'

'Hoe bedoel je?'

'De chef wil dat ik vertrek. Uit Boston. Hij denkt dat de Dominicanen niet stoppen totdat ze mij hebben vermoord.'

'Klinkt als een goed idee.'

Magnus haalde diep adem. 'En ik wil dat jij met me meegaat.'

De uitdrukking op Colby's gezicht was een mengeling van ontzetting en minachting. 'Meen je dat nu echt?'

'Het is voor je eigen veiligheid. Als ik weg ben, gaan ze jou misschien achterna.'

'En mijn werk dan? Hoe moet dat met mijn baan, verdomme!'

'Die zul je moeten achterlaten. Het is maar voor een paar maanden. Tot het proces.'

'Had ik het meteen bij het rechte eind? Is dit gewoon een rare manier om mij terug te krijgen?'

'Nee,' zei Magnus. 'Ik ben bezorgd dat je iets overkomt als je blijft.'

Colby beet opnieuw op haar lip. Er liep een traan langs haar wang.

Magnus legde zijn hand op haar arm. 'Waar moeten we dan naartoe?'

'Het spijt me, dat kan ik je pas vertellen als ik weet dat je ja zegt.'

'Ga ik het er leuk vinden?' Ze keek hem aan.

Hij schudde zijn hoofd. 'Waarschijnlijk niet.' Ze hadden tijdens hun relatie al vele malen over IJsland gesproken, en Colby had constant wantrouwen gekoesterd jegens het land, met zijn vulkanen en zijn slechte weer.

'Het is IJsland, zeker?'

Magnus haalde alleen zijn schouders op.

'Geef me even tijd om na te denken.' Colby wendde zich van hem af en staarde over het parkeerterrein. Een gezin van vier waggelde naar hun auto, met ijstonnetjes in de hand en een verwachtingsvolle glimlach op hun gezicht.

Magnus wachtte.

Colby draaide zich om en keek hem recht in de ogen. 'Wil je trouwen?'

Magnus beantwoordde haar strakke blik. Hij kon niet geloven dat ze dit serieus meende. Maar ze was bloedserieus.

'Nou?'

'Ik weet het niet,' zei Magnus aarzelend. 'We kunnen erover praten.'

'Nee! Ik wil er niet over praten, we hebben er al maandenlang over gepraat. Ik wil dat je nu een beslissing neemt. Jij wilt dat ik alles opgeef en met jou meega. Goed. Ik doe het. Als wij gaan trouwen.'

'Maar dit is totaal niet de juiste manier om zo'n besluit te nemen.'

'Wat wil je daarmee zeggen? Hou je van me?'

'Natuurlijk hou ik van je,' reageerde Magnus.

'Laten we dan gaan trouwen. We kunnen naar IJsland vliegen en daar nog lang en gelukkig leven.'

'Je denkt niet helder na,' zei Magnus. 'Je bent kwaad.'

'Reken maar dat ik kwaad ben. Jij hebt gevraagd of ik met jou wil meegaan, en ik doe het als jij ook ja zegt tegen mij. Kom op, Magnus, tijd om te beslissen.'

Magnus haalde diep adem. Hij zag het gezin instappen in de auto, die bijna door zijn assen zakte. Ze reden weg langs het andere FBI-voertuig, de wagen die Colby had opgehaald. 'Ik wil dat je met mij meegaat voor je eigen veiligheid,' zei hij.

'Dat is dus een nee?' Haar ogen boorden zich in de zijne. Colby was een vastberaden vrouw; dat was een van de dingen die Magnus geweldig aan haar vond, maar hij had haar nooit eerder zo vastberaden ge-zien. 'Nee?'

Magnus knikte. 'Nee.'

Colby tuitte haar lippen en reikte naar de portiergreep. 'Oké. We zijn klaar hier. Ik ga terug naar mijn werk.'

Magnus pakte haar bij de arm. 'Colby, alsjeblieft!'

'Blijf van me af!' riep Colby, waarna ze het portier opensmeet. Ze liep snel naar de vier agenten die rond de andere auto stonden en mompel-de iets tegen hen. Nog geen minuut later was de auto verdwenen.

Twee van de agenten keerden terug naar het busje en stapten in.

'Het lijkt erop dat ze niet met je meegaat,' merkte de bestuurder op.

'Ja, daar lijkt het wel op,' zei Magnus.

3

Magnus keek op van zijn boek en uit het raam van het vliegtuig. Hij had een lange vlucht achter de rug, die nog langer was geworden door de vijf uur vertraging bij hun vertrek vanaf Logan Airport. Het toestel daalde. Onder hem lag een grof geweven grijze wolkendeken, slechts hier en daar aan flarden gescheurd. Terwijl het vliegtuig een van deze flarden naderde, probeerde Magnus reikhalzend een glimp van land op te vangen, maar het enige wat hij kon zien was een stuk gerimpelde grauwe zee, bezaaid met schuimkoppen. Toen was het verdwenen.

Hij maakte zich zorgen over Colby. Als de Dominicanen het nu op haar gemunt zouden hebben, was dat onmiskenbaar zijn schuld. Toen hij haar voor het eerst had verteld over Lenahans gesprek had zij hem afgeraden om naar Williams te stappen. Ze beweerde ordehandhaving altijd al een dom beroep te hebben gevonden. En als hij had ingestemd met een huwelijk op het parkeerterrein van Friendly's, zou ze nu in de stoel naast hem zitten, op weg naar veiligheid, in plaats van in haar appartement in Back Bay, wachtend tot de verkeerde man op de deur klopte.

Maar Magnus had de juiste beslissing moeten nemen. Dat had hij altijd gedaan en zou hij altijd blijven doen. Het was de juiste beslissing om Williams te vertellen over Lenahan. Het was de juiste beslissing om de jongen in het gele T-shirt neer te schieten. Het zou verkeerd zijn geweest om met Colby te trouwen omdat zij hem daartoe dwong. Hij was er nooit zeker van geweest waarom zijn ouders waren getrouwd, maar hij had geleefd met de gevolgen van die fout.

Misschien maakte hij zich te druk. Misschien zouden de Dominicanen haar negeren. Hij had geëist dat Williams politiebescherming voor haar regelde. Een verzoek dat Williams met tegenzin had ingewilligd, met tegenzin vanwege haar weigering om met Magnus naar IJsland te gaan.

Maar als de Dominicanen haar te pakken kregen, zou hij dan kunnen leven met de gevolgen daarvan? Misschien had hij gewoon ja moeten zeggen, ja op alles wat zij wilde om haar simpelweg het land uit te krijgen. Ze had geprobeerd hem daartoe te dwingen. Hij had zich niet laten dwingen. En nu kon ze wellicht sterven.

Ze was dertig, ze wilde gaan trouwen en ze wilde trouwen met Magnus. Of beter gezegd, een aangepaste versie van Magnus: een succesvolle advocaat die een goed salaris opstreek, in een groot huis in Brookline woonde – of misschien zelfs Beacon Hill als hij echt succesvol was – en in een BMW of Mercedes reed. Misschien zou hij zich zelfs bekeren tot het jodendom.

Ze hadden elkaar voor het eerst ontmoet op een feestje georganiseerd door een oude studievriend van hem, ook een advocaat. Het kon haar toen niet schelen dat hij een stoere agent was. Ze voelden zich meteen tot elkaar aangetrokken. Zij was mooi, levenslustig, slim, wilskrachtig, vastberaden. Het idee dat iemand die was afgestudeerd aan een Ivy League-universiteit met een pistool rondliep door de straten van Zuid-Boston beviel haar wel. Hij was veilig maar gevaarlijk, zelfs zijn nu en dan slechte humeur leek ze aantrekkelijk te vinden. Totdat ze hem niet meer als minnaar maar als mogelijke echtgenoot begon te zien.

Wie wilde ze dat hij was? Wie wilde híj zijn? Wie was hij eigenlijk? Het was een vraag die Magnus zichzelf vaak stelde.

Hij haalde zijn staalblauwe IJslandse paspoort tevoorschijn. De foto was hetzelfde als in zijn Amerikaans paspoort, alleen mocht je als IJslander glimlachen en als Amerikaan niet. Rood haar, vierkante kaak, blauwe ogen, wat sproeten op zijn neus. Maar de naam was anders. Hier stond zijn échte naam: Magnús Ragnarsson. Hij heette Magnús, zijn vader Ragnar, en zijn grootvader Jón. Dus heette zijn vader Ragnar Jónsson en hij Magnús Ragnarsson. Simpel.

Maar de Amerikaanse bureaucratie kon dergelijke logica natuurlijk niet volgen. Een zoon kon niet een andere achternaam hebben dan zijn vader én zijn moeder, die Margrét Hallgrímsdóttir heette, en toch door de overheidscomputers worden geaccepteerd als lid van dezelfde familie. Ze wisten zich geen raad met de accenttekens op de klinkers, en ook de afwijkende spelling van Jonsson stond hen niet echt aan. Ragnar had zich hier een paar maanden tegen verzet nadat zijn zoon in het land arriveerde, maar had toen de handdoek in de ring gegooid. De twaalfjarige IJslandse jongen Magnús Ragnarsson werd het Amerikaans jochie Magnus Jonson.

Hij keek weer naar het boek op zijn schoot. De *Njálssaga*, een van zijn favorieten.

Hoewel Magnus de afgelopen dertien jaar heel weinig IJslands had gesproken, had hij het veel gelezen. Zijn vader had hem de saga's voorgelezen toen Magnus naar Boston was verhuisd, en voor Magnus waren ze een bron van vertroosting geworden in de nieuwe verwarrende wereld van Amerika. Dat waren ze nog steeds. Het woord 'saga' betekende in het IJslands letterlijk 'wat is gezegd'. De saga's waren archetypische familiegeschiedenissen, de meeste ervan gingen over de drie tot vier generaties Vikingen die IJsland rond 900 n.Chr. hadden gekoloniseerd tot de komst van het christendom in het jaar 1000. Hun helden waren complexe mannen met veel zwakke alsook sterke karaktereigenschappen, maar ze bezaten een duidelijke morele code, een gevoel van eer en respect voor de wetten. Het waren moedige avonturiers. Voor een eenzame IJslander op een enorme middelbare school in de Verenigde Staten, vormden ze een bron van inspiratie. Als een van hun verwanten werd gedood, wisten ze wat ze moesten doen: ze eisten geld ter compensatie en als dat uitbleef, wilden ze bloed zien, allemaal strikt volgens de wet.

Dus toen zijn vader werd vermoord toen Magnus twintig was, wist ook hij wat hij moest doen. Zoeken naar gerechtigheid.

De politie had de moordenaar van zijn vader nooit gevonden, en ondanks Magnus' inspanningen was het hem ook niet gelukt, maar na zijn afstuderen besloot hij politieagent te worden. Hij zocht nog steeds naar gerechtigheid, en ondanks alle moordenaars die hij de afgelopen tien jaar had gearresteerd, had hij haar nog steeds niet gevonden. Elke moordenaar bleef zijn vaders moordenaar, totdat ze waren gepakt. Daarna ging de zoektocht naar rechtvaardigheid verder, met onbevredigend resultaat.

Het vliegtuig daalde. Nog een gat in de wolken; ditmaal kon hij de golven zien breken tegen het bruine lavaveld van het schiereiland Reykjanes. Twee zwarte strepen doorsneden het kale gesteente en gruis, de hoofdweg van Reykjavík naar het vliegveld bij Keflavík. Wolkenslierten dreven als rook uit een vulkaan over een alleenstaand wit huis in een poel van lichtgroen gras, en toen zat Magnus weer boven de oceaan. Onder hem naderden de wolken toen het vliegtuig begon te draaien voor de aanvliegroute.

Nu IJsland steeds dichterbij kwam, kreeg hij het gevoel dat hij op het punt stond om zijn vaders moord op te lossen, of ten minste te verklaren. In IJsland kon hij de moord misschien eindelijk in een bepaald perspectief plaatsen.

Maar het toestel bracht hem ook dichter bij zijn jeugd, dichter bij pijn en verwarring.

Vóór zijn achtste levensjaar had Magnus een gouden periode gekend, toen het hele gezin bij elkaar woonde in een klein huis met witte golfplaten muren en een helblauw golfplaten dak, dicht bij het centrum van Reykjavík. Ze hadden een piepklein tuintje met een wit geschilderd hek en een onvolgroeide boom, een oude meelbes, waarin je kon klauteren. Zijn vader ging elke ochtend naar de universiteit, en zijn moeder, toen een mooie vrouw die altijd glimlachte, gaf les op de lokale middelbare school. Hij herinnerde zich dat hij voetbalde met vriendjes tijdens de lange zomeravonden, en de opwinding over de komst van de dertien ondeugende kerstelfen in de donkere, gezellige winters, die elk een cadeautje achterliet in de schoen die Magnus onder zijn open slaapkamerraam zette.

Toen veranderde alles. Zijn vader ging van huis om wiskunde te doceren aan een universiteit in Amerika. Zijn moeder werd prikkelbaar en slaperig – ze sliep de hele tijd. Haar gezicht raakte opgezwollen, ze werd dik, ze schreeuwde tegen Magnus en diens kleine broertje Óli.

Ze verhuisden terug naar de boerderij op het schiereiland Snaefellsnes, waar zijn moeder was opgegroeid. Daar begon de ellende. Magnus realiseerde zich dat zijn moeder niet heel de tijd slaperig was, maar dronken. Eerst bracht ze haar tijd merendeels door in Reykjavík, in een poging haar baan als lerares te behouden. Toen keerde ze terug naar de boerderij en een reeks baantjes in het dichtstbijzijnde stadje, eerst als lerares en later achter de kassa. Het ergste was dat Magnus en Óli langdurig werden toevertrouwd aan de zorg van hun grootouders. Hun grootvader was een strenge, angstaanjagende, boze man, die zelf ook niet vies was van een borrel. Hun grootmoeder was klein en gemeen.

Op een dag, toen Magnus en Óli op school zaten, had hun moeder een halve fles wodka opgedronken om vervolgens in een auto te stappen en frontaal tegen een rots te rijden. Ze was op slag dood. Nog geen week later was Ragnar gekomen, te midden van een nucleaire storm aan verwijten, om hen allebei met hem mee te nemen naar Boston.

Magnus keerde jaarlijks terug naar IJsland met zijn vader en Óli voor kampeeruitjes in het binnenland, en om een paar dagen door te brengen in Reykjavík om zijn grootmoeder te bezoeken en vrienden en collega's van zijn vader. Ze waren nooit meer in de buurt gekomen van zijn moeders familie.

Tot Magnus een maand na de dood van zijn vader de tocht had gemaakt, in een poging een verzoening tot stand te brengen. Het bezoek was uitgelopen op een totale ramp. Magnus was sprakeloos van verbijstering teruggeschrokken voor de felle vijandigheid van zijn grootouders. Ze haatten niet alleen zijn vader, ze haatten hem ook. Voor een wees met alleen een verwarde broer als familielid, en die niet goed wist tot welk land hij behoorde, kwam dat hard aan.

Sindsdien was hij nooit teruggeweest.

Het vliegtuig brak door de wolken heen op nog geen honderd meter boven de grond. IJsland was koud en grijs en winderig. Links van hem zag hij het vlakke veld met vulkanisch puin, grijs en bruin, bedekt met groen en roodbruin mos, en daarachter de attributen van de verlaten Amerikaanse luchtbasis, loodsen van één hoog, mysterieuze radiomasten en golfballen op stelten. Geen boom te bekennen.

Het toestel raakte de landingsbaan en manoeuvreerde naar het terminalgebouw. Onwaarschijnlijk vrolijk grondpersoneel vocht zich buiten een weg door de wind. Ze glimlachten en kletsten onderling. Een windzak stond strak horizontaal en een regengordijn zwiepte over het vliegveld op hen af. Het was 24 april, de dag na de eerste officiële zomerdag in IJsland.

Een halfuur later zat Magnus achter in een witte auto, die met hoge snelheid over de hoofdweg tussen Keflavík en Reykjavík reed. Op de zijkant van het voertuig stond het woord *Lögreglan* – met kenmerkende koppigheid was IJsland een van de weinige landen ter wereld die weigerde een afgeleide van het woord 'politie' te gebruiken voor zijn ordehandhavende macht.

Buiten was de storm voorbij en leek de wind te gaan liggen. Het lavalandschap, golvende heuvels van stenen, zwerfkeien en mos, strekte zich uit naar een rij plompe bergen in de verte, maar er viel nog steeds geen boom te bekennen. Duizenden jaren na dato was dit deel van IJsland de verwoesting van een enorme vulkaanuitbarsting nog niet te boven gekomen. De dunne moslagen die aan de rotsen knabbelden, stonden pas aan het begin van het herstelproces dat millennia zou duren.

Maar Magnus keek niet naar het landschap. Hij concentreerde zich op de man die naast hem zat: Snorri Gudmundsson, de nationale politiecommissaris. Hij was een kleine man met pientere blauwe ogen en dik grijs haar, achterover geborsteld tot een opbollend kapsel. Hij sprak snel in het IJslands, en Magnus moest al zijn aandacht erbij houden om hem te volgen.

'Zoals je ongetwijfeld weet, heeft IJsland een laag moordcijfer per hoofd van de bevolking en een laag percentage ernstige misdrijven,' vertelde hij. 'Het meeste politiewerk bestaat uit het opruimen van de rommel op zaterdag- en zondagochtend nadat de feestgangers hun pleziertje hebben gehad. Tot de *kreppa* natuurlijk, en de demonstraties daarover afgelopen winter. Al mijn agenten in de regio Reykjavík zijn daarbij ingezet. Ze deden het goed, ik ben trots op ze.'

Kreppa was het IJslandse woord voor de kredietcrisis, die het land bijzonder zwaar had getroffen. De banken, de overheid en veel inwoners waren failliet, overspoeld door schulden opgelopen in de periode van hoogconjunctuur. Magnus had gelezen over de wekelijkse demonstraties die maandenlang op zaterdagmiddag hadden plaatsgevonden voor het parlementsgebouw, totdat de regering eindelijk onder de volksdruk was bezweken en ontslag had genomen.

'De trend is verontrustend,' ging de commissaris verder. 'Er zijn meer drugs, meer drugsbendes. We hebben problemen gehad met Litouwse bendes en de Hells Angels proberen al jarenlang vaste voet aan de grond te krijgen in IJsland. Er wonen nu meer buitenlanders in ons land, en een kleine minderheid ervan heeft een andere opvatting over misdaad dan de meeste IJslanders. De boulevardpers overdrijft het probleem, maar het zou als politiecommissaris niet slim zijn om de dreiging te negeren.'

Hij zweeg om te kijken of Magnus hem kon volgen. Magnus knikte om aan te geven dat dat zo was, zij het maar net.

'Ik ben trots op ons politiekorps, mijn agenten werken hard en hebben een goed percentage opgeloste misdaden, maar ze zijn gewoon niet gewend aan het soort misdrijven dat voorkomt in grote steden met veel buitenlandse inwoners. Groot-Reykjavík telt slechts honderdtachtigduizend inwoners, het hele land maar driehonderdduizend, maar ik wil dat we voorbereid zijn voor het geval hier dezelfde dingen gebeuren als in Amsterdam, of Manchester, of Boston uiteraard. Vandaar dat ik naar jou heb gevraagd.

'Vorig jaar hadden we in IJsland drie onopgeloste moorden, die alle drie verband hielden met elkaar. We kwamen er niet achter wie ze had gepleegd, tot de dader zichzelf meldde op het hoofdbureau van politie. Een Pool. We hadden hem te pakken moeten krijgen nadat de eerste vrouw was vermoord, maar dat is niet gebeurd, dus zijn er nog twee mensen gestorven. Als we iemand zoals jou hadden gehad om ons te helpen, hadden we hem toen vermoedelijk wel kunnen stoppen.'

'Ik hoop het,' zei Magnus.

'Ik heb een kopie van je dossier gelezen en hoofdinspecteur Williams gesproken. Hij sprak vol lof over je.'

Magnus trok zijn wenkbrauwen op. Hij wist niet dat Williams aan lovende woorden deed. En hij wist dat er in zijn dossier een aantal zeer negatieve aantekeningen stonden over de momenten in zijn carrière waarop hij niet altijd had gedaan wat hem was opgedragen.

'Het is de bedoeling dat je een spoedcursus volgt aan de Nationale Politieschool. In de tussentijd blijf je beschikbaar voor opleidingsseminars en het geven van advies, voor het geval er zich iets voordoet waarmee je ons kunt helpen.'

'Een spoedcursus?' vroeg Magnus, die wilde weten of hij dat goed had verstaan. 'Hoe lang gaat dat duren?'

'De normale cursus duurt een jaar, maar aangezien je zo veel politie-ervaring hebt, hopen we je er binnen een halfjaar doorheen te krijgen. Het is onvermijdelijk. Je kunt iemand niet arresteren tenzij je de IJslandse wet kent.'

'Nee, dat begrijp ik, maar hoe lang…' Magnus stopte even omdat hij zich het IJslandse woord voor 'verwacht' probeerde te herinneren: '…wilt u dan dat ik hier blijf?'

'Minimaal twee jaar, zoals ik specifiek heb vermeld. Hoofdinspecteur Williams verzekerde mij dat dat acceptabel zou zijn.'

'Hij heeft het met mij nooit gehad over twee jaar,' zei Magnus.

Snorri's blauwe ogen boorden zich in die van Magnus. 'Williams heeft uiteraard verteld waarom je zo graag een tijdje Boston wilde ontvluchten. Ik bewonder je moed.' Zijn ogen flitsten naar de geüniformeerde politieagent achter het stuur. 'Hier weet niemand het, behalve ik.'

Magnus stond op het punt te protesteren, maar hij liet het erbij. Hij had vooralsnog geen idee hoeveel maanden het zou duren tot het proces van Lenahan en de anderen. Hij zou zich schikken naar de politiecommissaris tot hij de oproep kreeg om te getuigen, dan zou hij terugkeren naar Boston en daar blijven, ongeacht wat de commissaris met hem van plan was.

Snorri glimlachte. 'Het geluk wil dat we meteen iets hebben waar je je tanden in kunt zetten. Vanochtend is er een lichaam ontdekt in een zomerhuis bij het meer Thingvellir. En ik heb gehoord dat een van de eerste verdachten een Amerikaan is. Ik breng je er nu direct heen.'

Luchthaven Keflavík lag op de punt van het schiereiland dat ten westen van Reykjavík uitstak in de Atlantische Oceaan. Ze reden oostwaarts, over een wirwar aan wegen door grijze buitenwijken ten zuiden van de stad, geflankeerd door kleine fabrieken, groothandels en bekende fastfoodtenten: KFC, Taco Bell en Subway. Om depressief van te worden.

Links van hem zag Magnus de veelkleurige metalen daken van de huisjes die het centrum van Reykjavík markeerden, met daarboven de raketachtige spits van de Hallgrímskirkja, de grootste kerk van IJsland, die zich verhief vanaf de top van een kleine heuvel. Geen spoor van groepjes wolkenkrabbers die in Amerika zelfs bij kleine steden het gezicht van het centrum bepaalden. Achter de stad lag de baai Faxaflói, en daarachter de brede voet van de berg Esja, een imposante richel van steen die omhoogreikte tot in de lage wolken.

Ze reden door sombere buitenwijken met plompe vierkante flatblokken ten oosten van de stad. Voor hen doemde de Esja steeds hoger op, voordat ze wegdraaiden van de baai en omhoogreden naar Mosfell Heath. De huizen verdwenen en er restte alleen heideveld met geel gras en groen mos, grote ronde heuvels en wolken – laaghangende, donkere, wervelende wolken.

Na zo'n twintig minuten gingen ze omlaag en zag Magnus het meer

Thingvellir voor hem liggen. Magnus was er als jongetje een paar keer geweest om Thingvellir zelf te bezoeken, een grasvlakte op de bodem van een riftdal aan de noordrand van het meer. Het was de plek waar de Amerikaanse en Europese continentale platen IJsland in tweeën spleten. Wat Magnus en zijn vader echter belangrijker vonden, was dat het de dramatische locatie vormde van het Althing, het jaarlijks openluchtparlement van IJsland ten tijde van de saga's.

Magnus herinnerde zich het meer als prachtig diepblauw. Nu oogde het duister en onheilspellend. De wolken hingen bijna zo laag aan de hemel dat ze het zwarte water konden aanraken. Zelfs de bochel van een eilandje in het midden werd overdekt door de dichte deken van vocht.

Ze verlieten de hoofdweg, kwamen langs een grote boerderij met paarden die graasden in een weiland, en reden omlaag naar het meer. Ze volgden een landweggetje met stenen naar een rij van een stuk of vijf zomerhuizen, beschut door een stelling van verwrongen berken, nog zonder gebladerte. De enige bomen in de wijde omtrek. Magnus zag de vertrouwde aanblik van een nieuwe plaats delict: slecht geparkeerde politieauto's, sommige nog met onnodig flitsend zwaailicht, een ambulance met open achterportieren, geel lint klapperend in de wind, en figuren die rondliepen in hetzij donkere politie-uniformen of witte overalls van de technische recherche.

De aandacht richtte zich op het vijfde huis, aan het eind van de rij. Magnus bekeek de andere zomerhuizen. Het was nog vroeg in het seizoen, dus vertoonde er maar één, de tweede, tekenen van bewoning. Er stond buiten een Range Rover geparkeerd.

De politieauto kwam tot stilstand naast de ambulance, waarna de commissaris en Magnus uitstapten. De lucht voelde koud en klam aan. Hij hoorde het geruis van de wind en een spookachtige vogelroep die hij herkende uit zijn jeugd. Een wulp?

Een grote, kalende man met een lang gezicht, gekleed in een witte overall, kwam naar hen toe.

'Mag ik je voorstellen aan inspecteur Baldur Jakobsson van de politie van Reykjavík, opsporingsdienst,' zei de commissaris. 'Hij leidt het onderzoek. Het meer Thingvellir valt onder de politie in Selfoss ten zuiden van hier, maar zodra ze zich realiseerden dat dit kon uitlopen op een moordonderzoek, vroegen ze mij om assistentie uit Reykjavík.

Baldur, dit is rechercheur Magnús Jonson van de politie in Boston.' Hij liet een stilte vallen en keek Magnus vragend aan. 'Jonson?'

'Ragnarsson,' corrigeerde Magnus hem.

De commissaris glimlachte, blij dat Magnus zijn IJslandse naam in ere herstelde. 'Ragnarsson.'

'*Good afternoon,*' zei Baldur stijfjes, in aarzelend Engels met een vet accent.

'*Gódan daginn,*' antwoordde Magnus.

'Baldur, wil jij Magnús uitleggen wat hier is gebeurd?'

'Zeker,' zei Baldur, hoewel zijn dunne lippen geen glimlach of enig ander teken van enthousiasme toonden. 'Het slachtoffer heet Agnar Haraldsson. Hij is professor aan de universiteit van IJsland. Dit is zijn zomerhuis. Hij werd gisteravond vermoord, op het hoofd geslagen in het huis, naar wij denken, en toen het meer in gesleept. Hij werd vanochtend om tien uur gevonden door twee kinderen uit het huis daarachter.'

'Het huis met de Range Rover?' vroeg Magnus.

Baldur knikte. 'Ze haalden hun vader en hij belde 112.'

'Wanneer is hij voor het laatst levend gezien?' vroeg Magnus.

'Gisteren was het een officiële feestdag – de eerste dag van de zomer.'

'Een IJslands grapje,' merkte de commissaris op. 'De echte zomer laat nog een paar maanden op zich wachten, maar we grijpen hier alles aan om onszelf op te vrolijken na de lange winter.'

Baldur negeerde de onderbreking. 'De buren zagen Agnar rond elf uur 's ochtends aankomen. Ze zagen hem zijn auto voor zijn huis parkeren en naar binnen gaan. Ze zwaaiden naar hem, hij zwaaide terug, maar ze hebben elkaar niet gesproken. Hij heeft die avond wel een bezoeker, of bezoekers, ontvangen.'

'Konden ze die omschrijven?'

'Nee. Ze zagen alleen de auto, klein, lichtblauw, leek op een Toyota Yaris, hoewel ze daar niet echt zeker van zijn. De auto arriveerde rond halfacht, acht uur. Vertrok om halftien. Ze zagen de auto niet vertrekken, maar de vrouw herinnerde zich waar ze naar keek op televisie toen ze hem voorbij hoorde rijden.'

'Nog andere bezoekers?'

'Voor zover de buren weten niet. Maar ze waren de hele middag in Thingvellir, dus het is mogelijk.'

Baldur beantwoordde Magnus' vragen simpel en direct. Zijn lange gezicht leek de antwoorden veel meer gewicht te verlenen. De commissaris luisterde aandachtig, maar liet Magnus het woord doen.

'Hebben jullie het moordwapen gevonden?'

'Nog niet. We zullen moeten wachten op een autopsie. De patholoog kan ons misschien wat aanwijzingen geven.'

'Mag ik het lichaam zien?'

Baldur knikte. Hij leidde Magnus en de commissaris langs het huis en over een smal aarden pad naar een blauwe tent, opgericht aan de rand van het meer, op ongeveer tien meter van de woning. Baldur vroeg om overalls, laarzen en handschoenen. Magnus en de commissaris trokken ze aan, tekenden een logboek bij de politieagent die de locatie bewaakte, en doken de tent in.

Binnen lag een lichaam languit op het drassige gras. Twee mannen in een witte overall troffen voorbereidingen om het in een lijkzak te tillen. Toen ze zagen wie zich bij hen hadden gevoegd, stopten ze met wat ze aan het doen waren en wurmden zich de tent uit om hun meerderen de ruimte te geven om het lijk te bestuderen.

'De ambulancebroeders uit Selfoss die reageerden op de melding hebben hem uit het meer getrokken toen ze hem vonden,' zei Baldur. 'Ze dachten dat hij was verdronken, maar de arts die het lichaam onderzocht kreeg argwaan.'

'Waarom?'

'Hij heeft een klap op zijn achterhoofd gekregen. Er liggen stenen op de bodem van het meer, dus mogelijk had hij er een geraakt toen hij erin viel, maar volgens de arts zou de klap dan niet zo hard zijn aangekomen.'

'Mag ik even kijken?'

Agnar was een man van rond de veertig. Althans, dat was hij geweest. Hij had vrij lang donker haar, met plukjes grijs bij de slapen, scherpe gelaatstrekken, een modieus getrimd stoppelbaardje. Onder de stoppels zag zijn gezicht bleek en strak, met dunne lippen die nu blauwgrijs kleurden. Het lichaam voelde koud aan, niet zo verwonderlijk omdat het de hele nacht in het meer had gelegen. Het was ook stijf, wat erop wees dat de dood meer dan acht en minder dan vierentwintig uur geleden was ingetreden, dus ergens tussen vier uur gistermiddag en acht uur die ochtend. Daar schoot je weinig mee op. Magnus betwijfelde of de patholoog het tijdstip van overlijden heel precies zou kunnen duiden. Het was vaak moeilijk om zeker te zijn van een verdrinkingsdood, of het slachtoffer was gestorven voor of na te zijn ondergedompeld in water. Zand of wier in de longen vormde een aanwijzing, maar dat zouden ze pas weten na de autopsie.

Voorzichtig scheidde Magnus het haar van de professor en bestudeerde de wond achter op zijn schedel.

Hij wendde zich tot Baldur. 'Ik denk dat ik wel weet waar jullie het moordwapen kunnen vinden.'

'Waar?' vroeg Baldur.

Magnus wees naar de diepe grijze wateren van het meer. Ergens daar liep de kloof tussen de continentale platen bij Thingvellir verder omlaag tot een diepte van tientallen meters.

Baldur zuchtte. 'We hebben duikers nodig.'

'Ik zou geen moeite doen,' zei Magnus. 'U vindt het nooit.'

Baldur fronste.

'Hij is neergeslagen met een steen,' legde Magnus uit. 'Iets met puntige randen. Er zitten nog steenschilfers in de wond. Ik heb geen idee waar de steen vandaan is gekomen. Misschien de onverharde weg daar verderop, sommige van die stenen zijn behoorlijk groot. Daar zou jullie lab wel achter kunnen komen. Maar mijn vermoeden is dat de moordenaar de steen nadien in het meer heeft gegooid. Tenzij hij niet bijster snugger is geweest – het is de perfecte plaats om een steen kwijt te raken.'

'Heb je een forensische opleiding?' vroeg Baldur wantrouwig.

'Niet echt,' zei Magnus. 'Ik heb alleen al heel wat dode mensen gezien met een deuk in hun hoofd. Mag ik binnen kijken?'

Baldur knikte. Ze liepen terug over het pad naar het zomerhuis. De woning werd volledig onder handen genomen door de technische recherche, met felle lampen, een stofzuiger, en minstens vijf specialisten die rondsliepen met pincetten en poeder voor vingerafdrukken.

Magnus keek om zich heen. De deur kwam direct uit op een ruim woonvertrek, met grote ramen die uitkeken op het meer. De muren en vloer waren van zacht hout, de meubels modern maar goedkoop. Een heleboel boekenplanken: romans in het Engels en IJslands, geschiedenisboeken, een aantal specialistische literaire kritieken. Een indrukwekkende cd-collectie: klassiek, jazz, IJslanders van wie Magnus nooit had gehoord. Geen televisie. Een bureau, bezaaid met papieren, nam één hoek van de kamer in beslag, en in het midden stonden stoelen en een bank rond een lage tafel, met daarop een glas half gevuld met rode wijn, en een tuimelglas met zo te zien resten van cola. Beide zaten onder een dun laagje vingerafdrukpoeder met vlekken. Door een open deur kon Magnus een keuken zien. Er waren drie andere deuren die wegleidden van de woonkamer, vermoedelijk naar slaapkamers of een badkamer.

'We denken dat hij hier is neergeslagen,' zei Baldur, en hij wees naar het bureau. Er waren sporen te zien van recent boenwerk op de houten vloer, en een paar centimeter verder twee krijtstrepen rond piepkleine spikkeltjes.

'Kunnen jullie dit laten onderzoeken op DNA?'

'Voor het geval het bloed van de moordenaar is?' vroeg Baldur.

Magnus knikte.

'Dat kan. We sturen het naar een lab in Noorwegen. Het duurt even voordat we de resultaten terugkrijgen.'

'Vertel mij wat,' zei Magnus. In Boston had het DNA-lab een permanente wachtlijst; alles was een haastklus, dus werd uiteindelijk niets als zodanig beschouwd. Magnus vermoedde echter dat het Noorse lab dit ene verzoek van een buurland met iets meer respect zou behandelen.

'Dus we denken dat Agnar hier achter op zijn hoofd is geslagen terwijl hij zich omkeerde naar het bureau. Toen is hij uit het huis gesleept en in het meer gedumpt.'

'Klinkt aannemelijk,' zei Magnus.

'Alleen…' Baldur weifelde. Magnus vroeg zich af of Baldur liever niet zijn twijfels uitsprak ten overstaan van zijn baas.

'Alleen wat?'

Baldur keek naar Magnus. Nog steeds aarzelend. 'Kom hier eens naar kijken.' Hij leidde Magnus verder naar de keuken. Die was keurig aan kant, uitgezonderd een open fles wijn en de ingrediënten voor een sandwich met ham en kaas op het aanrecht.

'We hebben hier nog een paar spikkels bloed gevonden,' zei Baldur, en hij wees naar het aanrecht. 'Ze lijken op bloedspetters die ontstaan bij hoge snelheden, maar dat is onlogisch. Misschien heeft Agnar zich eerder verwond. Misschien is hij op de een of andere manier de keuken in gewankeld, maar er zijn hier totaal geen andere sporen van een

33

worsteling te vinden. Misschien kwam de moordenaar hier om zich op te frissen. Maar in dat geval zou je veel grotere spetters verwachten.'

Magnus keek het vertrek rond. Drie vliegen bonkten tegen het raam in een niet-aflatende poging om buiten te komen.

'Laat maar zitten,' zei hij. 'Het zijn de vliegen.'

'Vliegen?'

'Zeker. Ze landen op het lichaam, schransen zich vol, en dan vliegen ze naar de keuken waar het warm is. Daar braken ze het bloed op – dat helpt ze om het te verteren. Misschien wilden ze iets van de sandwich als toetje.' Magnus boog zich voorover om het bord nader te bekijken. 'Ja. Hier zit ook wat. Het is beter te zien met een vergrootglas of luminol, als jullie dat hebben. Dat betekent wel dat het lichaam hier lang genoeg moet hebben gelegen om te dienen als feestmaal voor de vliegen. Al hebben we het dan over hooguit vijftien, twintig minuten.'

Baldur glimlachte nog steeds niet, maar de commissaris wel. 'Bedankt,' was het enige wat de inspecteur wist uit te brengen.

'Voetsporen?' vroeg Magnus, met een blik op de vloer. Op het gepolijste hout zouden voetafdrukken goed zichtbaar moeten zijn.

'Ja,' zei Baldur. 'Eén paar, maat vijfenveertig. Wat vreemd is.'

Nu was het Magnus' beurt om verwonderd te kijken. 'Hoezo?'

'In IJsland doen mensen meestal hun schoenen uit als ze een huis betreden. Behalve misschien als het buitenlandse gasten zijn. We brengen hier net zoveel tijd door met het zoeken naar vezels van sokken als voetafdrukken.'

'Aha,' zei Magnus. 'Nog iets in de papieren op het bureau?'

'Merendeels academisch spul, opstellen van studenten, kladversies van artikelen over IJslandse literatuur, dat soort dingen. We moeten alles nog nader doornemen. Er lag een *fartölva* die de technische recherche heeft meegenomen voor analyse.'

'Sorry, wat is een *fartölva*?' vroeg Magnus, die niet vertrouwd was met het IJslandse woord. Hij kende het verschil tussen een hellebaard en een strijdbijl, maar sommige van de modernere IJslandse woorden kon hij niet plaatsen.

'Een kleine computer die je met je mee kunt nemen,' legde Baldur uit. 'En er ligt een dagboek met een aantekening. Zo zijn we te weten gekomen wie hier gisteravond was.'

'De commissaris had het over een Amerikaan,' zei Magnus. 'Met maatje vijfenveertig, ongetwijfeld?' Hij had geen idee met welke Amerikaanse schoenmaat dat overeenkwam, maar hij vermoedde dat het om vrij grote voeten ging.

'Amerikaans. Of Brits. De naam is Steve Jubb en het tijdstip halfacht gisteravond. En we hebben een telefoonnummer. Het nummer van Hótel Borg, het beste hotel in Reykjavík. We pikken hem nu op. Dus als je mij wilt excuseren, Snorri, ik moet terug naar het hoofdbureau om hem te ondervragen.'

Magnus vond de informele toon onder de IJslanders opmerkelijk. Geen 'meneer', of 'commissaris Gudmundsson'. In IJsland noemde iedereen alle anderen bij hun voornaam, of het nu een straatveger was die sprak tegen de president van het land, of een politieagent die sprak tegen zijn chef. Hij zou er enigszins aan moeten wennen, maar het stond hem wel aan.

'Zie erop toe dat Magnús de verhoren bijwoont,' zei de commissaris.

Baldurs gezicht bleef uitdrukkingsloos, maar Magnus kon zien dat hij vanbinnen kookte van woede. En Magnus kon het hem niet kwalijk nemen. Dit was waarschijnlijk een van Baldurs grootste zaken van het jaar, en hij stelde er geen prijs op om zijn werk te doen onder de neus van een buitenlander. Magnus mocht dan meer ervaring hebben met moordzaken dan Baldur, maar hij was minstens tien jaar jonger en lager in rang. Die combinatie moest Baldur enorm hebben geïrriteerd.

'Zeker,' zei hij. 'Ik zal Árni vragen je te begeleiden. Hij zal je terugrijden naar het hoofdbureau en verder wegwijs maken. Kom later gerust langs om met mij over Steve Jubb te praten.'

'Bedankt, inspecteur,' zei Magnus voordat hij er erg in had.

Baldur wierp een snelle blik op Magnus, ten teken dat deze blunder bewees dat Magnus toch geen echte IJslander was. Hij riep een rechercheur om Magnus te vergezellen en vertrok toen met de commissaris terug naar Reykjavík.

'*Hi, how are you doing?*' zei de rechercheur in vloeiend Amerikaans met een Brits accent. 'Ik ben Árni. Árni Holm. Je weet wel, net als de Terminator.'

Hij was lang, heel dun, met kort blond haar, en een adamsappel die furieus op en neer dobberde als hij sprak. Hij had een brede vriendelijke glimlach.

'*Komdu saell,*' zei Magnus. 'Ik waardeer het dat je mijn taal spreekt, maar ik moet echt mijn IJslands oefenen.'

'Oké dan,' zei Árni, in het IJslands. Hij leek teleurgesteld dat hij niet kon laten horen hoe goed zijn Engels was.

'Hoewel ik geen idee heb wat 'Terminator' is in het IJslands.'

'*Tortímandinn,*' zei Árni. 'Sommige mensen noemen me zo.' Magnus kon een glimlach niet onderdrukken. Árni was meer aan de sprieterige dan gespierde kant. 'Oké, niet veel, dat geef ik toe,' zei Árni.

'Je spreekt heel goed Engels.'

'Ik heb criminologie gestudeerd in de Verenigde Staten,' reageerde Árni trots.

'O, waar?'

'Kunzelberg College, Indiana. Het is een kleine school, maar met een zeer goede reputatie. Misschien heb je er nog nooit van gehoord.'

'Eh, nee, ik geloof het niet,' zei Magnus. 'Goed, waar gaan nu heen? Ik wil graag net als Baldur aanwezig zijn bij het verhoor van die Steve Jubb.'

4

Het eerste wat Magnus opviel, was dat Steve Jubb geen Amerikaan was. Hij sprak met een of ander Brits accent, uit Yorkshire naar bleek. Jubb was een vrachtwagenchauffeur uit Wetherby, een stadje in dat Engelse graafschap. Hij was ongehuwd, woonde alleen. Zijn paspoort bevestigde dat hij eenenvijftig was.

Magnus en Árni volgden het verhoor op een computerscherm in de gang. Alle verhoorkamers op het hoofdbureau van politie in Reykjavík waren uitgerust met een bandrecorder en televisiebewaking.

Er bevonden zich vier mensen in de verhoorkamer: Baldur, nog een rechercheur, een jonge IJslandse tolk en een grote breedgeschouderde man met een bierbuik. Hij droeg een openstaand spijkeroverhemd over een wit T-shirt, een zwarte jeans en een honkbalpetje, waaronder wat dun grijzend haar tevoorschijn kwam. Zijn kin werd bedekt met een keurig grijs baardje. Magnus kon nog net een glimp opvangen van de groene en rode krullen van een tatoeage op zijn onderarm. Steve Jubb.

Baldur was goed in het afnemen van een verhoor, ontspannen en zelfverzekerd en vriendelijker dan hij eerder tegenover Magnus was geweest. Hij glimlachte zelfs nu en dan, een opwaarts rukje bij de mondhoeken. Hij gebruikte de traditionele verhoortechniek, liet Jubb zijn verhaal van begin tot eind en omgekeerd vertellen. Probeerde hem te laten struikelen over details. Maar dit gaf Magnus alsnog de kans om te horen wat Jubb die avond had gedaan.

Het verhoor verliep traag en moeizaam; alles moest over en weer worden vertaald door de tolk. Árni legde uit dat dat niet alleen werd gedaan omdat Baldur niet goed Engels sprak. Als je iets wat in het verhoor was gezegd wilde aanvoeren als bewijs in de rechtszaal, was het een vereiste.

Jubb had veel uit te leggen, maar hij legde het goed uit. Althans, in het begin.

Volgens hem had hij Agnar vorig jaar ontmoet op vakantie in IJsland en afgesproken hem op te zoeken tijdens deze reis. Hij had een auto gehuurd, de blauwe Toyota Yaris, en was naar het meer Thingvellir gereden. Agnar en hij hadden iets meer dan een uur zitten kletsen. Daarna was Jubb regelrecht teruggereden naar het hotel. De receptioniste herinnerde zich zijn terugkomst. Aangezien haar dienst afliep om elf uur, kon zij bevestigen dat hij rond die tijd aankwam. Jubb had geen verdachte dingen of personen gezien. Agnar was vriendelijk en praatgraag geweest. Ze hadden gesproken over plaatsen in IJsland die Jubb eens moest bezoeken.

Jubb bevestigde dat hij cola had gedronken en zijn gastheer rode wijn. Hij had zijn schoenen aangehouden in het zomerhuis. Volgens het Britse maatsysteem was zijn schoenmaat een tienenhalf. Jubb wist niet zeker welke maat dat was in de rest van Europa.

Na nog een halfuur verliet Baldur de kamer. Hij trof Magnus aan op de gang. 'Wat denk je ervan?' vroeg hij.

'Zijn verhaal houdt stand,' antwoordde Magnus.

'Maar hij verbergt iets.' Het was een verklaring, geen vraag.

'Dat denk ik ook, maar dat is vanaf hier moeilijk te zeggen. Ik kan hem niet echt goed zien. Mag ik hem onder vier ogen spreken? Zonder de tolk erbij? Ik weet dat alles wat hij mij vertelt niet toelaatbaar is als bewijs, maar misschien krijg ik hem aan de praat. Als hij zich iets laat ontglippen, kun je daar later op inhaken.'

Baldur dacht een moment na en knikte toen.

Magnus liep de verhoorkamer binnen en nam plaats op de stoel naast Jubb, waar eerder de tolk had gezeten. Hij leunde achterover.

'Hé, Steve, hoe gaat het?' begon Magnus. 'Hou je het nog vol?'

Jubb fronste. 'Wie ben jij?'

'Magnus Jonson,' zei Magnus. Het leek natuurlijker om terug te vallen op zijn Amerikaanse naam wanneer hij Engels sprak.

'Je bent een yank.' Jubbs Yorkshire-accent klonk scherp en direct.

'Zeker weten. Ik help deze jongens een poosje.'

Jubb bromde.

'Oké, vertel me eens over Agnar.'

Jubb zuchtte omdat hij zijn verhaal voor de zoveelste keer moest herhalen. 'We hebben elkaar vorig jaar ontmoet in een bar in Reykjavík. Ik vond het wel een aardige kerel, dus zocht ik hem op toen ik terugkwam naar IJsland.'

'Waar hadden jullie het over?'

'Over van alles. Plaatsen in IJsland die ik eens moest bezoeken. Hij kent het land heel goed.'

'Nee, ik bedoel: wat heb je toen met hem besproken dat je heeft doen besluiten hem nog een keer op te zoeken? Hij was professor aan de universiteit, jij bent vrachtwagenchauffeur.' Magnus herinnerde zich dat Jubb niet getrouwd was. 'Ben je homo?' Niet waarschijnlijk, maar misschien lokte het een reactie uit.

'Natuurlijk ben ik geen homo.'

'Waar hebben jullie het dan over gehad?'

Jubb aarzelde. Toen gaf hij antwoord. 'Saga's. Hij was een expert, en ik ben er altijd in geïnteresseerd geweest. Het was een van de redenen waarom ik naar IJsland kwam.'

'Saga's!' proestte Magnus uit. 'Doe me een lol.'

Jubb haalde zijn brede schouders op en kruiste zijn armen over zijn buik. 'Je vroeg het zelf.'

Magnus zweeg even en nam hem in zich op. 'Oké, sorry. Welke saga is je favoriet?'

'De saga van de Völsungen.'

Magnus keek verbaasd. 'Ongewone keuze.' De populairste saga's gingen over de Vikingkolonisten in IJsland tijdens de tiende eeuw, maar de saga van de Völsungen speelde zich in een veel vroegere periode af. Hoewel geschreven in IJsland in de dertiende eeuw, betrof het een mythe over een oud-Germaans koningsgeslacht, de Völsungen, die uiteindelijk de Bourgondiërs werden. Attila de Hun speelde een rol in het verhaal. De saga was niet een van Magnus' favorieten, maar hij had hem een paar keer gelezen.

'Oké. Hoe heet dan de dwerg die zijn goud aan Odin en Loki moest afstaan?' vroeg hij.

Jubb glimlachte. 'Andvari.'

'En het zwaard van Sigurd?'

'Gram. En zijn paard heette Grani.'

Jubb wist waarover hij sprak. Hij mocht dan vrachtwagenchauffeur zijn, maar hij was een belezen man. Niet iemand om te onderschatten.

'Ik hou van de saga's,' zei Magnus met een glimlach. 'Mijn vader las ze altijd voor. Maar hij kwam uit IJsland. Hoe ben jij ermee in aanraking gekomen?'

'Mijn grootvader,' zei Jubb. 'Hij bestudeerde ze aan de universiteit. Hij vertelde me de verhalen toen ik een jochie was. Ik raakte er meteen aan verslingerd. Later vond ik er een paar op cassette en die speelde ik altijd af in de vrachtwagen. Doe ik nog steeds.'

'In het Engels?'

'Uiteraard.'

'Ze zijn beter in het IJslands.'

'Dat zei Agnar ook. En ik geloof hem. Maar ik ben nu te oud om nog een andere taal te leren.' Jubb zweeg. 'Ik vind het erg dat hij dood is. Hij was een interessante vent.'

'Heb je hem vermoord?' Het was een vraag die Magnus tijdens zijn carrière aan de meest uiteenlopende mensen had gesteld. Hij verwachtte geen eerlijk antwoord, maar vaak was de reactie die de vraag opriep bruikbaar.

'Nee,' zei Jubb. 'Natuurlijk heb ik hem niet vermoord!'

Magnus bekeek Steve Jubb aandachtig. De ontkenning klonk overtuigend, en toch... De vrachtwagenchauffeur hield iets verborgen.

Op dat moment ging de deur open en stormde Baldur binnen, gevolgd door de tolk. Magnus kon zijn irritatie niet verhullen; hij dacht eindelijk iets te bereiken.

Baldur hield een paar vellen papier vast. Hij ging achter het bureau zitten en legde ze voor zich neer. Hij leunde voorover en zette een schakelaar om op een klein paneel bij de computer. 'Verhoor hervat om achttien uur tweeëntwintig,' zei hij. En toen in het Engels, starend naar Jubb: 'Wie is Isildur?'

Jubb verstrakte. Zowel Baldur als Magnus merkte het op. Toen dwong hij zich te ontspannen. 'Ik heb geen idee. Wie is Isildur?'

Magnus vroeg zich hetzelfde af, hoewel de naam hem ergens bekend in de oren klonk.

'Kijk hier eens naar,' zei Baldur, weer in het IJslands. Hij schoof drie vellen papier naar Jubb en overhandigde er nog eens drie aan Magnus. 'Dit zijn uitgeprinte e-mails uit Agnars computer. E-mailcorrespondentie met jou.'

Jubb pakte de vellen papier op en las ze, net als Magnus. Twee ervan waren simpele berichten ter bevestiging van het bezoek dat Steve telefonisch had voorgesteld en de afspraak voor een datum, tijdstip en ontmoetingsplaats. De toon was zakelijker dan een informele afspraak om bij te kletsen met een kennis.

De derde e-mail was het interessantst.

Van: Agnar Haraldsson
Aan: Steve Jubb
Onderwerp: Bespreking 23 april

Beste Steve

Ik zie ernaar uit je donderdag te ontmoeten. Ik heb iets ontdekt wat je volgens mij heel interessant zult vinden.

Jammer dat Isildur er niet bij kan zijn. Ik heb een voorstel voor hem dat ik liever persoonlijk met hem zou bespreken. Kun je hem niet alsnog overhalen te komen?

Vriendelijke groet,
Agnar

'Vooruit, wie is Isildur?' vroeg Baldur opnieuw, ditmaal in het IJslands. De tolk vertaalde.

Jubb zuchtte diep, gooide de papieren op het bureau en sloeg zijn armen over elkaar. Hij zei niets.

'Welk voorstel wilde Agnar met jullie bespreken? Heeft hij het met jou besproken?'

Niets.

'Heeft hij je verteld wat hij had ontdekt?'

'Ik beantwoord geen vragen meer,' zei Jubb. 'Ik wil terug naar mijn hotel.'

'Dat zal niet gaan,' zei Baldur. 'Je blijft hier. Je staat onder arrest.'

Jubb fronste. 'In dat geval wil ik iemand van de Britse ambassade spreken.'

'Je bent een verdachte in een moordonderzoek. We kunnen de Britse ambassade informeren dat we je vasthouden, maar je hebt niet het recht om hen te spreken. We kunnen een advocaat voor je regelen, als je dat wilt.'

'Ja, ik wil een advocaat. En ik zeg niets tot ik hem heb gezien.' En zo bleef Steve Jubb zitten op zijn stoel, een forse kerel, met de armen strak over elkaar voor zijn borst, de onderkaak vooruitstekend, onverzettelijk.

5

Baldur gaf een levendige ochtendbriefing, levendig en efficiënt. Er waren een stuk of vijf rechercheurs aanwezig, plus Magnus, de substituut-officier van justitie, een jonge roodharige vrouw die Rannveig heette, en commissaris Thorkell Holm, het hoofd van de Reykjavíkse politie, opsporingsdienst. Thorkell was begin zestig, met een rond joviaal gezicht en glimmend roze wangen. Hij leek zich op zijn gemak te voelen bij zijn rechercheurs, geen moeite te hebben om op de achtergrond te blijven en te luisteren naar Baldur, die het onderzoek leidde.

Rond de tafel hing een sfeer van verwachtingsvolle spanning, enthousiasme voor de taak die voor hen lag. Het was zaterdagochtend. Een lang weekend werken voor iedereen in het verschiet, maar ze leken niet te kunnen wachten om te beginnen.

Magnus liet zich meeslepen door het gevoel van opwinding. Árni had hem de vorige avond teruggereden naar zijn hotel. Hij had snel iets gegeten en was naar bed gegaan – het was een lange dag geweest, en hij voelde zich nog uitgeput door de schietpartij in Boston en de nasleep ervan. Maar deze keer sliep hij goed. Hij bevond zich gelukkig buiten bereik van Soto's bende. Hij wilde Colby graag een berichtje sturen, maar daarvoor zou hij toegang tot een computer moeten regelen. In de tussentijd wekte het onderzoek naar de moord op de professor zijn nieuwsgierigheid.

Hij wekte ook de nieuwsgierigheid van de rechercheurs om hem heen. Als hij de kamer betrad, staarden ze hem aan: zonder de glimlach die je zou verwachten bij een groep Amerikanen die een vreemdeling welkom heet. Magnus wist niet of dit kwam door de typische kat-uit-de-boom-kijken-mentaliteit van IJslanders, een terughoudendheid die meestal binnen tien minuten overging in hartelijkheid, of dat het iets vijandigers betrof. Hij besloot het te negeren. Maar hij was blij met de openlijk vriendelijke glimlach van Árni die naast hem zat.

'Onze verdachte zwijgt nog steeds,' zei Baldur. 'We hebben informatie ontvangen van de Britse politie: hij heeft geen strafblad, uitgezonderd twee veroordelingen voor het bezit van cannabis in de jaren zeventig. Rannveig zal hem vanochtend voorleiden aan de rechter om te verzoeken tot een bevel om hem de komende paar weken in hechtenis te houden.'

'Hebben we daar voldoende bewijs voor?' vroeg Magnus.

Baldur fronste bij de onderbreking. 'Steve Jubb heeft Agnar als laatste levend gezien. Hij was op de plaats delict rond het tijdstip dat de moord werd gepleegd. We weten dat hij een of andere deal besprak met Agnar, maar hij wil ons niet vertellen wat hij daar deed. Hij houdt iets achter, en tot hij ons het tegendeel vertelt, gaan wij ervan uit dat het moord is. Dat lijkt mij voldoende om hem vast te houden, en de rechter zal er net zo over denken.'

'Klinkt goed,' zei Magnus. En zo klonk het inderdaad. In de VS zou het bij lange na niet genoeg zijn om een verdachte vast te houden, maar het IJslandse systeem kon Magnus wel bekoren.

Baldur gaf een kort knikje. 'Oké, hoever zijn we?'

Twee rechercheurs hadden Agnars vrouw, Linda, ondervraagd in hun huis in Seltjarnarnes, een buitenwijk van Reykjavík. Ze was er kapot van. Ze waren al zeven jaar getrouwd en hadden twee kleine kinderen. Het was Agnars tweede huwelijk: hij was gescheiden toen ze elkaar ontmoetten. Net als zijn eerste vrouw was Linda een van zijn studentes geweest. Hij was naar het zomerhuis gegaan om wat werk in te halen. Blijkbaar zat hij met een dreigende deadline voor een vertaling. Hij had er ook de vorige twee weekenden doorgebracht. Zijn vrouw, die alleen met de kinderen in Seltjarnarnes achterbleef, was daar niet zo blij mee geweest.

Agnars laptop had verder geen interessante e-mails aan Steve Jubb opgeleverd. Alleen een allegaartje aan Word-bestanden en bezochte internetsites, die allemaal geanalyseerd zouden worden. Er lagen stapels werkpapieren in zijn kantoor op de universiteit en in het zomerhuis, die doorgelezen zouden worden.

De technische recherche had vier paar vingerafdrukken gevonden in het zomerhuis: die van Agnar, Steve Jubb en twee andere die nog geidentificeerd moesten worden. Geen ervan behoorden toe aan Agnars vrouw, die had verklaard het zomerhuis dat jaar nog niet te hebben bezocht. Er zaten geen afdrukken op het passagiersportier van Jubbs gehuurde Toyota, waarmee zijn bewering Agnar alleen te hebben bezocht werd bevestigd.

Ze hadden in de slaapkamer ook sporen van cocaïnegebruik aangetroffen, en een zakje met één gram van de drug, verstopt in een klerenkast.

'Vigdís. Nog iets naar aanleiding van de naam Isildur?' vroeg Baldur.

Hij wendde zich tot een lange elegante zwarte vrouw van rond de dertig, die een strakke zwarte sweater en spijkerbroek droeg. Ze was Magnus direct opgevallen toen hij de kamer binnenliep. Ze was de eerste zwarte persoon die Magnus had gezien sinds zijn aankomst in IJsland. IJsland deed niet aan etnische minderheden, vooral geen zwarte.

'Naar het schijnt is Ísildur, met een accentteken op de eerste i, een legitieme IJslandse naam.' Ze sprak de IJslandse letter uit met een langgerekte ee-klank. 'Hoewel de naam heel zelden voorkomt. Ik heb gezocht in de databank van het bevolkingsregister en in de afgelopen tachtig jaar staat die naam maar één keer vermeld, een kind genaamd Ísildur Ásgrímsson. Geboren 1974, overleden 1977 in Flúdir.' Flúdir was een dorp in het zuidwesten van IJsland, wist Magnus zich vaag te herinneren. De naam werd uitgesproken als *Floothir*, de 'd' stond voor de IJslandse letter 'ð'.

Het viel Magnus op dat Vigdís sprak met een perfect IJslands accent. Het klonk hem heel vreemd in de oren. Hij had in Boston veel gewerkt met zwarte vrouwelijke rechercheurs, en hij verwachtte half de laconieke en lijzige manier van praten die hij kende uit Boston, niet een zangerige IJslandse trilklank. 'Zijn vader, Ásgrímur Högnason, was arts. Hij overleed in 1992.'

'Maar niemand die nog leeft en die naam heeft?'

Vigdís schudde haar hoofd. 'Misschien is hij een *vestur-Islenskur*.' Ze bedoelde een westerse IJslander, een van die IJslanders, voorvaderen van Magnus zelf, die een eeuw geleden de Atlantische Oceaan waren overgestoken naar Amerika. 'Of hij zou in Engeland kunnen wonen. Als hij in het buitenland is geboren, staat hij niet in onze databank.'

'Heeft iemand hier gehoord van ene Isildur?' vroeg Baldur aan alle aanwezigen. 'Het klinkt wel als IJslands.' Niemand zei iets, hoewel het leek dat Árni, die naast Magnus zat, op het punt stond zijn mond open te doen maar zich toen bedacht.

'Goed dan,' zei Baldur. 'Dit is wat we weten. Steve Jubb ging duidelijk niet alleen naar het zomerhuis om te kletsen met een kennis. Hij wilde een of andere deal sluiten met Agnar, iets waarbij een man betrokken is die Isildur heet.'

Hij keek de kamer rond. 'We moeten te weten komen wat Agnar had ontdekt, en waarover ze hebben onderhandeld. We moeten veel meer te weten komen over Agnar. En we moeten vooral te weten komen wie die vervloekte Isildur is. Laten we hopen dat Steve Jubb begint te praten zodra hij zich realiseert dat hij de komende paar weken in de cel gaat doorbrengen.'

Na afloop van de briefing vroeg commissaris Thorkell of hij Magnus even mocht spreken. Zijn kantoor was groot en comfortabel, met een schitterend uitzicht op de baai en de Esja. De wolken stonden hoger dan de dag ervoor; ver weg in de baai weerspiegelde een flard zonlicht op het water. Drie foto's van kleine blonde kinderen waren dusdanig neergezet op het bureau van de commissaris dat zowel Thorkell als zijn bezoekers ze konden zien. Aan de muur hingen een paar primitieve schilderijen, waarschijnlijk gemaakt door dezelfde kinderen.

Thorkell ging in zijn grote leren bureaustoel zitten en glimlachte. 'Welkom in Reykjavík,' zei hij.

Net als Árni leek hij tenminste vriendelijk. Magnus kon geen fysieke overeenkomst tussen hen ontdekken, maar ze hadden dezelfde achternaam, Holm, dus waren ze vermoedelijk familie. Een kleine minderheid IJslanders hanteerde hetzelfde naamgevingssysteem als de rest van de wereld. Ze kwamen vaak uit rijkere families, de nazaten van jonge IJslanders die naar Denemarken waren gereisd om te studeren en zichzelf, tijdens hun verblijf daar, een familienaam hadden gegeven.

Anderzijds waren alle IJslanders familie van elkaar. De samenleving vormde meer een genenplasje dan een genenpoel.

'Bedankt,' zei Magnus.

'Je wordt onderdeel van de staf van de nationale politiecommissaris, maar als je niet op de politieschool zit, heb je hier, bij ons, een eigen bureau. Ik sta volledig achter het initiatief van de commissaris om je hierheen te halen, en ik denk dat je ons geweldig kunt helpen bij het huidige onderzoek.'

'Ik hoop het.'

Thorkell aarzelde. 'Inspecteur Baldur is een uitstekend rechercheur, en heel succesvol. Hij houdt ervan beproefde technieken te gebruiken die werken in IJsland. Het komt erop neer dat in zo'n klein land iemand altijd wel iemand kent die de crimineel kent. Maar omdat de aard van de misdaad in dit land verandert, moeten ook de bestrijdingsmethoden veranderen. Daarom ben jij hier. Flexibiliteit is misschien niet Baldurs sterkste punt, maar wees niet bang om je mening te geven. We willen horen wat je te zeggen hebt, dat kan ik je verzekeren.'

Magnus glimlachte. 'Ik begrijp het.'

'Goed. Iemand van het kantoor van de commissaris zal vanochtend contact met je opnemen over salaris, accommodatie enzovoorts. In de tussentijd zal Árni een bureau voor je regelen, een telefoon en een computer. Heb je nog vragen?'

'Ja, eentje. Mag ik een wapen dragen?'

'Nee,' zei Thorkell. 'Geen sprake van.'

'Ik ben het niet gewend om in diensttijd zonder wapen rond te lopen,' zei Magnus.

'Dan raak je er maar aan gewend.'

Ze staarden elkaar een ogenblik aan. Wat Magnus betrof, had een agent een penning en een wapen nodig. Hij begreep dat een politiepenning niet zomaar kon worden uitgereikt. Maar hij had het wapen nodig.

'Hoe krijg ik een vergunning om er een te dragen?'

'Krijg je niet. Niemand draagt wapens in IJsland, en ook geen handwapens. Ze zijn sinds 1968 verboden nadat een man was doodgeschoten.'

'Wilt u zeggen dat IJsland geen agenten heeft die zijn getraind in het gebruik van vuurwapens?'

Thorkell zuchtte. 'We hebben wel wat gewapende agenten in de Vikingbrigade – zo noemen we ons arrestatieteam. Je kunt misschien oefenen op de binnenbaan bij Kópavogur, maar we kunnen niet toestaan dat je daarbuiten een wapen draagt. Zo werkt het hier niet.'

Magnus kwam in de verleiding iets te zeggen over flexibiliteit en het geven van zijn mening, maar hij waardeerde de steun van de hoofd-commissaris en wilde hem niet onnodig tegen zich in het harnas jagen, dus bedankte hij nogmaals en vertrok.

Árni wachtte hem buiten op. Hij leidde Magnus naar een kantoor vol-gepropt met afgeschermde werkhokjes, met op de deur het bordje 'Ge-weldsmisdrijven'. Twee of drie rechercheurs die Magnus bij de briefing had gezien, zaten aan de telefoon of voor hun computer, de anderen waren reeds op pad om mensen te ondervragen. Magnus' bureau stond recht tegenover dat van Árni. De telefoon werkte, en Árni verzekerde hem dat er die ochtend iemand zou langskomen van de IT-afdeling om hem te voorzien van een wachtwoord.

Árni verdween naar de koffieautomaat en keerde terug met twee be-kers. De jongen was veelbelovend.

Magnus nipte aan zijn koffie en liet zijn gedachten gaan over Agnar. Hij wist nog niet veel over de professor, maar hij wist wel dat hij ie-mands echtgenoot was geweest, de vader van twee kinderen. Magnus dacht aan hoe die kinderen zouden opgroeien met de wetenschap dat hun vader was vermoord, aan de gebroken vrouw die worstelde om de verwoesting van haar gezin te aanvaarden. Ze moesten weten wie Agnar had vermoord en waarom, en ze moesten weten dat de moor-denaar zijn straf niet was ontlopen. Anders... nou ja, anders zouden ze net zo eindigen als Magnus.

De vertrouwde drang keerde terug. Hoewel Magnus hen nog niet had ontmoet, en hen wellicht nooit zou ontmoeten, kon hij hun één ding beloven: hij zou de moordenaar van Agnar vinden.

'Heb je al besloten waar je blijft logeren in Reykjavík?' vroeg Árni, die slokjes koffie nam uit zijn eigen beker.

'Nee, niet echt,' antwoordde Magnus. 'Het hotel is best oké.'

'Maar kun je daar de hele tijd blijven zolang je bij ons bent?'

Magnus haalde zijn schouders op. 'Weet ik niet. Nee, zal wel niet. Ik heb geen idee hoe lang dat gaat duren.'

'Mijn zus heeft een logeerkamer in haar appartement. Het is een mooie locatie, heel centraal, in Thingholt. Die zou je kunnen huren. Ze laat je vast niet veel betalen.'

Magnus had geen moment nagedacht over geld, accommodatie, kle-ding, onkosten voor levensonderhoud; hij was allang blij dat hij nog leefde. Maar leven uit een koffer in een hotelkamer zou snel gaan vervelen, en Árni's zus kon een snelle, simpele oplossing bieden voor een probleem waar hij nog niet bij had stilgestaan. En een goedkope oplossing. Dat leek hem niet onbelangrijk. 'Mij best, ik zal eens een kijkje nemen.'

'Geweldig. Als je wilt, kan ik je vanavond laten zien waar het is.'

De koffie smaakte niet slecht. IJslanders leefden op vele koppen koffie per dag – de hele samenleving draaide op cafeïne. Misschien was dat een van de redenen waarom ze nooit lang bleven stilzitten.

'Ik weet zeker dat ik die naam Isildur eerder heb gehoord,' zei Magnus. 'Misschien als kind op school. Maar dan zou de naam zijn opgedoken bij het speurwerk van Vigdís.'

'Je denkt waarschijnlijk aan de film,' merkte Árni op. Hij nam nog een slokje uit zijn beker.

'De film? Welke film?'

'*The Fellowship of the Ring*. Heb je die niet gezien? De eerste in de trilogie van *The Lord of the Rings*.'

'Nee, ik heb de film niet gezien, maar wel het boek gelezen. Dus Isildur is een van de personages? Wat is hij voor iets? Een of andere elf?'

'Nee, hij is een mens,' zei Árni. 'Hij krijgt de ring in zijn bezit aan het begin van de film en verliest hem ergens in een rivier. Daarna vindt Gollem hem.'

'Árni! Waarom heb je dit niet gezegd bij de bespreking?'

'Ik wilde het zeggen, maar ik dacht dat iedereen mij toch maar zou uitlachen. Dat doen ze soms, weet je. En het heeft duidelijk niets met de zaak te maken.'

'Natuurlijk wel!' Magnus kon zichzelf er net van weerhouden de woorden 'jij, idioot!' eraan toe te voegen. 'Heb je de saga van de Völsungen gelezen?'

'Op school denk ik,' zei Árni. 'Dat is toch die ene over Sigurd en Brynhild en Gunnar? Draken en schatten.'

'En de ring. Er komt een magische ring in voor. Het is een IJslandse versie van het *Nibelungenlied* waarop Wagner zijn ringcyclus baseerde. Ik durf te wedden dat Tolkien hem ook heeft gelezen. En het is de favoriete saga van Steve Jubb, waarschijnlijk de enige saga die hij echt heeft gelezen. Hij is fan van *The Lord of the Rings* en hij heeft een vriend die ook fan is van *The Lord of the Rings* en luistert naar de bijnaam Isildur.'

'Dus Isildur is helemaal geen IJslander?'

Magnus schudde zijn hoofd. 'Nee, waarschijnlijk is hij ook een trucker uit Yorkshire. We moeten met Baldur gaan praten.'

Er verscheen even een paniekerige blik op Árni's gezicht. 'Denk je echt dat dit belangrijk is?'

'Ja,' zei Magnus met een knikje. 'Het is een aanwijzing. Bij een moordonderzoek grijp je elke aanwijzing aan die je krijgt.'

'Eh... Misschien kun je beter alleen met Baldur gaan praten.'

'O, kom op, Árni. Ik zal hem niet vertellen dat je al die tijd wist wie Isildur was. Laten we gaan.'

Ze moesten een uur wachten voordat Baldur terugkeerde van de rechtbank aan het Laekjargata, maar hij leek verheugd. 'We mogen Steve Jubb drie weken vasthouden,' zei hij toen hij Magnus zag. 'En ik heb een bevel tot huiszoeking voor zijn hotelkamer.'

'Kon hij niet op borgtocht vrijkomen?' vroeg Magnus.

'In IJsland maakt een verdachte van moord geen kans op borgtocht. We krijgen meestal drie weken voor ons onderzoek voordat we bewijsmateriaal aan de verdediging moeten overdragen. Zodra we hier met hem klaar zijn, wordt Jubb overgebracht naar de gevangenis van Litla Hraun. Dan gaat hij er wel anders over denken.'

'Zo mag ik het horen,' zei Magnus.

'Het vreemde is, hij heeft een nieuwe advocaat. Hij kreeg van ons een broekje dat een paar jaar terug is afgestudeerd, maar hij heeft hem al ontslagen en Kristján Gylfason ingehuurd, zo'n beetje de meest ervaren strafrechtadvocaat in IJsland. Hij moet door iemand worden geholpen. Iemand die de advocaat heeft geregeld en voor hem betaalt. Kristján is niet goedkoop. En Hótel Borg overigens ook niet.'

'Isildur?' vroeg Magnus.

Baldur antwoordde met een schouderophalen. 'Misschien. Wie hij ook mag zijn.'

'Wij denken een vermoeden te hebben.'

Baldur luisterde naar Magnus' theorie, waarbij een frons verscheen op de koepel van zijn voorhoofd. 'Volgens mij moeten we nog eens praten met meneer Jubb.'

6

De nieuwe advocaat van Steve Jubb, Kristján Gylfason, was een gladde jongen: intelligent gezicht, al vroeg zilvergrijs, met de uitstraling van kalme deskundigheid en rijkdom. Alleen al Kristjáns aanwezigheid leek Jubb op zijn gemak te stellen. Geen goed teken.

Er zaten nu vijf mensen in de verhoorkamer: Jubb, zijn advocaat, Baldur, Magnus en de tolk.

Baldur gooide een Engels exemplaar van *The Lord of the Rings* op het bureau. Er viel een stilte in het vertrek. Jubb liet er heel even zijn ogen op rusten. Árni had zich gehaast om er een te kopen bij boekwinkel Eymundsson in het centrum van de stad.

Baldur tikte op het boek. 'Heb je dit ooit gelezen?'

Jubb knikte.

Baldur sloeg het boek langzaam en weloverwogen open bij het tweede hoofdstuk en gaf het aan Steve Jubb. 'Lees dat eens, en wil je dan nog steeds beweren dat je niet weet wie Isildur is?'

'Hij is een personage in een boek,' zei Jubb. 'Meer niet.'

'Hoe vaak heb je dit boek gelezen?' vroeg Baldur.

'Een of twee keer.'

'Een of twee keer?' schamperde Baldur. 'Isildur is een bijnaam, of niet soms? Hij is een vriend van je. Een medefan van *The Lord of the Rings*.'

Steve Jubb haalde zijn schouders op.

Magnus wierp een blik op het allerlaagste deel van een tatoeage die net onder Jubbs mouw tevoorschijn kwam. 'Trek je overhemd uit.'

Steve Jubb schokschouderde en trok het spijkerhemd uit dat hij sinds zijn arrestatie had gedragen. Hij onthulde een effen wit T-shirt, en op zijn onderarm de tatoeage van een gehelmde man met een baard die een bijl hanteerde.

Een man? Of misschien een dwerg?

'Laat me raden,' zei Magnus. 'Jouw bijnaam is Gimli.' Hij herinnerde zich dat Gimli de naam was van de dwerg in *The Lord of the Rings*.

Jubb haalde weer zijn schouders op.

'Is Isildur een maatje uit Yorkshire?' vroeg Magnus. 'Komen jullie elke vrijdag samen in een pub om een paar biertjes te drinken en het te hebben over oude IJslandse saga's?'

Geen reactie.

'Kijk je ook naar politieseries in Engeland?' vroeg Magnus. '*CSI, Law & Order*?'

Jubb fronste.

'In die series mag de schurk blijven zwijgen terwijl de goede jongens alle vragen stellen. Maar zo werkt het niet in IJsland.' Magnus boog zich voorover. 'Als je in IJsland blijft zwijgen, gaan wij denken dat je iets te verbergen hebt. Waar of niet, Kristján?'

'Mijn cliënt heeft zelf besloten geen antwoord te geven op jullie vragen,' zei de advocaat. 'Ik heb hem uitgelegd wat de consequenties zijn.'

'We zúllen erachter komen wat je verbergt,' zei Baldur. 'En je weigering om mee te werken wordt niet vergeten wanneer je voor de rechter verschijnt.'

De advocaat stond op het punt iets te zeggen, maar Jubb legde een hand op zijn arm. 'Luister, als jullie twee zo verdomde slim zijn, zullen jullie er uiteindelijk wel achter komen dat ik geen ene moer te maken heb gehad met Agnars dood, en dan moeten jullie mij laten gaan. Tot die tijd zeg ik niks.'

Hij sloeg zijn armen over elkaar, stak zijn kaak vooruit. Steve Jubb sprak geen woord meer.

Vigdís wachtte op hen buiten de verhoorkamer.

'Iemand van de Britse ambassade wil je spreken.'

Baldur vloekte. 'Verdomme. Alsof ik niets beters te doen heb. Maar ik kan er moeilijk onderuit komen. Verder nog iets?' Baldur zag aan de ingehouden opwinding op Vigdís' gezicht dat er meer was.

'Agnar had een minnares,' zei Vigdís met een triomfantelijk glimlachje.

Baldur trok zijn wenkbrauwen op. 'Werkelijk?'

'Andrea Fridriksdóttir. Ze is een van Agnars studentes IJslandse literatuur aan de universiteit. Ze meldde zich zodra ze hoorde dat hij was vermoord.'

'Waar is ze?'

'Beneden.'

'Uitstekend. Laten we eens met haar gaan praten. Zeg tegen die man van de Britse ambassade dat ik zo snel mogelijk kom. Maar ik wil eerst die Andrea spreken.'

In het besef dat hij niet was uitgenodigd, keerde Magnus terug naar zijn bureau, waar een vrouw van het kantoor van de nationale politiecommissaris op hem wachtte. Mobieltje, bankrekening, dagelijkse vergoeding, uitbetaling van salaris, een voorschot in contanten, zelfs de belofte van een auto over een paar dagen – ze had alle voorbereidingen getroffen. Magnus was onder de indruk. Hij wist heel zeker dat de politie van Boston nooit zou kunnen tippen aan haar efficiëntie.

Hierna kwam er een man van de IT-afdeling. Hij gaf Magnus zijn wachtwoord en legde in een paar minuten uit hoe hij het computersysteem moest gebruiken, met inbegrip van het verzenden en ontvangen van e-mails.

Zodra de man was vertrokken, staarde Magnus naar het scherm voor hem. Het moment was aangebroken. Magnus kon het niet langer uitstellen.

De FBI-agenten die Magnus hadden geëscorteerd tijdens zijn laatste dagen in Massachusetts waren, naar later bleek, afkomstig van het regionale FBI-bureau in Cleveland, Ohio. Een ervan, agent Hendricks, was aangewezen als zijn contactpersoon. Magnus had ermee ingestemd nooit telefonisch contact te zoeken met de Verenigde Staten, zelfs niet met hoofdinspecteur Williams. Voorál niet met hoofdinspecteur Williams. De vrees bestond, weliswaar nooit hardop uitgesproken maar wel rondspokend door het hoofd van Magnus, de FBI en Williams zelf, dat de drie gearresteerde politieagenten niet alleen hadden gehandeld. Dat ze handlangers hadden, of misschien gewoon vrienden bij de politie van Boston; vrienden voor wie het traceren van Magnus' verblijfplaats tot hun normale dagtaken zou behoren.

Dus was het de bedoeling om alleen e-mails te gebruiken als communicatiemiddel. En zelfs die kon Magnus niet direct versturen, maar alleen via agent Hendricks in Cleveland. Dat was de enige methode die Magnus ter beschikking stond als hij contact wilde opnemen met Colby.

En hij wilde contact opnemen met Colby. Het was hem duidelijk geworden dat hij niet het risico kon nemen dat zij vanwege hem zou worden aangevallen of vermoord. Ze had hem voor het blok gezet, en dat moest hij accepteren.

Hij staarde nog een paar minuten naar het scherm, probeerde argumenten uit, grondige redenen, verklaringen, maar hij kende Colby, en hij was zich bewust van het gevaar als hij haar de gelegenheid gaf alles te compliceren. Dus hield hij het uiteindelijk simpel.

Het antwoord op je vraag luidt ja. Kom nu alsjeblieft. Ik maak me grote zorgen over je.

Veel liefs, Magnus.

Niet erg romantisch, niet bepaald het juiste begin van een nieuw leven samen. Hij voelde zich aangetrokken tot Colby, hield zelfs van haar, maar hoe beter hij haar leerde kennen hoe meer hij ervan overtuigd raakte dat ze niet moesten trouwen. Het lag niet alleen aan zijn bindingsangst, hoewel Colby absoluut gelijk had dat hij daaraan leed. Hij wist gewoon dat als er ergens een vrouw rondliep met wie hij de rest van zijn leven kon doorbrengen, het niet Colby was. Haar recente machtsspelletje was een voorbeeld van waarom niet.

Maar hij had geen keuze. Ze had hem geen keuze gegeven.

Hij stelde een kort verslag op voor Williams, vertelde hem dat hij veilig was en via e-mail bereikt kon worden mocht Williams iets horen over de datum van de rechtszaak.

Hij overwoog Ollie te schrijven, zoals zijn broer zich nu noemde, maar besloot het niet te doen. De FBI had Ollie geïnformeerd dat Magnus zou verdwijnen, en een agent had zijn spullen meegenomen uit de logeerkamer in Ollies huis. Dat moest voldoende zijn – hoe minder Magnus in contact stond met Ollie, hoe beter. Hij realiseerde zich dat niet alleen Colby te vrezen had van de Soto-bende, zijn broer kon ook gevaar lopen. En de vrouw en kinderen van zijn broer.

Magnus sloot zijn ogen. Hij kon er nu niets aan doen, behalve hopen dat de gangsters hen allemaal zouden negeren.

O, god. Misschien had Colby gelijk. Misschien had hij gewoon moeten doen alsof hij Lenahans conversatie niet had gehoord.

In zijn geliefde saga's deden de helden natuurlijk altijd hun plicht. Maar de meeste van hun familieleden kwamen dan ook bloederig aan hun einde voordat het verhaal was afgelopen. Het was gemakkelijk je eigen leven moedig in de strijd te werpen, maar veel moeilijker om dat van anderen in de waagschaal te stellen. Hij voelde zich meer een lafaard dan een held, veilig in IJsland terwijl zijn broer en zijn vriendin gevaar liepen.

Toen trad de eeroude IJslandse reactie in werking. Als ze ook maar één haar op het hoofd van Colby of Ollie krenkten, zou hij het de klootzakken betaald zetten. Allemaal.

Baldur hield om twee uur die middag een tweede bespreking. Het team toonde zich nog altijd fris en enthousiast.

Hij begon met de eerste bevindingen van de autopsie. Waarschijnlijk was Agnar verdronken; er was wat modder in zijn longen aangetroffen, en dat wees erop dat hij nog ademde toen hij het water raakte. Zoals Magnus had vermoed waren de steenschilfers in de hoofdwond van het slachtoffer afkomstig van de onverharde weg en niet van de bodem van het meer.

In het bloed van het slachtoffer zaten kleine hoeveelheden cocaïne, en wat alcohol, maar bij lange na niet genoeg om bedwelmd te raken. De patholoog concludeerde dat het slachtoffer achter op het hoofd was geslagen met een steen, bewusteloos neerviel en het meer in was gesleept waar hij verdronk. Niet echt verrassend.

Baldur en Vigdís hadden Andrea ondervraagd. Ze had toegegeven dat haar affaire met Agnar al zo'n maand aan de gang was geweest. Ze was stapelgek op hem; ze had bijna heel het vorige jaar geprobeerd hem te verleiden, en was daar uiteindelijk in geslaagd na een dronken studentenfeest waarvoor hij was uitgenodigd. Ze had één weekend met hem doorgebracht in het zomerhuis. Haar vingerafdrukken behoorden inderdaad tot de twee paar die nog geïdentificeerd moesten worden.

Andrea zei dat Agnar doodsbenauwd had geleken dat zijn vrouw zou ontdekken wat er was gebeurd. Hij had haar beloofd trouw te blijven nadat ze hem vier jaar eerder had betrapt met een studente, en tot Andrea had hij zijn woord gehouden. Andrea kreeg de indruk dat Agnar bang was voor Linda.

Magnus zette de theorie uiteen dat Isildur de bijnaam was van een *The Lord of the Rings*-fan, en dat Steve Jubb er zelf ook een was. Een paar gezichten rond de tafel keken wat ongemakkelijk. Misschien was Árni niet de enige die de film van *The Lord of the Rings* had gezien.

Baldur deelde een lijst rond met notities uit Agnars agenda met afspraken. Data, tijden en de namen van mensen die hij had ontmoet, veelal academische collega's of studenten. Hij was drie weken geleden weg geweest voor een tweedaags seminar aan de universiteit van Uppsala in Zweden. En bij een middag van vorige week stond in grote blokletters het woord 'Hruni'.

'Hruni ligt toch bij Flúdir?' vroeg Baldur.

'Op een paar kilometer afstand,' zei Rannveig, de substituut-officier van justitie. 'Ik ben er geweest. Er is niets te vinden, alleen de kerk en een boerderij.'

'Misschien verwijst de notitie naar de dans en niet de plaats,' opperde Baldur. 'Iets wat die middag in elkaar stortte? Een ramp?'

Magnus had van Hruni gehoord. In de zeventiende eeuw stond de pastoor van Hruni berucht om de wilde feesten die hij met kerst in zijn kerk hield. Op een zekere kerstavond had men buiten de duivel zien rondhangen, en de volgende ochtend was de hele kerk en bijbehorende parochie door de aarde opgeslokt. Sindsdien was de uitdrukking 'Hruni-dans' de taal binnengeslopen in de betekenis van iets wat in elkaar stortte.

'Het jongetje dat vroeg is gestorven kwam uit Flúdir,' zei Vigdís. 'Ísildur Ásgrímsson. En hier staat zijn zus.' Ze wees naar een naam op de lijst met afspraken. 'Ingileif Ásgrímsdóttir, zes april, halfdrie. Tenminste, ik ben er vrij zeker van dat zij de zus van de jongen was. Ik kan het checken.'

'Doe dat,' zei Baldur. 'En als je gelijk hebt, zoek haar op en ondervraag haar. Wij nemen aan dat Isildur een buitenlander is, maar we mogen niets uitsluiten.'

Hij pakte een vel papier op de vergadertafel voor hem. 'We hebben Steve Jubbs hotelkamer doorzocht en het forensisch lab onderzoekt zijn kleren. We hebben een paar interessante sms'jes gevonden die met zijn mobiele telefoon zijn verstuurd. Althans, we gaan ervan uit dat ze interessant zijn. We weten het simpelweg niet. Kijk maar eens naar de transcripties.'

Hij liet het vel rondgaan, waarop twee korte zinnen stonden getypt. Ze waren in een taal die Magnus niet herkende. Een taal waar hij niet eens naar kon gissen.

'Weet iemand wat dit is?' vroeg Baldur.

Rond de tafel werd er gefronst en langzaam met hoofden geschud. Iemand stelde voorzichtig Fins voor, iemand anders wist zeker dat het dat niet was. Maar Magnus merkte dat Árni weer ongemakkelijk heen en weer schoof.

'Árni?' zei Magnus.

Árni keek naar Magnus, en slikte toen, waarbij zijn adamsappel opwipte. 'Elfs,' zei hij heel zacht.

'Wat?' wilde Baldur weten. 'Harder graag!'

'Het is misschien Elfs. Volgens mij heeft Tolkien een aantal elfentalen bedacht. Dit zou er een kunnen zijn.'

Baldur legde zijn hoofd in zijn handen en keek toen nijdig naar zijn ondergeschikte. 'Árni, je wilt me toch niet gaan vertellen dat het *huldufólk* dit heeft gedaan, hé?'

Árni kromp ineen. Het *huldufólk*, of verborgen volk, bestond uit elfachtige wezens die, naar verluidt, overal in IJsland in de rotsen en de stenen woonden. In alledaagse conversatie betuigden IJslanders trots hun geloof in deze wezens, en beroemde voorbeelden waren de wegen die men had omgeleid zodat er geen rotsen verwijderd hoefden te worden waarin ze zouden wonen. Baldur wilde zijn moordonderzoek niet laten ontsporen door het meest hinderlijke bijgeloof onder de talrijke die IJsland kende.

'Árni heeft misschien gelijk,' verdedigde Magnus hem. 'We weten dat Steve Jubb en Isildur, wie hij ook is, een deal wilden sluiten met Agnar. Als ze daarover moesten communiceren met elkaar kunnen ze een code hebben gebruikt. Ze zijn allebei fan van *The Lord of the Rings*: wat ligt er dan meer voor de hand dan Elfs?'

Baldur trok een bedenkelijk gezicht. 'Goed dan, Árni. Kijk of je iemand in IJsland kunt vinden die Elfs spreekt, en vraag hun of ze herkennen wat hier staat. En laat ze het dan vertalen.'

Baldur keek de tafel rond. 'Als Steve Jubb het ons niet wil vertellen, moeten we zelf uitvinden wie die Isildur is. We moeten contact opnemen met de Britse politie in Yorkshire om te zien of zij ons kunnen helpen met Jubbs vrienden. En we moeten alle bars en restaurants in

Reykjavík nalopen om erachter te komen of Jubb naast Agnar iemand anders heeft ontmoet. Misschien is Isildur hier in de stad, dat weten we pas als we gaan rondvragen. En ik ga een gesprek voeren met Agnars vrouw.' Hij deelde specifieke taken uit aan iedereen rond de tafel, behalve Magnus, en daarmee was de bespreking voorbij.

Magnus volgde de inspecteur de gang op. 'Heb je er bezwaar tegen als ik met Vigdís meega om de zus van dat overleden jongetje te ondervragen?'

'Nee, ga je gang,' zei Baldur.

'Wat denk je tot nu toe?' vroeg Magnus.

'Hoe bedoel je: wat denk ik tot nu toe?' vroeg Baldur, die bleef stilstaan.

'O, kom op. Je moet een vermoeden hebben.'

'Ik hou alle opties open. Ik verzamel net zo lang bewijzen tot er één conclusie overblijft. Doen jullie dat niet in Amerika?'

'Juist,' zei Magnus.

'Als je wilt helpen, vind Isildur voor me.'

7

Ingileif Ásgrímsdóttir bezat een kunstgalerie in Skólavördustígur, een behoorlijke mond vol, zelfs voor een IJslander. New York had Fifth Avenue, Londen Bond Street en Reykjavík Skólavördustígur. De straat liep vanaf Laugavegur, de drukste winkelstraat in de stad, naar de Hallgrímskirkja op de top van een heuvel. Langs de straat stonden kleine winkels, deels beton, deels fel beschilderde metalen golfplaat, die kunstenaarsbenodigdheden, sieraden, designerkleding en delicatessen verkochten. Maar de kredietcrisis had haar sporen achtergelaten: sommige panden stonden discreet leeg en toonden bordjes met daarop de woorden *Til Leigu*, 'Te huur'.

Vigdís parkeerde haar auto op een paar meter onder de galerie. Boven haar en Magnus stak de massieve betonnen spits van de Hallgrímskirkja de lucht in. De kerk, ontworpen in de jaren dertig van de twintigste eeuw, werd ondersteund door twee grote vleugels die opstegen vanaf de grond; het zag eruit als IJslands eigen intercontinentale ballistische projectiel, of mogelijk een maanraket.

Toen Magnus uit de auto stapte, werd hij bijna omver gereden door een blond meisje van rond de twintig, gekleed in een limoengroene sweater met een kort luipaardrokje en een lange haarvlecht, die op een fiets van de heuvel af suisde. Waar waren de verkeersagenten als je ze nodig had?

Vigdís duwde de deur van de galerie open en Magnus volgde haar naar binnen. Een vrouw, waarschijnlijk Ingileif Ásgrímsdóttir, stond in het Engels te praten met een toeristenechtpaar. Vigdís stond op het punt hen te onderbreken, maar Magnus hield haar tegen. 'Laten we wachten tot ze klaar is.'

Dus bestudeerden Magnus en Vigdís de objecten die je in de galerie kon kopen, alsook Ingileif zelf. Ze was slank, met blond haar dat in een pony voor haar ogen hing en naar achter was gebonden in een paardenstaart. Een opgewekte brede glimlach onder hoge jukbeenderen, een glimlach die maximaal effect sorteerde bij haar klanten. Het Engelse echtpaar had in eerste instantie een kleine kandelaar opgepakt van ruwe rode lavasteen, maar kochten uiteindelijk een grote glazen vaas en een abstract schilderij dat vagelijk deed denken aan Reykjavík, de Esja en horizontale lichtgrijze wolkenlagen. Ze spendeerden tienduizenden krónur.

Nadat ze de winkel hadden verlaten, richtte de eigenaresse zich tot Magnus en Vigdís. 'Sorry voor het wachten,' zei ze in het Engels. 'Kan ik jullie helpen?'

Haar IJslandse accent was verrukkelijk, net als haar glimlach. Magnus had niet geweten dat hij zo overduidelijk Amerikaans overkwam; toen besefte hij dat Vigdís de reden was geweest voor de taalkeuze. In Reykjavík betekende zwart buitenlander.

Vigdís zelf was een en al zakelijkheid. 'Ben jij Ingileif Ásgrímsdóttir?' vroeg ze in het IJslands.

De vrouw knikte.

Vigdís haalde haar legitimatiebewijs tevoorschijn. 'Ik ben rechercheur Vigdís Audarsdóttir van de Reykjavíkse politie, en dit is mijn collega, Magnús Ragnarsson. We willen je wat vragen stellen naar aanleiding van de moord op Agnar Haraldsson.'

De glimlach verdween. 'Dan kunnen jullie beter gaan zitten.' De vrouw ging hen voor naar een krap bureau achter in de galerie. Ze namen plaats op twee kleine stoelen. 'Ik heb iets over Agnar gezien op het nieuws. Hij gaf mij les in IJslandse literatuur toen ik op de universiteit zat.'

'Je hebt hem recentelijk gezien,' zei Vigdís, die in haar notitieboekje keek. 'Op zes april, om halfdrie?'

'Ja, dat klopt,' zei Ingileif, opeens met schorre stem. Ze schraapte haar keel. 'Ja, ik kwam hem tegen op straat, en hij vroeg me een keer bij hem langs te komen op de universiteit. Dus dat heb ik gedaan.'

'Waar hebben jullie over gesproken?'

'O, eigenlijk niets. Vooral over mijn carrière als ontwerpster. Deze galerie. Hij was heel attent, heel charmant.'

'Heeft hij het nog over zichzelf gehad?'

'Er was niet echt veel veranderd. Hij was opnieuw getrouwd. Hij zei dat hij twee kinderen had.' Ze glimlachte kort. 'Agnar met kinderen is moeilijk voor te stellen, maar zo zie je maar.'

'Je komt toch uit Flúdir?'

'Dat klopt,' zei Ingileif. 'Ik ben er geboren en getogen. Beste landbouwgrond in het land, de grootste courgettes, de roodste tomaten. Waarom ik er ooit ben vertrokken is mij een raadsel.'

'Klinkt als een paradijsje. Het ligt toch bij Hruni in de buurt?'

'Ja. Hruni is de parochiekerk. Drie kilometer verderop.'

'Heb je Agnar op twintig april 's middags ontmoet bij Hruni?'

Ingileif fronste. 'Nee. Ik was de hele dag in deze winkel.'

'Het is maar op een paar uur rijden van hier.'

'Ja, maar ik ben er niet heen gegaan om Agnar te ontmoeten.'

'Hij heeft die dag met iemand afgesproken in Hruni. Vind je het niet een tikje toevallig dat hij uitgerekend naar Flúdir is gegaan, het dorp waar jij bent opgegroeid?'

Ingileif haalde haar schouders op. 'Niet echt. Ik heb geen idee wat hij daar deed.' Ze forceerde een glimlach. 'Dit is een klein land. Het wemelt van de toevalligheden.'

Vigdís keek haar bedenkelijk aan. 'Is er iemand die kan bevestigen dat je die middag in de winkel was?'

Ingileif dacht een moment na. 'Dat was toch op een maandag? Dísa in de boetiek hiernaast. Ze kwam langs om theezakjes te lenen. Ik weet bijna zeker dat dat maandag was.'

Vigdís wisselde een blik uit met Magnus. Hij besefte dat ze bij Ingileif niet direct wilde aandringen op haar relatie met Agnar, en dus besloot hij het over een andere boeg te gooien. Ze konden later altijd terugkomen op Agnar. 'Je had een broer, Ísildur, die jong is gestorven?'

'Ja,' zei Ingileif. 'Hij overleed een paar jaar voordat ik werd geboren. Hersenvliesontsteking volgens mij. Ik heb hem nooit gekend. Mijn ouders spraken niet veel over hem. Hij was hun eerste kind, dus zoals je zult begrijpen kwam het hard aan.'

'Is Ísildur geen ongebruikelijke naam?'

'Zou kunnen. Ik heb er nooit echt bij stilgestaan.'

'Weet je waarom je ouders hem die naam hebben gegeven?'

Ingileif schudde haar hoofd. 'Geen idee.' Ze leek nerveus en fronste licht. Magnus zag een V-vormig sneetje boven een van haar wenkbrauwen, deels verborgen door haar pony. Haar vingers friemelden met een complexe zilveren oorbel, ongetwijfeld ontworpen door een van haar collega's. 'Behalve dan dat mijn overgrootvader ook Ísildur heette, dacht ik. Aan mijn vaderskant. Misschien wilde mijn vader een eerbetoon brengen aan zijn eigen grootvader. Bij families keren steeds dezelfde namen terug, zoals je weet.'

'We zouden het graag willen vragen aan je ouders,' zei Magnus. 'Kun je ons hun adres geven?'

Ingileif zuchtte. 'Ik ben bang dat ze allebei zijn overleden. Mijn vader stierf in 1992, en mijn moeder vorig jaar.'

'Het spijt me dat te horen,' zei Magnus, en hij meende het. Ingileif leek eind twintig te zijn, wat zou betekenen dat ze haar vader op ongeveer dezelfde leeftijd had verloren als Magnus was geweest toen hij zijn moeder verloor.

'Was een van beiden fan van *The Lord of the Rings*?'

'Ik denk het niet,' zei Ingileif. 'Ik bedoel, we hadden een exemplaar in huis, dus moet een van hen het gelezen hebben, maar ze hadden het er nooit over.'

'En jij? Heb jij het ooit gelezen?'

'Als kind.'

'Ook de films gezien?'

'Ik heb de eerste gezien. Niet de andere twee. Ik vond er niet echt veel aan. Als je één Ork hebt gezien, heb je ze allemaal gezien.'

Magnus zweeg, wachtte op meer. Ingileifs bleke wangen kleurden opnieuw rood.

'Heb je ooit gehoord van een Engelsman die Steve Jubb heet?'

Ingileif schudde ferm haar hoofd. 'Nee.'

Magnus keek naar Vigdís. Tijd om terug te keren naar Ingileif en Agnar. 'Ingileif, had je een verhouding met Agnar?' vroeg ze.

'Nee,' reageerde Ingileif verbolgen. 'Nee, absoluut niet.'

'Maar je vond hem charmant?'

'Ja, ergens wel. Hij was altijd al charmant, en dat was niet veranderd.'

'Heb je ooit een verhouding met hem gehad?' vroeg Magnus.

'Nee,' zei Ingileif, opnieuw met schorre stem. Haar vingers dwaalden omhoog naar haar oorbel.

'Ingileif, we zijn bezig met een moordonderzoek,' zei Vigdís langzaam en nadrukkelijk. 'Als je nu tegen ons liegt, kunnen we je arresteren. Dan zit je serieus in de problemen, dat kan ik je verzekeren. Ik vraag het dus nog een keer: heb je ooit een verhouding gehad met Agnar?'

Ingileif beet op haar lip, haar wangen liepen rood aan. Ze haalde diep adem. 'Oké. Goed. Ik heb als studente een verhouding gehad met Agnar. Hij was toen gescheiden van zijn eerste vrouw. Het was voordat hij hertrouwde. En je kon het nauwelijks een verhouding noemen, we zijn een paar keer met elkaar naar bed geweest, meer niet.'

'Heeft hij het uitgemaakt, of jij?'

'Dat zal ik wel zijn geweest. Hij had in die tijd een grote aantrekkingskracht voor vrouwen, en dat had hij eigenlijk nog toen ik hem voor het laatst zag. Hij kon je het gevoel geven dat je bijzonder was, zowel intellectueel interessant als mooi. Maar hij was in feite een viespeuk. Hij wilde met zo veel mogelijk meisjes naar bed, alleen om aan zichzelf te bewijzen wat voor knappe kerel hij wel niet was. Hij was ontzettend ijdel. Toen ik hem onlangs zag, probeerde hij ook weer met mij te flirten, maar ditmaal had ik hem door. Ik rotzooi niet met getrouwde mannen.'

'Nog een laatste vraag,' zei Vigdís. 'Waar was je vrijdagavond?'

Ingileif liet haar schouders iets zakken terwijl ze zich ontspande, alsof ze deze ene lastige vraag wel kon beantwoorden. 'Ik ben naar een feestje gegaan van een vriendin die een expositie van haar schilderijen opende. Ik ben van ongeveer acht uur tot, wat zal het zijn, halftwaalf gebleven. Er waren tientallen mensen die mij kennen. Haar naam is Frída Jósefsdóttir. Ik kan haar adres en telefoonnummer geven, als jullie willen.'

'Graag,' zei Vigdís, die haar haar notitieboekje overhandigde. Ingileif krabbelde iets op een blanco blaadje en gaf het terug.

'En daarna?' vroeg Vigdís.

'Daarna?'

'Nadat je de galerie verliet.'

Ingileif glimlachte verlegen. 'Ik ben naar huis gegaan. Met iemand.'

'En wie mag dat zijn?'

'Lárus Thorvaldsson.'

'Is hij een vast vriendje?'

'Niet echt,' bekende Ingileif. 'Hij is schilder. We kennen elkaar al jaren. We brengen soms gewoon de nacht met elkaar door. Je weet hoe het gaat. En nee, hij is niet getrouwd.'

Voor het eerst in het gesprek leek Ingileif zich totaal niet te generen. Ook Vigdís leek het niet gênant te vinden. Ze wist duidelijk hoe het ging.

Vigdís gaf haar opnieuw het notitieboekje en Ingileif krabbelde de gegevens van Lárus op.

'Ze kan slecht liegen,' zei Magnus, toen ze weer terug op straat stonden. 'Ik wist dat er iets speelde tussen haar en Agnar.'

'Maar ze beweerde overtuigend dat dat tot het verleden behoorde.'

'Misschien,' zei Vigdís. 'Ik zal kijken of haar alibi klopt, maar ik verwacht van wel.'

'Er moet een of andere connectie zijn met Steve Jubb,' merkte Magnus op. 'De naam Isildur, of Ísildur, is belangrijk, dat weet ik zeker. Is het je opgevallen dat ze niet verbaasd leek toen we haar vroegen naar haar lang overleden broer? En als ze de film van *The Lord of the Rings* heeft gezien, moet de naam Isildur haar zijn bijgebleven. Ze heeft dat verband totaal niet genoemd.'

'Je bedoelt dat ze het belang van de naam Ísildur probeerde af te zwakken?'

'Precies. Ergens zit een verband waar ze niets over wil zeggen.'

'Zullen we haar meenemen naar het bureau voor een verhoor?' opperde Vigdís. 'Misschien moet Baldur eens met haar praten.'

'Laten we daar nog even mee wachten. Laat haar ontspannen, het idee krijgen dat ze niet op haar hoede hoeft te zijn. Over een dag of twee komen we terug om haar opnieuw te ondervragen. Het is de tweede keer eenvoudiger om het zwakke punt in een verhaal te vinden.'

Ze deden navraag bij de vrouw van de boetiek ernaast. Zij bevestigde dat ze eerder die week op een middag was binnengewipt bij Ingileifs galerie om theezakjes te lenen, hoewel ze niet met absolute zekerheid kon zeggen of dat maandag of dinsdag was geweest.

Vigdís reed de heuvel op, voorbij de Hallgrímskirkja. Magnus tuurde omhoog naar een groot bronzen standbeeld op een voetstuk voor de kerk. De eerste *vestur-íslenskur*, Leifur Eiríksson, de Viking die duizend jaar geleden Amerika had ontdekt. Hij staarde over de kluwen aan felgekleurde gebouwen in het stadscentrum naar de baai in het westen, en de Atlantische Oceaan in de verte.

'Waar kom je oorspronkelijk vandaan?' vroeg Magnus. Hoewel zijn

IJslands in rap tempo verbeterde, vond hij het vermoeiend, en nu hij met een zwarte partner in een politieauto zat, gaf hem dat zoiets vertrouwds dat hij weer overschakelde op Engels.

'Ik spreek geen Engels,' antwoordde Vigdís, in het IJslands.

'Hoezo: je spreekt geen Engels? Elke IJslander onder de veertig kan Engels spreken.'

'Ik zei dat ik geen Engels spreek, niet dat ik het niet kán spreken.'

'Oké. Nog een keer dan: waar kom je vandaan?' vroeg Magnus opnieuw, ditmaal in het IJslands.

'Ik ben IJslander,' zei Vigdís. 'Ik ben hier geboren, ik woon hier, ik heb nooit ergens anders gewoond.'

'Juist,' zei Magnus. Duidelijk een gevoelig onderwerp. Maar hij moest toegeven dat Vigdís een onmiskenbaar IJslandse naam was.

Vigdís zuchtte. 'Mijn vader was een Amerikaanse soldaat op de luchtbasis Keflavík. Ik weet zijn naam niet, ik heb hem nooit ontmoet. Volgens mijn moeder weet hij niet eens dat ik besta. Weet je voldoende?'

'Het spijt me,' zei Magnus. 'Ik weet hoe moeilijk het kan zijn om achter je ware identiteit te komen. Ik weet nog steeds niet of ik IJslander of Amerikaan ben, en het wordt verwarrender naarmate ik ouder word.'

'Hé, ik heb geen probleem met mijn identiteit,' zei Vigdís. 'Ik weet precies wie ik ben. Alleen willen andere mensen het nooit geloven.'

'Aha,' zei Magnus. Er vielen wat regendruppels op de voorruit. 'Denk je dat het de hele dag blijft regenen?'

Vigdís lachte. 'Zie je wel, je bent een echte IJslander. In geval van twijfel praat je over het weer. Nee, Magnús, ik denk niet dat het langer blijft regenen dan vijf minuten.' Ze reed aan de andere kant van de heuvel omlaag naar het hoofdbureau in Hverfisgata. 'Luister, sorry, ik vind het gewoon simpeler om bij dat soort vragen meteen elk misverstand uit de weg te ruimen. Zo zitten IJslandse vrouwen een beetje in elkaar. We zeggen wat we denken.'

'Het lijkt me niet makkelijk om de enige zwarte rechercheur in het land te zijn.'

'Als je dat maar weet. Ik weet bijna zeker dat Baldur mij niet bij de Reykjavíkse politie wilde hebben. En ja, ik kan niet bepaald onopvallend over straat. Maar ik heb mijn examens goed afgelegd en ik drong aan. Ik heb mijn baan te danken aan Snorri.'

'De commissaris?'

'Hij vertelde mij dat als de Reykjavíkse politie modern en vooruitstrevend wil overkomen mijn aanstelling een belangrijke symboolfunctie vervulde. Ik weet dat sommige van mijn collega's een zwarte rechercheur in deze stad absurd vinden, maar ik hoop dat ik mezelf heb bewezen.' Ze zuchtte. 'Het probleem is dat ik het gevoel heb dat ik mezelf elke dag moet bewijzen.'

'Nou, je komt op mij over als een goede agent,' zei Magnus.

Vigdís glimlachte. 'Dank je.'

Ze bereikten het hoofdbureau, een lelijk lang kantoorgebouw tegenover het busstation. Vigdís reed haar auto een terrein op aan de achterzijde en parkeerde. Het begon hard te regenen, kletterend op het autodak. Vigdís tuurde naar het water dat op het parkeerterrein in het rond spatte en aarzelde.

Magnus besloot gebruik te maken van Vigdís openhartige eerlijkheid om iets meer te weten te komen over de situatie waarin hij verzeild was geraakt. 'Is Árni Holm familie van Thorkell Holm?'

'Een neef. En ja, dat is waarschijnlijk de reden waarom hij bij de politie zit. Hij is niet bepaald onze toprechercheur, maar hij doet niemand kwaad. Volgens mij probeert Baldur van hem af te komen.'

'Daarom heeft hij hem mij in de maag gesplitst?'

Vigdís haalde haar schouders op. 'Ik zou het echt niet weten.'

'Baldur is niet erg blij dat ik hier ben, of wel soms?'

'Nee. Wij IJslanders worden niet graag verteld door Amerikanen wat we moeten doen, of door wie dan ook als het erop aankomt.'

'Dat kan ik begrijpen,' zei Magnus.

'Maar dat is het niet alleen. Hij voelt zich bedreigd door je. Wij allemaal, denk ik. Vorig jaar liep er een moordenaar vrij rond, hij vermoordde drie vrouwen voordat hij zichzelf aangaf.'

'Dat weet ik, de commissaris heeft het me verteld.'

'Baldur leidde het onderzoek. Het lukte ons niet de moordenaar te vinden en er werd veel druk uitgeoefend op Snorri en Thorkell om iets te doen. Mensen wilden koppen zien rollen. Het zou het eenvoudigst zijn geweest om Baldur over te plaatsen, maar dat deed Snorri niet. Baldur lijkt me nog niet uit de gevarenzone. Hij moet deze zaak oplossen, en dat moet hij zelf doen.'

Magnus zuchtte. Hij kon Baldurs houding begrijpen, maar het zou zijn leven in Reykjavík er niet gemakkelijker op maken. 'En wat denk jij ervan?'

Vigdís glimlachte. 'Ik denk dat ik misschien iets van je kan leren, en dat is altijd meegenomen. Kom op. Het begint minder te regenen, precies zoals ik had voorspeld. Ik weet niet hoe het met jou zit, maar ik heb werk te doen.'

8

Ingileif was verontrust door het bezoek van de twee rechercheurs. Een vreemd stel: de zwarte vrouw had een vlekkeloos IJslands accent, terwijl de lange roodharige man wat aarzelend sprak met een Amerikaanse tongval. Maar geen van beiden had haar geloofd.

Zodra ze in de krant had gelezen over Agnars dood, had ze de politie verwacht. Ze dacht haar verhaal te hebben geperfectioneerd, maar uiteindelijk dacht ze er niet zo goed mee weg te zijn gekomen. Ze kon gewoon niet goed liegen. Maar ze waren nu verdwenen. Misschien zouden ze niet terugkomen, hoewel ze dat ergens onwaarschijnlijk achtte.

De winkel was leeg, dus keerde ze terug naar haar bureau en pakte wat vellen papier en een rekenmachine. Ze staarde naar alle mintekens. Als ze wachtte met de elektriciteitsrekening kon ze misschien net Svala betalen, de vrouw die de glazen artikelen in de galerie maakte. Ze voelde iets omdraaien in haar maag; een maar al te vertrouwd gevoel van misselijkheid trok door haar heen.

Dit kon niet veel langer doorgaan.

Ze hield van de galerie. Dat deden ze allemaal, alle zeven vrouwen die mede-eigenaar waren en wier werk er werd verkocht. Eerst waren ze gelijkwaardige partners geweest: haar eigen vaardigheid bestond in het maken van handtassen en schoenen uit vissenhuid, die na het looiproces een prachtige lichtgevende glans verkreeg in verschillende kleuren. Maar ze bleek van nature over het talent te beschikken om de anderen te promoten en organiseren. Ze had de verkoop doen stijgen, de prijzen opgekrikt en aangedrongen op artikelen van de hoogste kwaliteit.

Haar doorbraak kwam met de relatie die ze had ontwikkeld met Nordidea. Het bedrijf was gevestigd in Kopenhagen, maar had overal in Duitsland winkels die verkochten aan interieurontwerpers. IJslandse kunst paste goed bij de minimalistische ruimtes die daar zo in trek waren. Haar designers maakten glaswerk, vazen en kandelaars van lava, sieraden, stoelen, lampen, maar ook abstracte landschapsschilderijen en haar eigen artikelen van vissenhuid. Nordidea kocht ze allemaal.

Het aantal bestellingen uit Kopenhagen was zo snel opgelopen dat Ingileif meer vormgevers had moeten inhuren, de hele tijd hamerend op de beste kwaliteit. Het enige probleem: Nordidea was traag van betalen. Toen de kredietcrisis toesloeg in Denemarken en Duitsland, werden ze nog trager. En vervolgens stopten ze helemaal met betalen.

Er moest een grote lening bij de bank worden afgelost. Op advies van hun bankdirecteur hadden de partners geleend in euro's tegen een lage rente. De wisselkoers mocht dan een jaar of twee laag hebben gestaan, maar toen de króna in waarde daalde, was de omvang van de lening tot zo'n hoogte gestegen dat de vrouwen geen kans maakten om aan hun oorspronkelijke aflossingsregeling te voldoen.

Belangrijker voor Ingileif was echter dat de galerie haar vormgevers nog miljoenen krónur verschuldigd was, en dat waren schulden die ze absoluut wilde vereffenen. De relatie met Nordidea kwam geheel voor haar rekening; het was haar fout en zij zou ervoor betalen. Haar medepartners hadden geen flauw idee hoe ernstig het probleem was, en Ingileif wilde niet dat ze erachter kwamen. Ze had reeds de erfenis van haar moeder gespendeerd, maar dat was niet genoeg. Het ging er niet alleen om dat ze bevriend was met deze vormgevers, maar Reykjavík was een kleine plaats en iedereen in de designwereld kende Ingileif.

Als ze al die mensen in de kou liet staan, zouden ze dat niet vergeten, en zij ook niet.

Ze pakte de telefoon om Anders Bohr te bellen, die werkte bij de accountantsfirma in Kopenhagen en trachtte iets te redden uit de financiële chaos van Nordidea. Ze telefoneerde hem één keer per dag, in de hoop net zo lang bij hem aan te dringen, op charmante doch bestraffende toon, tot hij haar iets gaf. Hij leek haar graag te woord te staan, maar hij was nog niet bezweken. Ze kon alleen blijven proberen. Ze wenste dat ze zich een vliegtuigticket kon veroorloven om hem persoonlijk over te halen.

Honderd kilometer oostwaarts stopte een rode Suzuki-terreinwagen bij een groepje gebouwen. Een forse kerel stapte uit. Er stonden drie bouwwerken: een grote schuur, een groot huis en een ietwat kleinere kerk. De man was ruim één meter tachtig lang, had donker haar dat grijs werd bij de slapen, een krachtige kaak verhuld door een baard, en donkere ogen die glinsterden onder borstelige wenkbrauwen. Hij oogde meer als vijfenveertig dan zijn ware leeftijd, die eenenzestig bedroeg.

De pastoor van Hruni.

Hij rekte zich uit en nam een diepe teug van de koele, schone lucht. Witte wolkenplukjes schoten langs de lichtblauwe hemel. De zon stond laag, maar hoewel ze op deze geografische breedte nooit heel hoog boven de horizon steeg, straalde ze met een helder licht waarin zich de schaduwcontouren van de heuvels en bergen rondom Hruni aftekenden.

Ver in het noorden werd het zonlicht veel witter weerkaatst op het gladde horizontale oppervlak van de gletsjer, die de kloven tussen bergen dichtte. Het gehucht werd omgeven door lage heuvels, graslanden die in dit lentestadium nog bruin kleurden, en rotsen. Ook al lag het dorp Flúdir net aan de overkant van de bergkam in het westen, het had net zo goed twintig kilometer verderop kunnen liggen. Vijftig kilometer.

De pastoor draaide zich om en bekeek zijn geliefde kerk. Een klein gebouw met muren van wit geschilderde golfplaat en een rood geschilderd dak van hetzelfde materiaal, in de luwte van een met rotsen bezaaide heuvelrug. De kerk was ongeveer tachtig jaar oud, maar de grafstenen eromheen bestonden uit ruwe, verweerde, grijze steen. Zoals overal in IJsland waren de gebouwen nieuw, maar de locaties oud.

De pastoor was zojuist teruggekeerd na het verlenen van bijstand aan een van de leden van zijn gemeente, een tachtigjarige boerin met terminale kanker. Alhoewel hij een dreigend voorkomen had, kon de pastoor goed overweg met zijn parochianen. Sommige van zijn collega's bij de Lutherse Kerk van IJsland mochten dan meer weten over God, maar de pastoor begreep de duivel, en in een land dat constant leefde met de dreiging van een aardbeving, vulkaan of storm, waar trollen en geesten rondwaarden op het platteland, en waar afgezonderde gemeenschappen verstikten in de kille greep van donkere winters, was het begrijpen van de duivel belangrijk.

Elk lid van de parochie van Hruni was bekend met het lot van hun voorvaderen die hadden gedanst met Satan en vanwege hun zonden waren opgeslokt door de aarde.

Maarten Luther had de duivel begrepen. Jón Thorkelsson Vídalín, aan wiens zeventiende-eeuwse preken de pastoor veel ontleende, had hem begrepen. De pastoor had zelfs op verzoek van de boerin een zegening gebruikt uit de oude liturgie van vóór 1982 om kwade geesten uit haar woning te verdrijven. Het had gewerkt. De kleur was teruggekeerd op de wangen van de oude vrouw, en ze had voor het eerst in een week om wat eten gevraagd.

De pastoor kwam gezaghebbend over in spirituele zaken. Dat wekte vertrouwen bij mensen, maar het maakte hen ook bevreesd.

In vervlogen jaren had hij altijd effectief opgetreden als duo met zijn oude vriend, dokter Ásgrímur, die had begrepen hoe belangrijk het was om zijn patiënten de wilskracht te geven om zichzelf te genezen. Maar de dokter was al bijna zeventien jaar dood. Zijn vervangster, een jonge vrouw die uit een ander dorp op vijftien kilometer afstand kwam gereden, stelde al haar vertrouwen in medicijnen en deed haar best om de pastoor weg te houden bij haar patiënten.

Hij miste Ásgrímur. De dokter was de op een na beste schaker in de omgeving geweest, na de pastoor zelf, en de op een na meest belezen man. De pastoor had behoefte aan de stimulerende geest van een mede-intellectueel, vooral tijdens de lange winteravonden. Zijn vrouw miste hij niet. Ze had hem een paar jaar na de dood van Ásgrímur verlaten, niet in staat om begrip of sympathie op te brengen voor de toenemende excentriciteit van haar echtgenoot.

De gedachten aan Ásgrímur herinnerden de pastoor aan het nieuws dat hij de vorige dag had gelezen, over de professor die vermoord was aangetroffen in het meer Thingvellir. Hij fronste zijn wenkbrauwen en keerde zich naar zijn huis.

Vanuit zijn ooghoek ving hij beneden in het dal een glimp op van de boerenzoon die lette op de boerderij die bij de kerk hoorde. Hij was een roodharige knul van ongeveer veertien jaar, en zijn naam luidde Siggi. Hij was vanaf een veld terug komen lopen in de richting van de boerderij, toen hij de pastoor had opgemerkt en een andere kant opging.

De pastoor vond het niet erg dat Siggi hem meed; het was goed om ontzag te voelen voor een man van de Kerk. Bovendien wist hij dat hij de jongen fascineerde. Hij had Siggi vaak uit de kleine ramen in de schuur zien gluren, alleen om hem gade te slaan.

Aan het werk. De pastoor schreef een belangrijke monografie over de middeleeuwse priester Saemundur de Geleerde. Hij had al drieëntwintig cahiers gevuld in gewoon handschrift; hij had er nog minstens twintig te gaan.

Hij vroeg zich af of zijn eigen reputatie ooit die van Saemundur zou evenaren, of een toekomstige pastoor van Hruni over hém zou schrijven. Het leek absurd. Maar misschien zou hij op een dag geroepen worden om iets te doen wat de hele wereld zou opvallen.

Op een dag.

9

Het viel voor Árni niet mee om sprekers van Elfs in IJsland te vinden, vooral op een zaterdag.

De paar professors aan de universiteit die hij had gebeld, reageerden afwijzend op zijn verzoek. Tolkien was geen serieus onderwerp van studie, en de enige die een greintje belangstelling voor de Britse auteur had gehad was Agnar zelf geweest, maar zijn collega's betwijfelden of hij Elfs kon spreken. Dus stelde Magnus voor dat Árni het internet in-dook om te kijken wat hij boven water kon krijgen.

Magnus zelf besloot internet te gebruiken om Isildur op te sporen. Isildur was duidelijk de hoofdpartner in de relatie met Steve Jubb en waarschijnlijk degene die het geld ophoestte. Als Steve Jubb niets wilde loslaten over de deal die hij met Agnar besprak, zou Isildur dat misschien doen. Als ze hem konden vinden.

Hoe meer Magnus erover nadacht, hoe minder waarschijnlijk het leek dat Isildur een vriend van Steve Jubb uit Yorkshire zou zijn. Zo'n soort bijnaam was gebruikelijker in de onlinewereld dan de fysieke wereld.

Maar voor hij aan de slag kon, wachtte er een e-mail op hem, door-gestuurd door agent Hendricks, die gelukkig leek te werken op zater-dag.

De e-mail kwam van Colby.

Magnus haalde diep adem en opende hem.

Magnus

Ik moet met nee antwoorden. Ik merk dat je het niet echt meent, dus doe niet alsof.

Doe geen moeite mij nog meer e-mails te sturen, ik zal er niet
op reageren.

C.

Magnus voelde woede opkomen. Ze had natuurlijk gelijk, hij wilde niet
echt met haar trouwen, en hij kon haar onmogelijk overtuigen dat hij
dat wel wilde. Maar hij maakte zich wél zorgen over haar veiligheid.
Hij begon vlug te typen.

Hoi Colby,

Ik maak me grote zorgen over je. Ik moet je in veiligheid
brengen. Nu. Als je niet naar mij wilt komen, zal ik proberen
iets anders te regelen. Dus neem alsjeblieft contact met me op,
of anders met de fbi, of met hoofdinspecteur Williams op
Schroeder Plaza. Als je contact met hem opneemt, spreek
rechtstreeks met hem, en alleen met hem.

Wil je dit alsjeblieft voor me doen?

Liefs,
Magnus

Het zou waarschijnlijk niets uithalen, maar het was het proberen
waard.

Magnus bracht de rest van de middag door in de troebele wateren
van het internet, rondtastend op forums en in chatrooms. Er waren
vreselijk veel fans van *The Lord of the Rings*. Ze leken uiteen te vallen in
amateurs en fanaten. De amateurs waren vooral dertienjarige jongens
die niet konden spellen, de films hadden gezien en de Balrogs heel cool
vonden. Of het waren dertienjarige meisjes die niet konden spellen, de
films hadden gezien en Orlando Bloom een lekker ding vonden.

Deze korte berichtjes werden gecompenseerd door kolossale artikelen van de fanaten, die duizenden woorden schreven over obscure aspecten van Midden-aarde, de door Tolkien verzonnen wereld. Er laai-
den discussies op over de vraag of die Balrogs echte vleugels hadden of

metafysische, of over de vraag waarom er geen jonge Enten waren, of over de vraag wie of wat Tom Bombadil nu eigenlijk was.

Magnus had *The Lord of the Rings* niet meer gelezen sinds hij zelf dertien was, en hij kon zich al deze personages slechts vaag herinneren. Hij was niet alleen verrast door de obscuriteit van de discussies, maar ook door de passie en af en toe het venijn die ermee gepaard gingen. Voor heel veel mensen over heel de wereld was *The Lord of the Rings* duidelijk heel erg belangrijk.

Na twee uur vond hij een bericht geplaatst door iemand die zich Isildur noemde. Een fanaat. Het bestond uit een aantal paragrafen met commentaar op een lang academisch artikel van ene John Minshall over de aard van de kracht van de Ene Ring in *The Lord of the Rings*.

In Tolkiens boek kwam een aantal ringen van macht voor, alle vervaardigd door Elfen, behalve de allermachtigste, de Ene Ring om allen te regeren, die werd gesmeed door Sauron, de Donkere Vorst. Lang vóór de gebeurtenissen in het boek werd er een wanhopige strijd uitgevochten tussen de kwaadaardige Sauron en een bondgenootschap van Mensen en Elfen, een strijd waarin het bondgenootschap de overwinning behaalde. De Ring werd van de hand van de Donkere Vorst afgehakt door een man met de naam Isildur. Maar later, op zijn tocht huiswaarts, werd de zegevierende Isildur met zijn manschappen belaagd door Orks. Bij een poging om te vluchten sprong Isildur in een rivier, waar de Ring van zijn vinger gleed en verloren ging. Kort daarop werd hij ingehaald door de Orks en doorboord met pijlen.

En daar bleef de Ring eeuwenlang liggen, totdat hij werd ontdekt door een hobbit-achtig wezen met de naam Déagol, die met zijn vriend Sméagol viste op de rivier. Sméagol werd overweldigd door begeerte naar de prachtig glinsterende Ring, en toen zijn vriend weigerde hem te geven, wurgde hij Déagol en schoof de Ring aan zijn eigen vinger. In de loop der tijd werd Sméagol erdoor verteerd; hij veranderde in een rondglibberend, geobsedeerd wezen dat Gollem heette, totdat de Ring hem ten slotte, eeuwen later, werd ontnomen door Bilbo Balings, de held van Tolkiens eerste boek, *The Hobbit*.

De Ring bezit allerlei krachten. De bewaarder van de Ring wordt niet ouder, maar raakt uiteindelijk verzwakt en kwijnt weg. Als de bezitter de Ring draagt, wordt hij onzichtbaar voor normale stervelingen. In de loop der tijd oefent de Ring invloed uit op zijn bewaarder, waardoor deze liegt, bedriegt of zelfs doodt om hem in zijn bezit te houden. Het dragen ervan wordt een verslaving. Maar het allerbelangrijkste: Sauron, de Donkere Vorst, zoekt de Ring. Wanneer hij hem vindt, zal hij de totale heerschappij over Midden-aarde verwerven. De Ring kan alleen worden vernietigd door hem naar de Doemberg te brengen, een vulkaan in het midden van Mordor, Saurons eigen land, en daar in de 'Doemspleet' te gooien. Dit wordt de queeste voor Bilbo's neef, een hobbit met de naam Frodo.

Minshall argumenteerde dat de krachten van de Ring aantoonden dat Tolkien was geïnspireerd door Wagners ringcyclus van opera's, waarin de goden met elkaar wedijveren om de Ring in bezit te krijgen en te heersen over de wereld.

De hedendaagse Isildur ergerde zich hier enorm aan.

Hij citeerde Tolkien zelf, die ontkende dat er een verband bestond en beweerde dat 'beide ringen rond zijn, en daar houdt de gelijkenis op'. Daarna begon Isildur een lange verhandeling waarin hij citeerde uit de Saga van de Völsungen en proza-Edda, beide geschreven in IJsland in de dertiende eeuw. Hij stelde dat Tolkien de Völsungensaga had gelezen toen hij nog op school zat, en dat die hem de rest van zijn leven had geïnspireerd.

Deze beide bronnen beschrijven hoe drie goden, Odin, Hoenir en de listige god Loki, tijdens hun reis bij een waterval kwamen waar de dwerg Andvari viste in de gedaante van een snoek. Loki ving de dwerg en stal wat goud van hem. Andvari probeerde een magische ring achter te houden, maar Loki zag de ring en dreigde de dwerg naar Hel te sturen, Loki's dochter en de godin van de dood, tenzij hij de ring aan Loki gaf. Andvari vervloekte de ring en verdween in een rots. In de rest van de saga verwisselt de ring regelmatig van eigenaar, daarbij overal dood en verderf zaaiend. Isildur scheen te geloven dat zowel J.R.R. Tolkien als Richard Wagner de Saga van de Völsungen had gelezen, wat de gelijkenis tussen de twee verhalen verklaarde.

Er volgde een reeks van steeds meer verhitte postings heen en weer, totdat een derde commentator verscheen die Tolkien uitmaakte voor leugenaar en plagiaatpleger. Dit leek Minshall en Isildur te verenigen ter verdediging van hun held, en daarmee was het onderwerp afgesloten.

Magnus had het sterke vermoeden dat dit dezelfde Isildur was als de partner van Steve Jubb: beiden deelden een interesse in de Völsungensaga. Gelukkig stond er op de webpagina een link naar de e-mail-adressen van de mensen die de berichten plaatsten. Isildurs adres wees op een internetprovider uit de VS. De vraag was: hoe kon Magnus er-achter komen wie hij was?

Als hij hem een e-mail stuurde met het verzoek om de Reykjavíkse politie te helpen bij een moordonderzoek, bestond er een kleine kans dat dat een reactie zou uitlokken. De kans was echter veel groter dat hij Isildur op die manier zou waarschuwen dat de politie hem op het spoor was, en dan zou hij niets meer van zich laten horen.

Vorig jaar was Magnus betrokken geweest bij het onderzoek naar de verkrachting en moord van een vrouw in Brookline, een buitenwijk voor de middenklasse. Ze had anonieme e-mails gekregen van een stal-ker. Met de hulp van een jonge computerexpert, Johnny Yeoh op de af-deling digitaal-forensisch onderzoek, had Magnus het IP-adres achter-haald van de computer waarmee de e-mails waren verzonden, ondanks allerlei trucjes die de verzender had uitgehaald om het adres te verber-gen. Het bleek te gaan om de buurman van de vrouw. Hij zat nu levens-lang in Cedar Junction.

Magnus had Isildurs e-mailadres. Hij hoefde hem alleen een reactie per e-mail te ontlokken, waarin een 'header' zou staan die het IP-adres van Isildurs computer onthulde.

Hij dacht een moment na en begon toen iets te tikken.

Hallo Isildur,

Ik vond je commentaar over de Saga van de Völsungen heel interessant. Waar kan ik een exemplaar krijgen?

Matt Johnson

Een simpele, zij het ietwat domme vraag waarop Isildur in een paar se-conden kon reageren. De moeite van het proberen waard.

Het probleem met e-mailcorrespondentie was dat je nooit wist hoe lang het zou duren voordat je antwoord kreeg. Het kon een minuut duren, een uur, een dag, of een maand. Terwijl hij wachtte, keek Mag-nus hoe het Árni verging. Hij had enige vooruitgang geboekt. Hij had een docent taalkunde gevonden aan de universiteit van New South

Wales, die beweerde een deskundige te zijn op het gebied van Tolkiens fantasietalen, waarvan er veertien zouden bestaan. Net als Magnus had hij per e-mail een vraag gesteld en wachtte hij op een reactie.

Árni had ook sporen van ene Isildur gevonden. Iemand met die bijnaam leek online een vertaaldienst te willen opzetten in en uit het Quenya, een van Tolkiens meest gedetailleerde Elfentalen. Of het dezelfde Isildur was of een andere *The Lord of the Rings*-fanaat die dezelfde naam gebruikte, daar konden ze niet zeker van zijn.

Magnus ging terug naar zijn eigen computer. Hij had geluk. Er was een korte e-mail van Isildur.

Hallo Matt

Je kunt ongetwijfeld een exemplaar kopen bij Amazon. Er is een goede editie van Penguin Classics. Zeer de moeite van het lezen waard. Veel leesplezier.

Isildur

Magnus sloeg een paar toetsen op zijn computer aan, en een reeks codes en getallen kwam tevoorschijn, de header van de e-mail.

Bingo.

'Árni. Ken jij iemand op jullie afdeling digitaal-forensisch onderzoek die voor mij een e-mailheader kan nalopen?'

Árni keek bedenkelijk. 'Het is zaterdag. Die zitten vast thuis. Ik kan proberen iemand te pakken te krijgen, maar dat gaat even duren. We moeten misschien tot maandag wachten.'

Maandag was te laat. Magnus keek op zijn horloge. Het was ongeveer lunchtijd in Boston. Johnny Yeoh was een burger, geen politieagent, maar hij was het soort nerd dat alles uit handen liet vallen om te helpen, mits hij interesse had. Hij en Magnus hadden het goed met elkaar kunnen vinden, vooral omdat Magnus ervoor had gezorgd dat Johnny volop lof kreeg voor zijn werk bij het opsporen van de moordenaar in Brookline. Dit was net het soort klusje waarop Johnny zich vol enthousiasme zou storten.

Magnus tikte snel een e-mail en knipte en plakte de header van Isildurs berichtje. Hij lette erop dat er niets in de tekst van de e-mail stond waaruit kon blijken dat hij zich elders bevond dan in een of andere stad in hartje Amerika. Hij overwoog de e-mail via agent Hendricks te versturen naar Johnny's adres bij de politie van Boston. Het probleem was dat Johnny het dan pas maandag zou lezen. Magnus had sneller resultaat nodig.

Magnus herinnerde zich Johnny's e-mailadres thuis – hij had er vorig jaar vaak genoeg gebruik van gemaakt. Hij woog de risico's tegen elkaar af. Het zou echt bij niemand opkomen om te controleren of Johnny Yeoh contact had gehad met Magnus. En hoewel Lenahan overal bij de politie een grote vriendenkring had opgebouwd, was Johnny zo'n beetje de minst waarschijnlijke persoon om daartoe te behoren.

Hij tikte Johnny's adres en klikte op verzenden.

Met een beetje geluk zouden ze morgen weten wie Isildur was.

10

Thingholt was een wirwar van felgekleurde huisjes in de centraal gelegen postcodewijk 101 van Reykjavík, hangend aan de zijkant van de heuvel onder de grote kerk. Hier woonden de kunstenaars, de ontwerpers, de schrijvers, de dichters, de acteurs, de coole mensen en de fashionista's.

Niet echt een buurt die paste bij een agent, maar het beviel Magnus wel.

Árni reed hem door een rustige straat, net om de hoek van de galerie die Magnus eerder die middag had bezocht, en stopte voor een piepklein huis, waarschijnlijk het kleinste in de straat. De muren waren van roomkleurig beton, en het dak van limoengroene golfplaat, waaruit één enkel raam stak. De verf op het dak en de muren bladderde af, en het gras in de minuscule tuin naast het gebouw lag er verwilderd en vertrapt bij. Niettemin deed het Magnus denken aan het huis waarin hij als kind was opgegroeid.

Árni belde aan. Wachtte. Belde opnieuw aan. 'Ze slaapt waarschijnlijk.'

Magnus keek op zijn horloge. Het was nog maar zeven uur. 'Dan ligt ze al vroeg in bed.'

'Nee, ik bedoel dat ze nog niet op is.'

Op datzelfde ogenblik ging de deur open, en voor hen stond een zeer lang, zwartharig meisje, met een bleek gezicht, gekleed in een weinig verhullend T-shirt en korte broek. 'Árni!' riep ze uit. 'Waarom maak je me wakker op dit uur van de dag?'

'Wat is er mis met dit uur van de dag?' vroeg Árni. 'Mogen we binnenkomen?'

De vrouw knikte, een traag hangende beweging van haar hoofd, en deed een stap opzij om hen binnen te laten. Ze liepen door de gang een kleine woonkamer in, met een lange blauwe bank, een grote tv, een paar zitzakken op de gepolijste houten vloer en een boekenkast boordevol met boeken. De muren hadden houten panelen; de langste ervan was beschilderd met blauwgroene en gele spiraalvormen, wat de indruk gaf van een tropisch eiland.

'Dit is mijn zus Katrín,' zei Árni. 'Dit is Magnús. Hij is een Amerikaanse vriend van me. Hij zocht een verblijfplaats in Reykjavík, dus stelde ik hem voor hier te logeren.'

Katrín wreef zich in de ogen en probeerde Magnus scherp te zien. Haar topje leek meer op een onderhemd dan een T-shirt, een van haar kleine borsten was net zichtbaar. Ze leek sterk op Árni, lang, dun en donker, maar waar Árni's gelaatstrekken zwak overkwamen, waren die van haar juist krachtig: een wit gelaat, hoekige jukbeenderen en kaak, dik kort zwart haar, grote donkere ogen.

'Hoi,' zei ze. 'Alles goed?' Ze sprak in het Engels, met een Brits accent.

'Met mij alles goed,' antwoordde Magnus. 'En met jou?'

'Ja, cool,' mompelde ze.

'Zullen we gaan zitten om erover te praten?' vroeg Árni.

Katrín keek nog eens goed naar Magnus, nam hem van top tot teen in zich op. 'Nee. Hij is cool. Ik ga terug naar bed.' En met die woorden verdween ze in een kamer naast de gang.

'Zo te zien ben je goedgekeurd,' zei Árni. 'Ik zal je je kamer laten zien.' Hij leidde Magnus een smalle trap op. 'Onze grootouders woonden hier vroeger. Het is nu van ons beiden, en we verhuren de kamer op de eerste verdieping. Kijk hier eens.'

Ze kwamen uit in een kleine kamer met basismeubilair: een bed, een tafel, een paar stoelen enzovoorts. Er waren twee ramen, door het ene stroomde bleek avondlicht de kamer in, en door het andere kon Magnus de spits zien van de Hallgrímskirkja die zich hoog verhief boven de veelkleurige lappendeken van metalen daken. 'Mooi uitzicht,' merkte hij op.

'Bevalt de kamer?'

'Wat is er met de vorige huurder gebeurd?'

Árni keek gepijnigd. 'We hebben hem gearresteerd. Vorige week.'

'Aha. Drugs?'

'Amfetaminen. Een klein dealertje.'

'Ik begrijp het.'

Árni kuchte. 'Ik zou het op prijs stellen als je een oogje wilt houden op Katrín terwijl je hier bent. Niet al te opvallend, natuurlijk.'

'Vind ze dat niet erg? Ik bedoel, heeft zij er geen problemen mee om een woning te delen met een agent?'

'Je hoeft haar toch niet te vertellen wat je doet? En ik zou commissaris Thorkell niet laten weten dat je hier logeert.'

'Oom Thorkell zou dat niet goed vinden?'

'Laten we het erop houden dat Katrín niet zijn lievelingsnicht is.'

'Hoeveel is de huur?'

Árni noemde een bedrag dat heel redelijk leek. 'Een jaar geleden zou je het dubbele hebben betaald,' verzekerde hij Magnus.

'Ik geloof je.' Magnus glimlachte. Het kamertje stond hem aan, het piepkleine huisje stond hem aan, het uitzicht stond hem aan, en zelfs het gezicht van de vreemde zus stond hem aan. 'Ik neem het.'

'Uitstekend,' zei Árni. 'Laten we dan je spullen gaan halen bij je hotel.'

Het duurde niet lang om Magnus' koffer terug naar het huis te vervoeren, en zodra Árni zich ervan had vergewist dat Magnus zich had geïnstalleerd, liet hij hem achter. Katrín liet zich niet horen.

Magnus ging de straat op. Na het raadplegen van een stadsplattegrond liep hij heuvelafwaarts langs een huizenblok en door een straat aan de overkant. De hemel was opgeklaard, uitgezonderd de ene dunne plaat met bewolking die de top bedekte van de kap van steen en sneeuw die de Esja vormde. Magnus begon een patroon te ontwaren: de onderzijde van de wolk bewoog zich diverse keren per dag omhoog en omlaag, afhankelijk van het weer. De lucht was fris en helder. Om halfnegen was het nog steeds licht.

Hij vond de straat die hij zocht en wandelde er langzaam doorheen, daarbij elk huis bestuderend. Misschien zou hij het na al die jaren niet meer herkennen. Misschien hadden ze de kleur van het dak veranderd. Maar toen hij over een heuveltje in de weg kwam, zag hij het: het kleine huis met het lichtblauwe dak uit zijn jeugd.

Hij bleef stilstaan voor het huis en staarde. De oude meelbes stond er nog, maar er hing nu een touw aan een van de takken. Een goed idee. Een leeggelopen voetbal lag in een bed narcissen, die op het punt stonden te bloeien. Hij was blij dat hier nog altijd kinderen woonden; hij vermoedde dat de meeste huizen in deze buurt nu werden bewoond door jonge echtparen. Buiten pronkte een grote Mercedes SUV, met twee kinderzitjes. Een wereld van verschil met zijn vaders oude VW-kever.

Hij sloot zijn ogen. Boven het rumoer van het verkeer kon hij zijn moeder Óli en hem horen roepen binnen te komen om naar bed te gaan. Hij glimlachte.

Toen ging de voordeur open en wendde hij zich af, te beschaamd om door de huidige eigenaren te worden gezien als vreemde kerel die naar hun huis loerde.

Hij vervolgde zijn weg heuvelafwaarts naar het centrum van de stad. Hij passeerde vier mannen en een vrouw die apparatuur uit een busje laadden. Een bandje dat zich opmaakte voor zaterdagavond. Het meisje met de minirok in luipaardprint en de lange haarvlecht zoefde voorbij op haar fiets. In Reykjavík, zo besefte hij, kon je verwachten dezelfde persoon een paar keer per dag op straat tegen te komen.

Hij stopte bij boekwinkel Eymundsson, een geheel uit glas opgetrokken juweel van een gebouw in de Austurstraeti, waar hij het laatste Engelse exemplaar van *The Lord of the Rings* kocht, en een exemplaar van de Saga van de Völsungen, in het IJslands.

Hij stevende af op de oude haven en nog een herinnering uit zijn jeugd: een klein rood stalletje, Baejarins beztu pylsur. Hij en zijn vader gingen daar elke woensdagavond na handbaltraining naartoe om een hotdog te halen. Hij ging in de rij staan. In tegenstelling tot de rest van Reykjavík was Baejarins beztu pylsur in de loop der jaren niet veranderd, alleen hing er nu buiten een foto van een grijnzende Bill Clinton die een hap nam van een grote worst.

Kauwend op zijn hotdog, slenterde hij door het havengebied en langs de pier. Het was een bedrijvige haven, maar om deze tijd van de avond was het rustig. Aan de ene kant lagen trawlers, aan de andere gestroomlijnde catamarans voor het spotten van walvissen en kleine kustvissersboten. Het rook er naar vis en diesel, hoewel Magnus langs een logge witte waterstofpomp liep. Hij hield stil aan het eind van de pier, op respectvolle afstand van een visser die friemelde met zijn aas in een tas, en nam de stilte in zich op.

Voorbij de havenmuur werd het zwarte gesteente en de witte sneeuw van de Esja weerspiegeld in het staalgrijze water. Een zeemeeuw cirkelde om hem heen, op zoek naar een weggegooid stukje brood, maar verliet hem na een paar tellen met een teleurgestelde kreet. Een officieus uitziende motorboot voer door de ingang van de haven, op een of andere missie voor de nautische bureaucratie.

IJsland was zo veel veranderd sinds de ontwrichtende gebeurtenissen in zijn jeugd, maar wat hij herkende van Reykjavík bracht de vroege jaren, de gelukkige jaren, terug in herinnering. Hij had geen reden om zijn moeders familie te bezoeken; ze hoefden zelfs nooit te weten te komen dat hij in het land was. Hij was blij dat het IJslands hem nog zo goed leek af te gaan, hoewel hij zich ervan bewust was dat hij sprak met een licht Amerikaans accent: hij moest oefenen op het laten rollen van die r's.

Reykjavík lag ver weg van Boston, ver ten noorden van Boston. Vijfentwintig breedtegraden hoger. Dat merkte hij niet alleen aan de koude lucht of lappen sneeuw – de haven van Boston kon redelijk koud en guur zijn – hij merkte het aan het licht: helder en toch zacht, bleek, zwak. De grijze tinten van de haven in Reykjavík hadden een subtiele zachtheid vergeleken met de veel hardere kleuren van zijn tegenhanger in Boston.

Maar hij zou blij zijn wanneer de datum voor het proces bekend werd en hij terug kon. Hoewel Agnars moord een interessante zaak vormde, miste hij de gewelddadige kant van de straten van Boston. Op zeker moment in de afgelopen tien jaar was het afhandelen van de dagelijkse opeenvolging van schiet- en steekpartijen en verkrachtingen, het oppakken en voor de rechter slepen van de daders, meer dan een baan geworden. Het was een behoefte geworden, een verslaving, een drug.

Reykjavík was gewoon niet hetzelfde. Een speelgoedstad.

Hij voelde een steek van schuldgevoel. Hier was hij veilig, duizenden kilometers ver weg van die krioelende stad met drugsbendes en rechtszaken over politiecorruptie. Maar Colby niet. Hoe kon hij haar overhalen naar hem te luisteren? Hij kreeg het gevoel dat hoe harder hij aandrong, hoe koppiger ze zou worden. Maar waarom? Waarom moest ze zich zo opstellen? Waarom moest ze uitgerekend dit probleem aangrijpen om duidelijkheid te krijgen over hun relatie? Als hij emotioneel geraffineerder zou zijn, als hij bijvoorbeeld Colby zelf zou zijn, kon hij vast een manier bedenken om haar zodanig te manipuleren dat ze hierheen kwam. Maar toen hij een plannetje probeerde te verzinnen, begon zijn hoofd te duizelen.

Hij zuchtte en keerde terug naar de stad. Toen hij over de Laugavegur weer de heuvel op liep, keek hij uit naar een geschikte bar om snel een biertje te drinken. In een zijstraat ontwaarde hij een café dat de Grand Rokk heette. Vanbuiten zag het er een beetje uit als een sjofele pub in Boston, maar met een tent boven tafeltjes waaraan een stuk of tien mensen zaten te roken onder het drinken. Binnen zat het café voor een kwart vol. Magnus zocht zich behoedzaam een weg langs een groep stamgasten die aan de bar stonden en bestelde een grote Thule bij de kaalgeschoren barman. Hij vond een kruk in de hoek en nam slokjes van zijn bier.

Zo te zien leken de andere drinkers er al enige tijd te zitten. Heel wat hadden naast hun biertje een borrelglas staan met een bruin goedje. Een rij tafels langs de ene wand was ingelegd met de vierkanten van een schaakbord. Er werd een partijtje geschaakt. Magnus keek passief toe. De spelers waren niet zo goed, hij zou ze gemakkelijk kunnen verslaan.

Hij glimlachte toen hij zich herinnerde hoe hij zijn vader, een geweldige schaker, avond na avond had uitgedaagd. De enige manier waarop Magnus de slimme strateeg had kunnen verslaan, was met agressieve aanvallen op zijn koning. Ze mislukten bijna altijd, maar soms, heel soms brak hij door en won het potje, tot plezier van zowel vader als zoon. Magnus wist dat hoewel zijn vader er nooit over zou piekeren hem te laten winnen, hij Magnus aanmoedigde, zoals hij Magnus altijd had aangemoedigd.

Te vaak zag Magnus zijn vader alleen door het vreselijke prisma van zijn moord, en vergat hij de simpelere tijden voor diens dood. Simpeler, maar niet eenvoudig.

Ragnar was een zeer slimme man, een wiskundige met een internationale reputatie, en daarom was hem ook de betrekking bij het MIT aangeboden. Hij was ook humaan, de redder in nood die Magnus en zijn broertje had weggehaald uit de ellende in IJsland toen ze hadden gevreesd dat hij hen aan hun lot had overgelaten. Magnus had veel dierbare herinneringen aan zijn vader uit zijn tienerjaren: niet alleen het schaken, ook het samen lezen van de saga's, de wandeltochten in het Adirondackgebergte en in IJsland. Avondlange discussies over alles wat Magnus interesseerde, twistgesprekken waarbij zijn vader altijd luisterde naar Magnus en zijn mening respecteerde, maar tegelijk probeerde zijn ongelijk aan te tonen.

Toch was er één aspect van zijn vaders leven dat Magnus nooit had begrepen: zijn relatie met vrouwen. Hij begreep niet waarom Ragnar met zijn moeder was getrouwd, of waarom hij haar had verlaten. Hij begreep al helemaal niet waarom hij vervolgens was getrouwd met dat vreselijke mens Kathleen. Ze was de jonge echtgenote van een van de andere hoogleraren aan het MIT, en Magnus realiseerde zich later dat ze al een verhouding met elkaar moesten hebben gehad toen Magnus bij zijn vader in Boston kwam wonen. Alhoewel uiterlijk charmant en mooi, was Kathleen een heerszuchtige vrouw die een hekel had aan Magnus en Ollie. Een paar maanden na hun huwelijk leek ze ook een hekel te hebben aan Ragnar. Waarom zijn vader dat niet had zien aankomen, bleef Magnus een raadsel.

Anderhalf jaar na dat vreselijke huwelijk was Ragnar dood gevonden, met steekwonden op de vloer van de woonkamer in het huis dat ze die zomer huurden in Duxbury, aan de zuidoever van Boston.

Voor Magnus had de hoofdverdachte meteen vastgestaan. De rechercheurs die de zaak onderzochten, luisterden in het begin welwillend naar zijn theorieën over zijn stiefmoeder, en later geïrriteerd. Na de eerste paar dagen waarin ze haar flink op de huid leken te zitten, hadden ze haar laten gaan. Dit kwam onlogisch over op Magnus, aangezien ze geen andere verdachte hadden. Maanden gingen voorbij en de politie kon niets beters verzinnen dan dat een volslagen vreemde in het huis had ingebroken, Ragnar had neergestoken, en toen in het niets was verdwenen zonder een spoor achter te laten, afgezien van één haar, die de politie niet had kunnen identificeren, ondanks DNA-analyse.

Pas het volgende jaar, toen Magnus in zijn zomervakantie van de universiteit zelf op onderzoek uitging, ontdekte hij dat zijn stiefmoeder een ijzersterk alibi had gehad: ten tijde van de moord lag ze ergens in de stad met een airconditioningmonteur in bed. Een feit dat stiefmoeder en politieagenten voor Magnus en zijn broer hadden verzwegen.

De bar vulde zich met een jonger publiek. Sommige van de vroege klanten voelden zich overweldigd en wankelden buiten de schemering in. Een band stelde zijn instrumenten op en begon na een paar minuten te spelen. De muziek was te hard om mijmerend een biertje te drinken, dus vertrok Magnus.

Buiten was het op de eerder zo rustige straten druk geworden. Het wemelde van de jongeren en niet zo jongeren, opgedoft voor een avondje stappen.

Tijd voor bed, dacht Magnus. Toen hij de deur van zijn nieuwe logement opende, passeerde hij Katrín die op weg was naar buiten, gekleed in haar mooiste zwarte gothic kleding, haar gezicht wit gepoederd en versierd met onwaarschijnlijk veel metaal.

'Hoi,' zei ze met een halve glimlach.

'Veel plezier vanavond,' zei Magnus in het Engels. Ergens leek dat de juiste taal om met Katrín te spreken.

Ze bleef even staan. 'Je bent zeker een of andere agent?'

Magnus knikte. 'Zoiets, ja.'

'Árni is zo'n klootzak,' foeterde Katrín, waarna ze in het halfduister verdween.

Diego nam zijn tijd om in te breken in het appartement op de begane grond in Medford. Het appartement bestond uit de onderste helft van een klein houten huis in een stille straat, en het goede nieuws was dat de tuin aan het zicht werd onttrokken door bomen. Niemand die hem zou zien, dus kon hij zich concentreren op het niet maken van geluid.

Hij klom door het keukenraam en stapte de woonkamer in. De slaapkamerdeur stond open, en hij kon zacht gesnurk horen. Hij snoof. Marihuana. Hij glimlachte. Mooi zo, dat zou zijn doelwit slomer maken.

Hij glipte de slaapkamer in. Zag de bobbel op het bed en het bedlampje. Hij haalde zijn wapen tevoorschijn, een Smith & Wesson .38. Toen knipte hij het lampje aan, trok de dekens omlaag en spande de haan van zijn wapen. 'Zitten, Ollie,' blafte hij.

De man schoot kaarsrecht overeind, knipperend met zijn ogen, zijn mond open van verbazing. Hij leek op de foto die Diego eerder had bestudeerd: rond de dertig jaar oud, mager, lichtbruin krulhaar, blauwe ogen die nu opgezwollen en bloeddoorlopen waren.

'Als je gilt, knal ik je kop eraf! Begrepen?'

De man slikte en knikte.

'Oké. Ik heb één simpele vraag voor je. Waar is je broer?'

Ollie probeerde te spreken. Hij kon niets uitbrengen. Hij slikte en probeerde het opnieuw. 'Ik weet het niet.'

'Ik weet dat hij vorige week hier bij jou logeerde. Waar zei hij dat hij naartoe ging toen hij vertrok?'

Ollie haalde diep adem. 'Ik heb geen idee. Hij was van de ene op de andere dag verdwenen. Pakte alleen zijn spullen en ging weg zonder gedag te zeggen. Typisch mijn broer. Hé, man.' Ollie leek wakker te worden. 'Kunnen we niet iets regelen? Eh... ik geef je wat geld en je laat mij met rust?'

Diego greep met zijn linkerhand Ollie bij zijn haar en duwde met zijn rechter de revolver in diens mond. 'Het enige wat we hier regelen, is dat jij mij vertelt waar hij is. Als je niet weet waar hij is, is dat jammer voor je, want dan sterf je.'

'Hé, man, ik weet niet waar hij is, ik zweer het!' Ollies woorden klonken gedempt toen hij probeerde te spreken met metaal in zijn mond.

'Heb je ooit Russische roulette gespeeld?' vroeg Diego.

Ollie schudde zijn hoofd en slikte.

'Het is heel simpel. Deze revolver heeft zes kamers. In een ervan zit een kogel. Jij en ik weten niet in welke. Dus wanneer ik de trekker overhaal, weten we niet of je gaat sterven. Maar als je mij de trekker zes keer laat overhalen, ben je zeker dood. Begrepen?'

Ollie slikte en knikte. Hij begreep het.

Diego liet Ollies haar los, hij wilde immers niet in zijn eigen hand schieten, en haalde toen de trekker over.

Een klik. De trommel van de revolver draaide.

'O, god,' zei Ollie.

'Je denkt misschien dat alleen jij risico loopt,' ging Diego verder. 'Maar in feite loop ik ook risico. Want als ik je kop eraf knal en je hebt mij nog niet verteld wat ik wil weten, verlies ik, snap je? Maakt het spelletje wel zo leuk voor ons allebei.' Hij glimlachte naar Ollie. 'Dus nog een keer: waar zit je broer?'

'Ik weet het niet, man, ik zweer je dat ik het niet weet!' riep Ollie.

'Hé, koest!' Diego kneep zijn ogen tot spleetjes. 'Weet je, ik geloof je nog steeds niet.' Hij haalde opnieuw de trekker over.

Klik.

Ollie brak. 'O, god, niet schieten, alsjeblieft niet schieten! Ik zou het je vertellen als ik kon, ik zweer het! Een paar jongens van de FBI kwamen zijn spullen halen. Ik vroeg waar ze hem heen brachten, maar dat wilden ze niet zeggen.'

Diego hoorde een luid sissend geluid en rook warme urine. Hij keek omlaag naar de zich snel verspreidende donkere plek op Ollies boxershort. Zijn ervaring was dat zodra ze in hun broek pisten, ze meestal de waarheid vertelden.

Maar hij haalde de trekker voor de derde keer over, gewoon voor de lol.

Klik.

Hij had deze situatie besproken met Soto. Er waren twee denkwijzen. Een ervan was dat je alle familieleden en partners van de getuige uit de weg ruimde om hem, en iedereen die mogelijk in de verleiding kwam om zijn voorbeeld te volgen, een duidelijke boodschap te sturen. Maar als de getuige een politieagent was, was dat niet zo'n goed idee. Dan zou je de oorlog verklaren aan een zwaarbewapende en goed georganiseerde tegenstander. De succesvolste drugshandel opereerde onder de radar, maakte zo min mogelijk deining, hield het zakelijk klimaat lekker rustig.

Ollie wist niet waar Magnus was. Het had geen zin om beroering te veroorzaken.

'Oké, man, ik stop nu met dit spelletje,' zei Diego. 'We houden het op een gelijk spel. Maar ga de smerissen niet vertellen dat ik op zoek ben naar je broer, begrijp je wel? Anders spelen we geen spelletjes meer, dan knal ik je gewoon neer met het eerste schot.'

'Goed, man. Goed. Mij best.' Ollie snikte, de tranen stroomden over zijn gezicht.

Diego leunde voorover en deed het lampje uit. 'Ga nu maar weer slapen. Welterusten.'

11

Magnus volgde het gedrongen lijf van agent O'Malley naar de felle verlichting van de avondwinkel. Zijn vingers trilden vlak boven zijn wapen.

O'Malley draaide zich om met een glimlach. 'Hé, kalm aan, Zweed. Houd je ogen open, maar raak niet te gespannen. Als je gespannen bent, maak je fouten.'

O'Malley had besloten Magnus 'Zweed' te noemen ter ere van zijn eigen Scandinavische afkomst, en een oude Zweedse partner met wie hij twintig jaar eerder had gewerkt. Magnus had hem niet uit de droom geholpen: als zijn trainingsofficier wilde dat hij Zweeds was, zou hij Zweeds zijn. Hij had nog maar twee weken straatdienst gedaan, maar hij had nu al veel respect voor O'Malley.

'Ziet er rustig uit,' zei O'Malley. Ze waren hierheen gestuurd zonder verdere informatie over de aard van de ongeregeldheden bij de buurtwinkel.

Magnus zag een dunne gestalte vanuit de schaduw in hun richting komen. O'Malley had hem niet gezien. De gestalte stevende regelrecht af op O'Malley. Magnus probeerde zijn wapen te trekken, maar zijn arm wilde niet bewegen. De gestalte hief zijn eigen wapen, een .357 Magnum, en richtte het op O'Malley. In paniek wist Magnus zijn vingers rond zijn eigen wapen te krijgen, maar hij kon het niet optillen. Hoezeer hij het ook probeerde, het was te zwaar. Magnus opende zijn mond om zijn partner luidkeels te waarschuwen, maar er kwam geen geluid.

De man wendde zich tot Magnus en lachte, nog steeds met zijn wapen gericht op O'Malley. Hij was jong, vel over been, en zag eruit alsof hij zich in geen week had gewassen. Zijn ogen stonden bloeddoorlopen en wazig, hij had slechte tanden en de huid van zijn gelaat, oplichtend in het schijnsel van de buurtwinkel, leek op was. Alsof hij al dood was, een soort wandelende zombie.

O'Malley had hem nog altijd niet gezien.

Magnus probeerde te schreeuwen, probeerde zijn wapen op te tillen. Niets. Alleen een griezelig kakelend lachje van de schutter.

Toen klonk er een schot. Twee. Drie. Vier. Ze gingen maar door en door.

Ten slotte viel O'Malley op de grond. Magnus' pistoolarm reageerde. Hij hief zijn wapen en schoot in het lachende gezicht van de junk. Hij schoot en schoot opnieuw, en opnieuw en opnieuw...

Magnus werd wakker.

Buiten zijn raam hoorde hij rumoer. Reykjavík 101 klonk uitgelaten op een zaterdagnacht: gelach, snel optrekkende auto's, geroep, gezang, gebraak, en onder dat alles de aanhoudende basdreun uit krachtige versterkers.

Het lijvige boek van *The Lord of the Rings* lag open op de vloer, waar hij het een paar uur eerder had laten vallen. Het bedekte de slankere editie van de Saga van de Völsungen.

Hij keek op zijn horloge. 5.05 uur.

Het was een oude vertrouwde droom. De nachtmerrie had na die eerste schietpartij twee jaar lang zijn nachten verstoord. In werkelijkheid was het natuurlijk anders gegaan dan in de droom, de junk had maar twee schoten gelost op O'Malley voordat Magnus hem neerhaalde. Maar tijdens die lange nachten had Magnus zinloos met zichzelf gediscussieerd of hij eerder had kunnen schieten om O'Malley het leven te redden, of langer had kunnen wachten om de junk het leven te redden.

Dat was lang geleden. Magnus dacht dat hij de tweede schietpartij veel beter had geïncasseerd dan de eerste, nu hij een ervaren agent was. Misschien had hij het mis. Zijn onderbewuste eiste tijd om het te verwerken, en daar kon hij niets aan doen, hoe gehard hij als agent ook mocht zijn.

Wat een domper.

Op de vroege zondagochtend was het een en al bedrijvigheid op het hoofdbureau van de Reykjavíkse politie. Vermoeide agenten in uniform voerden lijkbleke en wankele burgers door de gangen, leidden hen door de latere stadia van de wekelijkse arrestatieronde op zaterdagnacht.

Zodra Magnus bij zijn bureau kwam, zette hij zijn computer aan. Hij glimlachte toen hij de e-mail van Johnny Yeoh zag. De jongen had hem niet teleurgesteld.

Bij de ochtendbespreking zag Baldur eruit alsof hij ook niet veel had geslapen. Donkere wallen hingen onder zijn ogen, en zijn wangen waren ingevallen en grauw. Magnus bekeek zijn collega-rechercheurs rond de tafel; ze hadden veel van hun eerdere levendigheid verloren.

Baldur begon met de nieuwste rapporten van het lab. Met Agnar, Steve Jubb en Andrea waren drie van de vier paar vingerafdrukken in het huis geïdentificeerd. Er was bevestigd dat de voetsporen afkomstig waren van Steve Jubb. Maar op geen van Steve Jubbs kleren waren bloedsporen aangetroffen, nog niet het allerkleinste spettertje.

Baldur vroeg Magnus of het moeilijk zou zijn iemand op het hoofd te slaan en hem dan uit het huis en twintig meter naar het meer te slepen zonder bloed op je kleren te krijgen. Magnus moest toegeven dat dat niet zou meevallen, maar hij stelde dat het niet onmogelijk was.

'Ik heb gisteren Agnars vrouw gesproken,' zei Baldur. 'Ze is kwaad. Ze was totaal niet op de hoogte van het bestaan van Andrea. Ze geloofde dat haar echtgenoot zijn belofte was nagekomen om zich te gedragen.

'Ze heeft ook Agnars papieren doorgekeken en ontdekt dat hij in een veel diepere financiële put zat dan ze zich had gerealiseerd. Schulden, grote schulden.'

'Waar heeft hij dat geld aan uitgegeven?' vroeg Rannveig, de substituut-officier van justitie.

'Cocaïne. Ze wist van de cocaïne. En hij gokte. Ze schat dat hij zo'n dertig miljoen krónur schuld had. De creditcardbedrijven begonnen te klagen, net als de bank die de hypotheek voor hun huis heeft verstrekt. Maar nu hij dood is, wordt dat gedekt door een levensverzekering.'

Magnus maakte snel een rekensommetje in zijn hoofd. Dertig miljoen krónur was iets meer dan tweehonderdduizend dollar. Zelfs naar de maatstaven van IJslands schuldverslaafde burgers, was Agnar een heleboel geld verschuldigd.

'Al met al had Linda een motief om haar echtgenoot te vermoorden,' vervolgde Baldur. 'Ze zegt dat ze op donderdagavond alleen was met haar kleine kinderen. Maar het zou niet moeilijk zijn geweest om haar kinderen achter in de auto te zetten om naar Thingvellir te rijden. Ze zouden ons dat toch niet kunnen vertellen, de ene is een baby en de oudste is nog geen twee jaar. We kunnen haar niet schrappen als verdachte. Vigdís? Heb jij nog gesproken met de vrouw uit Flúdir?'

Vigdís liep het gesprek met Ingileif door. Ze had Ingileifs alibi gecheckt: ze was op de avond dat Agnar werd vermoord inderdaad tot halftwaalf op het feestje van haar kunstenaarsvriendin. En daarna met haar 'oude vriend' de schilder vertrokken.

'Misschien heeft ze daarover de waarheid verteld, maar wij denken dat ze over iets anders heeft gelogen,' zei Magnus.

'Over wat dan wel?'

'Ze was erg terughoudend over Agnar,' zei Vigdís. 'Ik vermoed dat er meer tussen hen is voorgevallen dan ze liet merken.'

'We gaan over een paar dagen nog eens met haar praten,' zei Magnus. 'Dan zullen we zien of haar verhaal standhoudt.'

'Weten jullie al iets meer over Isildur?' vroeg Baldur.

'Ja,' zei Magnus. 'Ik heb op een *The Lord of the Rings*-forum op internet iemand gevonden die zich Isildur noemt. Ik heb zijn e-mailgegevens in handen gekregen en een vriend in de VS gevraagd hem na te trekken.'

'Weet je zeker dat het dezelfde is?'

'We kunnen er niet absoluut zeker van zijn, maar het lijkt mij heel waarschijnlijk. Deze man is geobsedeerd door magische ringen en IJslandse saga's, net als Steve Jubb.'

Baldur bromde.

Magnus ging verder. 'Hij heet Lawrence Feldman en hij woont in Californië. Hij heeft twee huizen, een in Palo Alto en een in Trinity County, vierhonderd kilometer ten noorden van San Francisco. Daar kwam het e-mailbericht vandaan.'

'Twee huizen?' merkte Baldur op. 'Weten we of hij rijk is?'

'Hij barst van het geld.' Ook al had Johnny niet de politiedossiers van Feldman gelicht, zo die er al waren, hij had op internet voldoende over hem gevonden. 'Hij was een van de oprichters van een softwarebedrijf in Silicon Valley, 4Portal. Het bedrijf is vorig jaar verkocht, en de oprichters konden elk veertig miljoen dollar in hun zak steken. Feldman was toen nog maar eenendertig. Niet slecht gedaan.'

'Dus hij zou makkelijk een dure advocaat kunnen betalen,' zei Baldur.

'En een kamer bij Hótel Borg voor Steve Jubb.'

'Oké. We hebben het politiedossier van die kerel nodig, als hij er een heeft,' zei Baldur. 'Kun jij dat regelen?'

'Ja, maar het lijkt mij eenvoudiger als het verzoek van de Reykjavíkse politie komt,' zei Magnus. 'Dat staat officiëler, vraagt minder vriendendiensten.'

'Komt in orde,' zei Baldur.

'Maar ik zou hem kunnen opzoeken,' stelde Magnus voor.

'In Californië?' Baldur keek bedenkelijk.

'Tuurlijk. Het duurt wel een dag om er te komen, en een dag om terug te vliegen, maar misschien kan ik hem zover krijgen mij te vertellen wat hij en Steve Jubb uitspoken.'

Baldur fronste. 'We weten niet zeker of dit dezelfde Isildur is voor wie Steve Jubb werkt. En hoe dan ook, hij zal niets loslaten. Waarom zou hij? Steve Jubb zegt niets, en we hebben hem in voorarrest zitten.'

'Hangt ervan af hoe ik het hem vraag.'

Baldur schudde zijn hoofd. 'Dat gaat geld kosten. Ik weet niet zeker of ik toestemming kan krijgen voor een reis die waarschijnlijk tijdverspilling is. Heb je niet gehoord van de *kreppa*?'

Het was onmogelijk om meer dan een paar uur door te brengen in IJsland zonder iets te horen over de *kreppa*. 'Alleen economyclass, en misschien een overnachting in een motel,' zei Magnus. Hij keek naar het aantal mensen rond de tafel. 'Je zet een heleboel mankracht op dit onderzoek. Een vliegtuigticket kan er dan ook wel vanaf.'

Baldur wierp Magnus een nijdige blik toe. 'Ik zal erover nadenken,' zei hij, maar hij gaf Magnus duidelijk de indruk dat hij dat niet zou doen.

'Goed,' zei Baldur, zich weer richtend tot de groep. 'Het lijkt erop dat iemand die zich Isildur noemt achter de onderhandelingen met Agnar zat. Als het om die Lawrence Feldman ging, had hij het geld om een grote transactie te financieren.'

'Waar zouden ze dan over onderhandeld hebben?' vroeg Vigdís.

'Iets wat te maken heeft met *The Lord of the Rings*?' merkte Magnus op. 'Of misschien de Saga van de Völsungen. Ik heb die gisteravond weer eens gelezen. In beide boeken speelt een magische ring een belangrijke rol. Er is een theorie dat Tolkien werd geïnspireerd door de Völsungensaga.'

'Alle oude exemplaren van de saga zullen wel in de Árni Magnússon-collectie bij de universiteit van IJsland liggen,' zei Baldur. Árni Magnússon was een in Denemarken geschoolde antiquaar die in de zeventiende eeuw had rondgereisd in IJsland om alle saga's te verzamelen die hij kon vinden. Hij nam ze allemaal mee naar Denemarken, maar ze werden in de jaren zeventig van de twintigste eeuw teruggegeven aan IJsland, waar ze ondergebracht werden in een instituut dat de naam van de grote verzamelaar droeg. 'Wil je zeggen dat Agnar een exemplaar had gestolen?'

'Hij heeft er misschien eentje verwisseld voor een facsimile,' opperde Vigdís.

'Misschien,' zei Magnus. 'Of misschien wilde hij een of andere idiote theorie aan Isildur slijten. Misschien ging hij wat research voor hem doen.'

Baldur fronste en schudde zijn hoofd.

'Het zou om verdovende middelen kunnen gaan,' zei Rannveig. 'Klinkt saai, weet ik, maar als er in IJsland een illegale transactie wordt gesloten, gaat het bijna altijd om drugs.'

Het bleef een moment stil aan de tafel. De substituut-officier van justitie had een punt.

'Stond er in Agnars papieren niets waaruit bleek om wat voor transactie het zou kunnen gaan?' vroeg Rannveig.

'Nee, ik heb de meeste zelf doorgenomen,' zei Baldur. 'Afgezien van die e-mails op zijn computer is er niets te vinden over een deal met Steve Jubb. En de bestanden op zijn laptop zijn allemaal werkgerelateerd.'

'Waar was hij mee bezig?' vroeg Magnus.

'Hoe bedoel je?'

'Ik bedoel, waar deed hij onderzoek naar toen hij stierf?'

'Ik weet niet zeker of hij ergens onderzoek naar deed. Hij keek examenpapieren na. En vertaalde een paar saga's in het Engels en het Frans.'

Magnus leunde voorover. 'Welke saga's?'

'Weet ik niet,' zei Baldur op verdedigende toon. Hij kon het duidelijk niet waarderen dat hij werd ondervraagd tijdens zijn eigen bespreking. 'Ik heb niet al zijn werkpapieren doorgelezen. Er liggen hele stapels.'

Magnus weerhield zichzelf ervan om het punt door te drukken. Hij wilde Baldur niet onnodig tegen zich innemen. 'Mag ik ook eens kijken? Naar zijn werkpapieren, bedoel ik.'

Baldur staarde naar Magnus en deed geen poging zijn irritatie te verhullen. 'Natuurlijk,' zei hij droogjes. 'Dan besteed je je tijd in elk geval nuttig.'

Ze konden op twee plaatsen gaan kijken: Agnars kamer op de universiteit, of in het zomerhuis. Er zouden meer papieren liggen op de universiteit, en die was dichterbij. Aan de andere kant, als Agnar had gewerkt aan iets wat relevant was voor Steve Jubb, lag het waarschijnlijk in het zomerhuis waar hij het bij de hand kon houden voor zijn ontmoeting.

Dus reed Árni Magnus naar het meer Thingvellir. 'Denk je dat Baldur je naar Californië laat gaan?' vroeg hij.

'Ik weet het niet. Hij leek niet enthousiast over het idee.'

'Als je gaat, kun je mij dan meenemen?' Árni wierp een vluchtige blik op Magnus, die in de passagierszetel zat, en bemerkte diens aarzeling. 'Ik ben afgestudeerd in de vs, dus ik ben bekend met Amerikaanse politieprocedures. Plus, Californië is mijn spirituele thuis.'

'Hoe bedoel je?'

'Je weet wel. De Governator.'

Magnus schudde ongelovig zijn hoofd. Straks zou Árni nog vragen om een persoonlijk onderonsje met Arnold Schwarzenegger. Bovendien wilde Magnus Lawrence Feldman liever op zijn eigen manier benaderen, zonder op de hielen te worden gezeten door zijn IJslandse puppy. 'We zullen zien.'

Ontmoedigd reed Árni over de doorgangsweg voorbij Mosfell Heath en omlaag naar het meer. Het regende niet echt, maar er stond een straffe wind die het oppervlak deed rimpelen. Toen ze kwamen aanrijden, werden ze gadegeslagen door een groep robuuste IJslandse paarden van de boerderij achter de zomerhuisjes, hun lange goudkleurige manen flapperden voor hun ogen.

Magnus zag bij de oever van het meer een jongen en een meisje spelen. De jongen was rond de acht jaar, het meisje veel kleiner. Alleen het ene zomerhuis met de Range Rover werd bewoond. Agnars eigendom was nog altijd een plaats delict, met geel lint wapperend in de wind en een geparkeerde politiewagen, waarin een agent een boek zat te lezen.

Misdaad en straf van ene F.M. Dostojevskí, naar bleek. Magnus glim-lachte. Waar ook ter wereld, agenten lazen graag over misdaad; het kwam niet als een verrassing dat de IJslanders het meer literair aan-pakten dan hun Amerikaanse tegenhangers.

De politieman was blij met het gezelschap en liet Magnus en Árni het huis binnen. Het was er koud en stil. Op het merendeel van de gladde oppervlakken lag een laagje vingerafdrukpoeder, wat het gevoel van verlatenheid versterkte, en op de vloer stonden krijtstrepen rond de bloedsporen.

Magnus onderzocht het bureau: laden vol papieren, de meeste uit-geprint met een computer. Net links van het bureau stond ook een lage kast, met daarin nog meer stapels papier.

'Oké, jij doet de kast, ik het bureau,' zei Magnus, en hij trok een paar witte latex handschoenen aan.

Het eerste pak papier dat hij bestudeerde, was een Franse vertaling van de Laxdaela Saga. Hierop stonden commentaren in het Frans ge-krabbeld, zij het alleen in de eerste helft van het manuscript. Magnus had wat Frans geleerd op school, en hij ging ervan uit dat Agnar het werk van een andere vertaler of commentator, waarschijnlijk een IJs-lands sprekende Fransman, had gecorrigeerd of becommentarieerd.

'Wat heb je gevonden, Árni?'

'Gaukurs Saga,' zei hij. 'Ooit van gehoord?'

'Nee,' zei Magnus. Al kwam dat niet echt als een verrassing. Er waren tientallen saga's, sommige bekend, andere veel minder bekend. 'Wacht even. Was Gaukur niet de kerel die bij Stöng woonde?'

'Dat klopt,' zei Árni. 'Ik ben er geweest als kind. Ik vond het dood-eng.'

'Ik weet wat je bedoelt,' zei Magnus. 'Mijn vader nam mij erheen toen ik zestien was. Die plek had iets heel griezeligs.'

Stöng was een verlaten boerderij op zo'n twintig kilometer ten noor-den van de vulkaan Hekla. Na een enorme uitbarsting, ergens in de middeleeuwen, was het bouwwerk bedolven onder de as, en pas in de twintigste eeuw herontdekt. Het lag aan het eind van een onverhard pad dat zich een weg kronkelde door een landschap van zwart gebla-kerde verwoesting: hopen met zand en kleine uitstulpingen van lava-steen, verwrongen in groteske vormen. Wanneer Magnus iets las over het einde van de wereld, dacht hij aan de weg naar Stöng.

'Laat eens zien.'

Árni overhandigde het manuscript aan Magnus. Het bestond uit honderdtwintig knispernieuwe, pas uitgeprinte bladzijden, in het Engels. Op het voorblad stonden de simpele woorden: 'Gaukurs Saga, vertaald door Agnar Haraldsson'.

Magnus sloeg de bladzijde om, las de tekst vluchtig door. Op de tweede bladzijde kwam hij een woord tegen waaraan zijn ogen abrupt bleven haken.

Ísildur.

'Árni, kijk hier eens!' Hij sloeg snel nog meer bladzijden om. Ísildur. Ísildur. Ísildur. Ísildur.

Op elke bladzijde dook de naam diverse keren op. Ísildur vervulde geen bijrolletje in deze saga, hij was een hoofdpersonage.

'Wow,' bracht Árni uit. 'Zullen we het meenemen naar het hoofdbureau om het lab ernaar te laten kijken?'

'Ik ga het eerst lezen,' zei Magnus. 'Daarna mag het lab een kijkje nemen.'

Dus ging hij zitten in een comfortabele leunstoel en begon te lezen, waarbij hij elke gelezen bladzijde voorzichtig doorgaf aan Árni.

12

Ísildur en Gaukur waren twee broers die woonden op een boerderij, genaamd Stöng. Ísildur was sterk en dapper, en had donker haar. Hij had een hazenlip en sommige mensen vonden hem lelijk. Hij was een vaardige houtsnijder. Hoewel twee jaar jonger dan Ísildur, was Gaukur nog sterker. Hij had blond haar en was heel knap, maar hij was ijdel. Hij was zeer bedreven met een strijdbijl. Beide broers waren eerlijk en geliefd in de streek.

Hun vader, Trandill, wilde een bezoek brengen aan zijn oom in Noorwegen en mee op plundertocht met de Vikingen. Hun moeder was gestorven toen de jongens heel klein waren, dus stuurde Trandill hen naar een vriend, Ellida-Grímur van Tongue, om opgevoed te worden. Ellida-Grímur zegde toe om in afwezigheid van Trandill de boerderij bij Stöng te beheren. Ellida-Grímur had een zoon, Ásgrímur, van dezelfde leeftijd als Ísildur. De drie jongens werden snel vrienden.

Trandill bleef drie jaar weg, bracht de zomers door met plunderen en handelen in de Oostzee en Ierland, en de winters bij zijn oom, graaf Gandalf de Witte, in Noorwegen.

Op een dag arriveerde een reiziger, die vanuit Noorwegen terugkeerde naar IJsland, bij Tongue met een boodschap. Trandill was gedood in een gevecht met Erlendur, de zoon van graaf Gandalf. Gandalf was bereid de compensatie te betalen die Trandills zonen toekwam, en om de erfenis over te dragen als een van de broers naar Noorwegen zou komen om die op te halen.

Toen Ísildur negentien was, besloot hij af te reizen naar Noorwegen om zijn oudoom te bezoeken en zijn erfenis op te eisen. Gandalf en zijn zoon Erlendur verwelkomden hem met grote vriendelijkheid en gastvrijheid. Gandalf vertelde dat Erlendur Trandill had gedood uit zelfverdediging toen Trandill hem in dronken razernij had aangevallen. De andere mannen aan het hof die getuige waren geweest van Trandills dood, waren het erover eens dat het zo was gegaan.

Ísildur besloot die zomer mee te gaan met Erlendur op plundertochten van de Vikingen. Ze voeren naar Koerland en Karelië aan de oostkant van de Oostzee. Ísildur was een moedig krijger en sleepte veel buit in de wacht. Na vele avonturen keerde hij als rijk man terug naar het huis van Gandalf.

Ísildur vertelde Gandalf dat hij wilde terugkeren naar IJsland. Gandalf gaf Ísildur de compensatie die hij verschuldigd was voor diens vaders dood, en ook de schatten van Trandill. Maar op de avond voordat Ísildur zou uitvaren, zei Gandalf dat hij hem nog iets anders wilde geven. Het zat opgesloten in een kleine kist.

In het kistje lag een eeuwenoude Ring.

Gandalf legde uit dat Trandill de Ring had verworven op een plundertocht in Frisia, toen hij had gevochten tegen de beroemde krijgershoofdman Ulf Leg Lopper. Ulf Leg Lopper was negentig jaar oud, maar hij leek niet ouder dan veertig en was nog altijd een geducht strijder. Na een lang gevecht velde Trandill hem. Hij zag de Ring aan Ulf Leg Loppers vinger en hakte de vinger af.

Ondanks het feit dat hij stierf, glimlachte Ulf Leg Lopper. 'Ik dank je dat je mij verlost van mijn last. Ik vond deze Ring zeventig jaar geleden in de rivier de Rijn. Ik heb hem sindsdien elke dag gedragen. In die tijd vielen mij in de strijd grote zeges en rijkdom ten deel. Maar hoewel ik de Ring draag, voel ik dat de Ring mij bezit. Hij zal je grote macht opleveren, maar dan brengt hij je dood en verderf. En nu kan ik sterven, eindelijk rusten in vrede.'

Trandill bestudeerde de Ring. Aan de binnenzijde stond een runeninscriptie met de woorden 'De Ring van Andvari'. Hij wilde Ulf meer vragen over de Ring, maar toen hij neerkeek was Ulf dood, met een glimlach op zijn gezicht, niet langer een groot krijger, maar een gerimpelde oude man.

Gandalf vertelde Ísildur de legende van de Ring. Hij had toebehoord aan een dwerg met de naam Andvari, die altijd viste bij watervallen. De Ring werd Andvari ontnomen, samen met een goudschat, door Odin en Loki, twee oude goden. Andvari vervloekte de Ring met de woorden dat hij bezit zou nemen van eenieder die hem droeg en de macht van de drager zou aanwenden om hem te vernietigen, en dat zou blijven doen totdat hij werd teruggebracht naar Hel.*

Odin, meest vooraanstaand onder de goden, gaf de Ring met tegenzin aan een man genaamd Hreidmar als compensatie voor het doden van diens zoon. De Ring had grote kracht ontleend aan Odin. In de volgende jaren raakte de Ring in het bezit van een aantal bewaarders. Allen werden gecorrumpeerd, inclusief Hreidmars zoon Fafnir, die veranderde in een draak; de held Sigurd; de Walkure Brynhild en Sigurds zonen Gunnar en Hogni. Overal waar de Ring kwam, liet hij een spoor achter van verraad en moord, totdat hij ten slotte door Gunnar in de Rijn werd verborgen opdat diens schoonvader Atli hem niet in handen kon krijgen.

Daar bleef de Ring eeuwenlang liggen, totdat hij werd gevonden door Ulf Leg Lopper.

Toen Trandill terugkeerde naar Noorwegen was hij een ander mens geworden: geheimzinnig, listig en zelfzuchtig. Hij tergde Erlendur onophoudelijk tot hij hem op een avond, in dronken razernij, aanviel. Erlendur haalde op goed geluk uit en doodde hem.

Erlendur wilde de Ring pakken, maar Gandalf eiste hem op. Die avond deed hij hem om zijn vinger. Hij voelde zich meteen anders: sterker, machtiger, en ook hebzuchtiger.

Later die avond werd er op de deur van Gandalfs huis geklopt door een Samische tovenares uit het Noorden die onderdak zocht. Toen ze zag dat Gandalf de Ring droeg, werd ze overmand door angst en probeerde in het donker te verdwijnen, maar Gandalf hield haar tegen. Hij wilde weten wat ze had gezien.

Ze zei dat de Ring over een vreselijke macht beschikte. Hij zou allen verteren die hem bezaten, totdat hij werd gedragen door zo'n machtig man dat hij over de wereld zou heersen en al het goede erin zou vernietigen. De wereld zou in eeuwige duisternis worden ondergedompeld.

Dit verontrustte Gandalf. Hij voelde de invloed die de Ring op hem uitoefende, maar hij was nog niet in de ban van de Ring. Hij deed de Ring onmiddellijk af en vertelde de tovenares dat hij hem zou vernieti-

---

* Noot van vertaler: Hel was het domein van Hel, de godin van de dood en Loki's dochter.

gen. Ze vertelde dat de Ring alleen kon worden vernietigd zoals Andvari had verkondigd: hij moest in de mond van Hel worden gegooid.

'Vertel op, vrouw, waar is Hel?'

'Het is een berg in het land van vuur en ijs,' antwoordde de tovenares.

'Ik weet waar ze bedoelt,' zei Erlendur. 'Trandill heeft mij erover verteld. Het is Hekla, een grote vulkaan bij zijn boerderij in Stöng.'

Dus besloot Gandalf de Ring nooit meer te dragen en veilig te bewaren voor Ísildur. Hij droeg Ísildur op de Ring naar Hekla in IJsland te brengen en in de vulkaan te gooien.

Die nacht droomde Ísildur dat hij een glorierijke plundertocht leidde door Engeland en een schat aan goud veroverde. Hij werd wakker voor het ochtendgloren en deed de Ring om zijn vinger. Hij voelde zich meteen groter, sterker, onoverwinnelijk. En hij was vastbesloten om een nog groter fortuin te vergaren in de overzeese gebieden.

Hij ging naar Gandalf en eiste dat de graaf hem een schip gaf en hem toestond een plunderexpeditie naar Engeland te leiden. Toen Gandalf zag dat Ísildur de Ring droeg, beval hij hem om die af te doen. Ísildur voelde een steek van woede door hem heen schieten. Hij pakte een bijl en stond op het punt Gandalfs schedel open te splijten toen Erlendur hem vanachter vastpakte.

Terwijl ze worstelden, riep Elendur: 'Stop, Ísildur. Je weet niet wat je doet! Het komt door de Ring! Straks moet ik je nog doden zoals ik ook je vader heb gedood!'

Ísildur voelde een explosie van kracht door zijn aderen stromen en hij wierp Erlendur van zich af. Hij hief zijn bijl hoog boven de weerloze Erlendur. Maar toen hij neerkeek op zijn neef en zijn vriend met wie hij die zomer zo veel avonturen had beleefd, hield hij zichzelf tegen. Hij gooide de bijl neer en haalde de Ring van zijn vinger. Hij stopte de Ring terug in zijn kistje en vertrok ogenblikkelijk naar IJsland.

Zo keerde hij terug in IJsland met de Ring en zijn schat. Gaukur had het beheer van de boerderij bij Stöng overgenomen, en was verloofd met een vrouw genaamd Ingileif. Toen Ásgrímur hoorde dat Ísildur was teruggekomen, reisde hij naar Stöng om zijn pleegbroer te zien. Ísildur vertelde zijn broer en zijn pleegbroer over zijn avonturen in Noorwegen en de Oostzee. Toen vertelde hij hun alles over de Ring van Andvari, en dat graaf Gandalf hem had opgedragen de Ring in de Hekla te gooien. Hij beschreef het immense gevoel van macht dat hij had ervaren toen hij de Ring om zijn vinger deed, en de constante verleiding om hem opnieuw om te doen. Hij zei dat hij de Ring meteen de volgende dag boven naar de berg wilde brengen, en hij vroeg Gaukur en Ásgrímur hem te vergezellen om er zeker van te zijn dat hij doorging met de queeste.

Hekla had een afschrikwekkende reputatie en niemand had hem eerder beklommen. Maar de drie mannen waren moedig en onverschrokken, dus begaven ze zich de volgende ochtend op weg naar de vulkaan. Op de tweede dag hadden ze de berg voor een groot deel bedwongen, toen Ásgrímur naar beneden gleed in een geul en zijn been brak. Hij kon niet verder, maar hij stemde ermee in te wachten tot de broers terugkeerden van de top.

Hij wachtte tot bijna middernacht voordat hij het geluid hoorde van scharrelende voetstappen die bergafwaarts kwamen. Maar er verscheen slechts één man, Gaukur. Hij vertelde Ásgrímur wat er was gebeurd. Hij en zijn broer hadden bij de krater op de top van de berg gestaan. Ísildur haalde de Ring uit zijn kistje en wilde hem in de krater gooien, maar hij leek daar niet toe in staat. Hij zei dat de Ring heel zwaar woog. Gaukur spoorde Ísildur aan hem weg te gooien, maar hij werd kwaad en deed de Ring om zijn vinger. Toen draaide hij zich om en voordat Gaukur hem kon beetpakken, sprong hij de krater in.

'De Ring is tenminste vernietigd,' zei Ásgrímur. 'Maar tegen een zeer hoge prijs.'

In de jaren erna veranderde Gaukur. Hij werd ijdel en ruzieachtig, sluw en hebzuchtig. Maar in de strijd was hij nog sterker en moediger en werd hij door iedereen gevreesd. Ondanks dit alles bleef zijn pleegbroer Ásgrímur standvastig in zijn loyaliteit. Hij steunde Gaukur regelmatig bij de diverse twistgesprekken waarin Gaukur verzeild raakte tijdens de jaarlijkse bijeenkomst van het Althing in Thingvellir.

Gaukur huwde Ingileif. Ze was een wijze vrouw en mooi. Ze had een vurig temperament, maar hield zich meestal stil. Ze bemerkte de verandering in Gaukur en die stond haar niet aan. Het viel haar ook op dat Gaukur veel tijd doorbracht bij Steinastadir, de boerderij van hun buurman Ketil de Bleke.

Ketil de Bleke was een slimme boer, wijs en vreedzaam, en een begenadigd schrijver van poëzie. Hij was geliefd bij iedereen, behalve misschien zijn vrouw. Haar naam was Helga. Ze had blond haar en lange ledematen en minachtte haar echtgenoot, maar bewonderde Gaukur.

Tussen de twee boerderijen lag een moeras, op het land van Ketil de Bleke. In de winter stond het onder water, maar in de zomer groeide er zeer zoet gras. Op een lente besloot Gaukur zijn eigen koeien te laten grazen op het land en verjoeg hij de koeien van Ketil de Bleke. Ketil de Bleke protesteerde, maar Gaukur snauwde hem af. Ketil de Bleke deed niets. Helga schold haar echtgenoot uit voor slappeling.

Na de zonnewende, toen Gaukur terugkeerde van het Althing in Thingvellir, passeerde hij de boerderij van Ketil de Bleke. Hij kwam een slaaf van Ketil de Bleke tegen die niet snel genoeg voor hem aan de kant ging. Dus hakte Gaukur zijn hoofd af. Opnieuw deed Ketil de Bleke niets.

Helga voelde opnieuw minachting voor Ketil de Bleke. Ze schold hem uit van 's ochtends vroeg tot 's avonds laat, zwoer nooit meer het bed met hem te delen totdat hij compensatie had geëist van Gaukur.

Dus reed Ketil de Bleke naar Stöng om met Gaukur te spreken.

'Ik ben gekomen om compensatie te eisen voor het onrechtmatig doden van mijn slaaf,' zei Ketil.

Gaukur snoof. 'Ik heb hem volkomen rechtmatig gedood. Hij versperde de weg terug naar mijn eigen boerderij en wilde mij niet doorlaten.'

'Naar ik heb begrepen is dat niet wat er is gebeurd,' zei Ketil.

Gaukur lachte hem uit. 'Je begrijpt heel weinig, Ketil. Iedereen weet dat je elke negende nacht de vrouw bent van de trol van Búrfell.'

'En ze weten dat jij niemand kon verwekken omdat je werd ontmand door de dochters van de trol,' luidde de reactie van Ketil, want toentertijd hadden Gaukur en Ingileif geen kinderen.

Waarop Gaukur zijn bijl oppakte en, na een korte worsteling, het been van Ketil de Bleke afhakte. Ketil viel dood neer.

Hierna ging Gaukur nog vaker op bezoek bij de boerderij van Ketil de Bleke, waar Helga nu zijn maîtresse was. Ketils broer eiste compensatie van Gaukur, maar Gaukur weigerde te betalen, en zijn pleegbroer Ásgrímur steunde hem trouw.

Ingileif was jaloers en vastbesloten om Gaukur te stoppen. Ze sprak met Thórdís, de vrouw van Ásgrímur, en vertelde haar een geheim. Ísildur was niet in de krater van de Hekla gesprongen terwijl hij de Ring droeg. Hij was gedood door Gaukur, die de Ring had afgepakt en zijn broer vervolgens in de krater had geduwd. Gaukur had de Ring verborgen in een kleine grot, bewaakt door de hond van een trol.

Thórdís vertelde haar echtgenoot wat Ingileif had verteld. Ásgrímur geloofde haar niet. Maar die nacht kreeg hij een droom. In zijn droom stond hij met een groep mannen in een grote zaal en een oude Samische tovenares wees naar hem. 'Ísildur heeft gefaald in zijn poging de Ring te vernietigen, en heeft dat met de dood moeten bekopen. Nu is het aan jou om de Ring te vinden en naar de mond van Hel te brengen.'

Een man doden zonder het te melden, was een groot misdrijf. Hoewel Ásgrímur overtuigd was geraakt door zijn droom, had hij geen bewijs waarmee hij Gaukur kon beschuldigen, en Gaukur was geen man om te beschuldigen zonder bewijs. Dus ging Ásgrímur naar zijn buurman Njáll, een vooraanstaande en intelligente rechtsgeleerde, om hem om hulp te vragen. Njáll gaf toe dat het onmogelijk zou zijn iets te bewijzen bij het Althing. Maar hij stelde een valstrik voor.

Dus vertelde Ásgrímur aan Thórdís, die het weer vertelde aan Ingileif, dat Ísildur hem in het geheim een helm had gegeven bij zijn terugkeer uit Noorwegen. De helm behoorde toe aan Fafnir, de zoon van Hreidmar, en was beroemd uit de legenden. Ásgrímur had hem verstopt in een oude schuur op een heuvel aan de rand van zijn boerderij in Tongue.

Toen hield Ásgrímur de wacht, verscholen in het dak van de schuur om Gaukur te betrappen als hij op zoek kwam naar de helm. En zowaar, op de derde nacht zag hij Gaukur de schuur betreden, zoekend naar de helm. Ásgrímur confronteerde Gaukur, die zijn zwaard trok.

'Wil je mij doden om iets te stelen wat niet van jou is, net zoals je je broer hebt gedood?' vroeg Ásgrímur.

Als antwoord haalde Gaukur met zijn zwaard uit naar Ásgrímur. Ze vochten. Hoewel Gaukur de sterkere en de betere krijger was van de twee, was hij overmoedig en werd Ásgrímur aangevuurd door woede om het verraad van de pleegbroer die hij altijd zo trouw had gesteund. Hij doorstak Gaukur met een speer.

Ásgrímur zocht naar de Ring maar wist hem nooit te vinden, en Ingileif wilde hem niet vertellen waar hij verborgen lag. Ze zei dat de Ring al genoeg kwaad had aangericht en met rust gelaten moest worden.

Een halfjaar na de dood van Gaukur baarde Ingileif een zoon, Hogni. Maar de Ring bleef niet rustig liggen. Een eeuw later vond er een enorme vulkaanuitbarsting plaats, en Gaukurs boerderij bij Stöng werd door Hekla bedekt met een regen van as, om voor altijd verloren te gaan.

De Ring ligt nog steeds verborgen, ergens in de heuvels bij Stöng. Op een dag zal hij tevoorschijn komen, net zoals hij tevoorschijn kwam uit de Rijn ten tijde van Ulf. Als die dag aanbreekt, moet hij niet opnieuw in handen vallen van een kwaadaardig mens. Hij moet in de mond van de Hekla worden gegooid, zoals de Samische tovenares verordende.

Tot die tijd zal deze saga geheim worden gehouden door de erfgenamen van Hogni.

Magnus overhandigde de laatste bladzijde aan Árni, die er nog een paar te gaan had, niet geheel onbegrijpelijk omdat Engels niet zijn moedertaal was. Magnus staarde over het meer naar de twee eilandjes in het midden.

Hij probeerde zijn opwinding in bedwang te houden. Kon de saga echt zijn? Als hij echt was, kon dit wel eens een van de belangrijkste ontdekkingen in de IJslandse literatuur zijn. Meer dan dat, de ontdekking ervan zou wereldnieuws zijn.

Hij was er vrij zeker van dat als de saga echt bleek te zijn, het manuscript voorheen onbekend was. Er bestonden ongetwijfeld genoeg onbeduidende saga's waar Magnus nog nooit van had gehoord, maar dit was geen onbeduidende saga. De Ring van Andvari, en het feit dat Gaukur, de eigenaar van Stöng, het hoofdpersonage vormde, zou ervoor hebben gezorgd dat het verhaal alom bekend zou zijn geworden in IJsland en daarbuiten. Magnus herkende een aantal personages uit zijn geliefde Njálssaga: Njáll zelf en Ásgrímur Ellida-Grímson.

Maar was het echt? In vertaling viel dat lastig te beoordelen, maar de stijl oogde authentiek. IJslandse saga's vertoonden niet de poëtische stijlbloempjes van middeleeuwse verhalen in de rest van Europa. Ze waren op z'n hoogst bondig, precies en nuchter, meer Hemingway dan

Tennyson. In tegenstelling tot de rest van Europa was in het middeleeuwse IJsland het vermogen tot lezen niet louter voorbehouden aan de clerus, en de taal van boeken niet beperkt tot Latijn. Het was een land van verspreid gelegen boerderijen, en er bestond onder boeren die afgezonderd leefden van dorpspriesters een behoefte om de bijbel voor zichzelf en hun gezin te kunnen voorlezen tijdens de lange winteravonden. De saga's waren historische romans, geschreven om niet simpelweg te worden gereciteerd maar ook te worden gelezen door een groot publiek.

Als de saga echt was, waren Gaukurs nakomelingen er door de eeuwen heen geweldig in geslaagd om hem geheim te houden. Tot het moment waarop een onbeduidend professortje IJslands het op zich had genomen om de saga aan de wijde wereld te tonen. Magnus twijfelde er niet aan dat Agnar dit had willen verkopen aan Steve Jubb en de hedendaagse Isildur.

De verbanden met *The Lord of the Rings* waren duidelijk aanwezig in Gaukurs Saga, veel sterker dan bij de Saga van de Völsungen. Om te beginnen was de 'magie' van de Ring krachtiger en specifieker. Hoewel er niets stond over onzichtbaarheid, nam de Ring bezit van het karakter van zijn bewaarder, corrumpeerde hem en zette hem ertoe aan zijn vrienden te verraden of zelfs te doden. En hij verlengde zijn leven. Ísildurs queeste om de Ring in de Hekla te gooien, vertoonde duidelijke parallellen met Frodo's queeste om de Ring van Sauron in de Doemberg te werpen.

De *Lord of the Rings*-chatrooms op internet zouden jarenlang gonzen zodra de fans de saga onder ogen kregen. Als ze hem ooit onder ogen kregen. Misschien was de moderne Isildur van plan om hem ergens te bewaren, als zijn eigen persoonlijke Vikingschat.

Magnus stond niet versteld dat hij er zo veel voor wilde betalen.

Maar dit was een Engelse vertaling. Er moest een IJslands origineel zijn, of waarschijnlijker: een kopie van het origineel, van waaruit Agnar zijn vertaling had gemaakt. Magnus wist zeker dat Baldur een originele saga, geschreven op achthonderd jaar oud velijn, zou zijn opgevallen, maar hij kon een hedendaagse IJslandse kopie gemakkelijk over het hoofd hebben gezien.

Terwijl Árni de laatste paar bladzijden uitlas, doorzocht Magnus de andere papieren van Agnar.

Niets.

'Misschien ligt het in Agnars kantoor op de universiteit?' opperde Árni.

'Of misschien heeft iemand anders het,' zei Magnus nadenkend.

Hij keek uit het raam over het meer, naar de lage besneeuwde bergtoppen in de verte. Toen schoot het hem te binnen.

'Kom op, Árni. We gaan terug naar Reykjavík.'

13

De galerie in Skólavördustígur was op zondag maar een paar uur open, en tegen de tijd dat Magnus en Árni aankwamen, was ze gesloten. Toen Magnus door het raam naar binnen tuurde, zag hij echter iemand werken aan het bureau achter in de winkel.

Hij klopte op de glazen deur. Ingileif verscheen, zichtbaar geïrriteerd. Haar irritatie nam toe toen ze zag wie het was. 'We zijn gesloten.'

'We zijn niet gekomen om iets te kopen,' zei Magnus. 'We willen je wat vragen stellen.'

Ingileif zag de grimmige uitdrukking op zijn gezicht en liet hen binnen. Ze leidde hen terug naar haar bureau dat werd bedekt met papieren vol getallen, op hun plaats gehouden door het gewicht van een rekenmachine. Ze gingen tegenover haar zitten.

'Je zei toch dat je overgrootvader Ísildur heette?' begon Magnus.

'Ja.'

'En je vader heette Ásgrímur?'

Ingileif fronste, het sneetje verscheen boven haar wenkbrauw. 'Dat lijkt me duidelijk. Je weet hoe ik heet.'

'Interessante namen.'

'Niet in het bijzonder,' zei Ingileif. 'Behalve Ísildur misschien, maar dat hebben we eerder besproken.'

Magnus zweeg, liet de stilte haar werk doen. Ingileif begon te blozen.

'Is er iemand in je familie die Gaukur heet?' vroeg hij.

Ingileif sloot haar ogen, ademde uit en leunde achterover. Magnus wachtte.

'Je hebt de saga dus gevonden?' zei ze ten slotte.

'Alleen de vertaling van Agnar. Je had kunnen weten dat we die uiteindelijk zouden vinden.'

'Eerlijk gezegd is Gaukur een naam die we meestal vermijden in onze familie.'

'Dat verbaast mij niets. Waarom heb je het ons niet verteld?'

Ingileif legde haar hoofd in haar handen.

Magnus wachtte.

'Heb je hem gelezen?' vroeg ze. 'Helemaal?'

Magnus knikte.

'Ik had het je natuurlijk moeten vertellen, stom om dat niet te doen. Maar als je de saga hebt gelezen, begrijp je misschien waarom ik het niet heb gedaan. Mijn familie heeft de saga al generaties in haar bezit, en we zijn erin geslaagd hem geheim te houden.'

'Totdat je hem probeerde te verkopen.'

Ingileif knikte. 'Totdat ik hem probeerde te verkopen. Wat ik nu ten zeerste betreur.'

'Nu er iemand dood is, bedoel je?'

Ingileif haalde diep adem. 'Ja.'

'En al die jaren is deze saga volstrekt geheim gebleven?'

Ingileif knikte. 'Zo goed als. Met één uitzondering, een paar honderd jaar geleden. Tot mijn vader was de kennis over de saga alleen over-gedragen van vader op oudste zoon, of in een paar gevallen, oudste dochter. Mijn vader besloot hem voor te lezen voor alle kinderen, iets waar mijn grootvader niet erg blij mee was. Maar we moesten allemaal absolute geheimhouding beloven.'

'Heb je het origineel nog?'

'Helaas is dat versleten. Er zijn alleen wat stukjes van overgebleven, maar in de zeventiende eeuw is er een uitstekende kopie vervaardigd. Ik heb daar zelf weer een kopie van gemaakt voor Agnar om te verta-len; die ligt vast ergens tussen zijn papieren.'

'Dus na al die eeuwen besloot je hem te verkopen. Waarom?'

Ingileif zuchtte. 'Zoals je je kunt voorstellen, zijn de mensen in mijn familie altijd bezeten geweest door de saga's, en onze saga in het bij-zonder. Alhoewel mijn vader arts is geworden, raakte hij het meest be-zeten van iedereen. Hij was ervan overtuigd dat de ring uit de saga nog bestond, en ging altijd op expeditie in en rond het dal van de rivier de Thjórsá, waar Gaukurs boerderij stond, om ernaar te zoeken. Hij heeft hem natuurlijk nooit gevonden, maar zo is hij gestorven. Hij viel in slecht weer van een rots.'

'Het spijt me dat te horen,' zei Magnus. En hoewel Ingileif tegen hem had gelogen, speet het hem echt.

'De rest van ons kreeg daardoor een afkeer van Gaukurs Saga. Mijn broer, die tot die tijd was gehersenspoeld door pa totdat hij bijna net zo geobsedeerd raakte als hijzelf, wilde er niets meer mee te maken hebben. Mijn zus had nooit veel interesse getoond. Volgens mij had mijn moeder de saga altijd al een beetje vreemd gevonden, en ze hield hem verantwoordelijk voor de dood van pa. Ik liet mij misschien het minst afschrikken van allemaal: ik ging IJslands studeren aan de universiteit. Dus toen ik in geldnood kwam, leek ik de enige te zijn die het werkelijk iets kon schelen of we hem wel of niet verkochten.

'De galerie gaat failliet. Is eigenlijk al failliet. Ik heb dringend geld nodig, heel veel geld. Dus toen mijn moeder vorig jaar overleed, had ik het met mijn broer en mijn zus over het verkopen van de saga. Birna, mijn zus, kon het geen moer schelen, maar mijn broer Pétur was erop tegen. Hij zei dat wij waren aangesteld als de beheerders van de saga, dat wij niet het recht hadden om hem te verkopen. Dat verbaasde me nogal, maar uiteindelijk vond Pétur het goed, zolang de saga privé kon worden verkocht, met een geheimhoudingsclausule. Ik denk dat hij zelf misschien ook geldproblemen heeft. Wie niet tegenwoordig?'

'Wat doet hij?'

'Hij is eigenaar van bars en clubs. Ken je de Neon?'

Magnus schudde van nee. Ingileif fronste uit verbazing over zijn onwetendheid. 'Het is een van de beroemdste clubs in Reykjavík,' zei ze.

'Daar twijfel ik niet aan. Ik ben hier nog niet zo lang,' zei Magnus.

'Ik ken de Neon,' liet Árni weten.

'Ik dacht wel dat jij een feestbeest zou zijn,' zei Ingileif.

Nu was het Árni's beurt om te blozen.

'Dus zodra je had besloten de saga te verkopen heb je Agnar benaderd. Waarom Agnar?' vroeg Magnus.

'Hij gaf mij les aan de universiteit,' zei Ingileif. 'En zoals ik je heb verteld, kende ik hem vrij goed. Hij was gluiperig genoeg om de saga stilletjes onder de neus van de IJslandse regering te verkopen, maar hij vond mij aardig genoeg om me niet compleet af te zetten. En hij bleek precies de juiste koper te kennen. Een rijke Amerikaanse *The Lord of the Rings*-fan die bereid was om de aankoop geheim te houden.'

'Lawrence Feldman? Steve Jubb?'

'Ik weet niet hoe hij heet. Je hebt de naam Steve Jubb toch eerder genoemd? Maar je zei dat hij uit Engeland kwam.'

'Zei je daarom dat je nog nooit van hem had gehoord?'

'Ik had de naam niet eerder gehoord. Maar ik geef toe dat ik niet heel behulpzaam ben geweest. Ik probeerde de saga wanhopig geheim te houden. Zodra ik Agnar erover had verteld, bedacht ik me. Ik heb hem zelfs gezegd dat ik de saga van de markt wilde halen en in mijn familie wilde houden.' Ze tuitte haar lippen. 'Hij gaf mij te kennen dat het daar te laat voor was. Hij wist alles over de saga, en hij zou hem openbaar maken tenzij ik doorging met de verkoop.'

'Hij heeft je gechanteerd?' vroeg Magnus.

'Zo zou je het kunnen noemen, ja. Mijn verdiende loon. En het werkte. Ik vond het uiteindelijk beter om de saga in het geheim te verkopen en de opbrengst te verdelen onder Pétur, Birna en mij, dan Agnar het bestaan ervan wereldkundig te laten maken.'

'Hoeveel zou de saga volgens hem opbrengen?'

'Hij was nog aan het onderhandelen over de prijs. Hij zei dat het om miljoenen zou gaan. In dollars.'

Magnus haalde diep adem. 'En waar is de saga nu?'

'In de kluis van de galerie.' Ze aarzelde. 'Wil je hem zien?'

Magnus en Árni volgden haar verder naar een magazijnkast achter in de winkel. Op de vloer stond een kluis met combinatieslot. Ingileif draaide aan de knoppen. Ze haalde er een in leer gebonden boek uit, en legde dat op het bureau.

'Dit is de zeventiende-eeuwse kopie, de oudste complete kopie.' Ze sloeg het boek op een willekeurige bladzijde open. De bladzijden waren van papier, overdekt met een keurig zwart handschrift, helder en gemakkelijk leesbaar. 'Toen je mij vroeg of de saga volstrekt geheim was gebleven, had ik het toch over één uitzondering?'

Magnus knikte.

'Nou, dit is een kopie van een eerdere versie die Árni Magnússon, de grote sagaverzamelaar, kocht van een van mijn voorvaderen. De rest van de familie was woest dat hij de saga had verkocht. Árni Magnússon nam hem met alle andere mee naar Kopenhagen, en het was een van de manuscripten die werd verwoest bij de vreselijke brand van 1728, voordat het kon worden gecatalogiseerd. Voor zover wij weten, bestaat er nu nog slechts één verwijzing naar Gaukurs Saga, zonder details over de inhoud. Het merendeel van de collectie ging in rook op, met name de papieren kopieën. Binnen de familie denken we dat de brand niet zomaar is begonnen.'

'Brandstichting? Iemand wilde de saga vernietigen?'

Ingileif schudde haar hoofd. 'Dat is niet wat ik bedoel, hoewel het mij, gezien hoe geobsedeerd mijn familie was, niet zou hebben verbaasd. Nee, het was eerder rampspoed, het lot, noem het zoals je wilt.'

'De macht van de Ring,' zei Árni.

'Nu begin je net zo te klinken als mijn vader,' zei Ingileif. 'Maar toen Agnar werd vermoord, moest ik wel denken aan de overeenkomsten.' Ze liep terug naar de kluis. 'En dan is er nog dit. Het origineel, of wat ervan overgebleven is.'

Ze haalde voorzichtig een grote oude envelop tevoorschijn, legde hem op het bureau, en liet er twee lagen stijf karton uit glijden, met daartussen, gescheiden door vloeipapier, een stuk of zes vellen bruin kalfsperkament. Ze trok het vloeipapier opzij zodat ze een van de vellen aandachtig konden bekijken.

Het was verbleekt, gescheurd aan de randen, en bedekt met zwart schrift, nog verrassend goed leesbaar. De beginletters van hoofdstukken waren versierd met vervagende blauwe en rode inkt. Magnus kon het woord 'Ísildur' onderscheiden.

'Dit is geweldig,' zei Magnus. En dat was het inderdaad. Elke twijfel die hij had gehad over de authenticiteit van de vertaling die hij in Agnars zomerhuis had gelezen, werd weggenomen. Hij had zich bij de Árni Magnússon-tentoonstelling vergaapt aan de oude saga's, maar hij had er nooit eerder een van zo dichtbij gezien. Hij kon de verleiding niet weerstaan om hem met zijn vingertop aan te raken.

'Ja, hè?' zei Ingileif op trotse toon.

'Weet je wie de saga geschreven heeft?' vroeg Magnus.

'We denken iemand met de naam Ísildur Gunnarsson,' antwoordde Ingileif. 'Uiteraard een van Gaukurs afstammelingen. Hij zou hebben geleefd in de laat-dertiende eeuw, in de tijd dat de meeste grote saga's zijn geschreven.'

'Maar als dit zo'n groot familiegeheim was, hoe heeft Tolkien het dan ooit onder ogen gekregen?' vroeg Magnus. 'Ik bedoel, de saga vertoont zo veel overeenkomsten met *The Lord of the Rings* dat het bijna geen toeval kan zijn. Hij moet hem hebben gelezen.'

Ingileif aarzelde. 'Wacht even.' Ze liep weer naar de kluis, en keerde een moment later terug.

Op het bureau legde ze voor Magnus een kleine vergeelde envelop neer.

'Mag ik kijken?'

Ingileif knikte.

Magnus haalde er voorzichtig een velletje papier uit, eenmaal opgevouwen.

Magnus vouwde het open en las:

20 Northmoor Road
Oxford

9 maart 1938

Mijn beste Ísildsson

Ik wil je hartelijk bedanken voor het opsturen van het exemplaar van Gaukurs Saga. Ik heb het met veel plezier gelezen. Het is nu bijna vijftien jaar geleden, maar die bijeenkomst van de Vikingclub in het studiecafé in Leeds, waar je mij vertelde over de saga, staat mij nog heel helder voor de geest, hoewel ik geen idee had dat de saga zelf zo'n prachtig verhaal zou blijken te zijn. Ik kijk met genegenheid terug op die avonden – een repertoire van Oud-IJslandse drinkliederen is eigenlijk onontbeerlijk voor elke student Oud- of Middelengels!

Het doet mij veel deugd dat je hebt genoten van het boek dat ik je heb gestuurd. Ik ben recentelijk begonnen aan een tweede verhaal over Hobbits, gesitueerd in Midden-aarde, en heb het eerste hoofdstuk voltooid, getiteld 'Een langverwacht feest', waar ik zeer tevreden over ben. Maar ik verwacht dat dit boek een veel donkerder werk wordt dan het eerste, meer volwassen, en ik heb gezocht naar een manier om de twee verhalen met elkaar in verband te brengen. Jij hebt mij dat verband misschien aangereikt.

Vergeef het mij alsjeblieft als ik enige ideeën ontleen aan je saga. Ik kan je absoluut beloven dat ik de wens van je familie dat de saga zelf geheim hoort te blijven, zoals reeds vele honderden jaren het geval is geweest, zal blijven respecteren. Als je bezwaar hebt, laat het mij alsjeblieft weten.

Ik zal je het exemplaar van de saga volgende week terugsturen.

Met de beste wensen
en vriendelijke groeten,
J.R.R. Tolkien

Magnus' hart bonsde. De brief zou de waarde van de saga verdubbelen, verdriedubbelen. Het was een opzienbarende ontdekking, de sleutel tot wat was uitgegroeid tot een van de meest wijdverbreide legenden van de twintigste eeuw.

Een rijke *The Lord of the Rings*-fan zou een fortuin betalen voor de twee documenten.

Of ervoor doden.

Magnus had pas de avond ervoor de eerste twee hoofdstukken van *The Lord of the Rings* gelezen. Het eerste heette inderdaad 'Een langverwacht feest', met de viering van de honderdelfde verjaardag van Bilbo Balings, een vrolijke aangelegenheid met volop Hobbits, eetwaren en vuurwerk, waarbij Bilbo aan het eind zijn magische ring omdoet en verdwijnt. In het tweede hoofdstuk, 'De schaduw van het verleden', keerde de tovenaar Gandalf terug om Bilbo's neef Frodo te wijzen op de vreemde en kwade krachten van de Ring, en hem de opdracht te geven de Ring te vernietigen in de Doemspleet.

Gaukurs Saga lag duidelijk tussen het eerste en tweede hoofdstuk.

'Mag ik eens kijken?' vroeg Árni.

Magnus ademde uit – hij had niet eens doorgehad dat hij zijn adem had ingehouden. Hij gaf hem de brief.

'Heb je dit aan Agnar laten zien?'

Ingileif knikte. 'Hij heeft de brief een paar dagen geleend. Hij wilde alles wat ik kon vinden om de authenticiteit van de saga te bevestigen. Hij was hier blij mee. Hij was ervan overtuigd dat het zou helpen een betere prijs te bedingen.'

'Dat zal best. Dus Högni Ísildsson was je grootvader?'

'Ja, dat klopt. Zijn vader, Ísildur, opende eind negentiende eeuw een meubelzaak in Reykjavík. In die tijd, net als nu, reisden veel IJslanders naar het buitenland om te studeren, en in 1923 ging Högni naar Engeland, naar de universiteit van Leeds, waar hij Oudengels studeerde onder J.R.R. Tolkien.

'Tolkien maakte grote indruk op mijn grootvader, hij inspireerde hem. Ik herinner me dat hij mij over Tolkien vertelde.' Ingileif glimlachte. 'Tolkien was eigenlijk niet veel ouder dan mijn grootvader, nog maar begin dertig, maar hij kwam blijkbaar wat ouderwets over. Alsof hij leefde in een tijd vóór de industriële revolutie, een tijd vóór grote steden en fabrieksrook en machinegeweren. Ze correspondeerden nu en dan gedurende de rest van Tolkiens leven. Mijn grootvader regelde zelfs dat een van zijn nichtjes kon gaan werken in Oxford als kinderjuffrouw voor Tolkien.'

'Het zou beter zijn geweest als je mij dit had laten zien toen ik hier eerder was,' zei Magnus.

'Ja, ik weet het,' zei Ingileif. 'En het spijt me.'

'Een spijtbetuiging is niet echt voldoende.' Magnus keek haar recht in de ogen. 'Heb je enig idee waarom Agnar is vermoord?'

Ditmaal wendde ze haar blik niet af. 'Nee. Ik hield mezelf voor dat dit allemaal niets te maken had met zijn dood, daarom voelde ik geen behoefte om je erover te vertellen, en mij is niets bekend van enig verband.' Ze zuchtte. 'Het is niet mijn taak om te gissen, maar lijkt het je niet aannemelijk dat die mensen over wie je sprak de saga in handen dachten te kunnen krijgen zonder Agnar te betalen?'

'Tenzij jij hem hebt vermoord,' zei Magnus.

'Waarom zou ik dat doen?' Ze trotseerde zijn blik.

'Om hem het zwijgen op te leggen. Je hebt mij zelf verteld dat je de saga niet meer wilde verkopen en hij dreigde het aan de grote klok te hangen.'

'Ja, maar ik zou hem niet hebben vermoord om die reden,' zei Ingileif. 'Ik zou niemand vermoorden om die reden.'

Magnus bleef haar strak aanstaren. 'Misschien,' zei hij. 'Je hoort nog van ons.'

14

Magnus liet de honderdtwintig bladzijden van Gaukurs Saga op Baldurs bureau ploffen.

'Wat is dit?' vroeg Baldur, met een felle blik naar Magnus.

'De reden waarom Steve Jubb Agnar heeft vermoord.'

'Hoe dat zo?'

Magnus deed verslag van wat hij en Árni hadden gevonden in het zomerhuis en zijn daaropvolgende gesprek met Ingileif. Baldur luisterde aandachtig, met zijn lange gezicht vertrokken, de lippen getuit.

'Heb je vingerafdrukken van die Ingileif genomen?' vroeg Baldur.

'Nee,' zei Magnus.

'Breng haar dan hierheen en neem ze af. We moeten kijken of het gaat om het ontbrekende paar van de plaats delict. En we kunnen maar beter verifiëren of dit authentiek is.' Hij tikte op het manuscript voor hem.

Hij legde zijn vingertoppen tegen elkaar en bracht ze naar zijn kin. 'Dus hierover moeten ze hebben onderhandeld. Maar dat verklaart nog steeds niet waarom Agnar is vermoord. We weten dat Steve Jubb geen exemplaar van de saga heeft gekregen. Het lag niet in zijn hotelkamer.'

'Hij kan het hebben verstopt,' zei Magnus. 'Of de volgende ochtend per post hebben verstuurd. Naar Lawrence Feldman.'

'Mogelijk. Het hoofdpostkantoor zit net om de hoek van het hotel. We kunnen navragen of iemand zich hem herinnert. En als hij het aangetekend heeft verzonden staat het geregistreerd, evenals het adres van de ontvanger.'

'Of misschien ging het mis bij de onderhandeling? Kregen ze ruzie over de prijs.'

'Zolang Feldman en Jubb de originele saga niet in handen kregen, hadden ze Agnar levend nodig.' Baldur zuchtte. 'Maar we maken eindelijk vorderingen. Ik zal Steve Jubb nog eens aan de tand voelen. We halen hem morgenochtend terug uit Litla Hraun.'

'Mag ik met je mee?' vroeg Magnus.

'Nee,' zei Baldur botweg.

'En Lawrence Feldman in Californië?' vroeg Magnus. 'Het is nu nog belangrijker om hem te spreken.' Magnus voelde Árni achter zich verstarren, in afwachting van Baldurs reactie.

'Ik zei dat ik erover zou nadenken,' begon Baldur, 'en ik zal er ook over nadenken.'

'Oké,' zei Magnus, waarna hij afstevende op de deur van Baldurs kantoor.

'En Magnus,' zei Baldur.

'Wat?'

'Je had mij dit moeten rapporteren vóórdat je langsging bij Ingileif. Ik leid hier het onderzoek.'

Magnus voelde irritatie opkomen, maar hij wist dat Baldur gelijk had. 'Oké,' zei hij. 'Sorry.'

Árni ging Ingileif halen om op het politiebureau haar vingerafdrukken te nemen. Magnus belde Nathan Moritz, een collega van Agnar op de universiteit, die eerder door de politie was ondervraagd. Moritz was thuis, en Magnus vroeg hem naar het politiebureau te komen om iets te bekijken. De professor klonk eerst weifelend, maar toen Magnus vertelde dat het ging om een Engelse vertaling van een verloren saga over Gaukur en diens broer Ísildur, zei Moritz dat hij meteen zou komen.

Moritz was een Amerikaan, een kleine man van rond de zestig met een keurig puntbaardje en warrig grijs haar. Hij sprak perfect IJslands, niet zo verwonderlijk voor iemand die de taal doceerde, en legde uit dat de universiteit van Michigan hem twee jaar had uitgeleend aan de universiteit van IJsland. Ze gingen ongemerkt over op Engels, toen Magnus bekende op vergelijkbare wijze te zijn gedetacheerd.

Magnus haalde koffie voor hem, en ze namen plaats in een verhoorkamer. Magnus legde het manuscript uit het zomerhuis voor zich op tafel. Moritz had zijn eigen bewijsstuk meegenomen, een groot boek met een harde kaft. Hij was zo opgewonden dat hij nauwelijks stil kon blijven zitten, en hij negeerde zijn koffie.

'Is dat het?' wilde hij weten. 'Gaukurs Saga?'

'Wij denken van wel.'

'Hoe komen jullie eraan?'

'Het is zo te zien een Engelse vertaling van Agnar.'

'Dus daar werkte hij aan!' riep Moritz. 'De afgelopen paar weken zat hij voortdurend op iets te zwoegen. Hij beweerde dat hij een Franse vertaling van de Laxdaela Saga becommentarieerde, maar dat klonk vreemd. Ik kende Agnar al jaren, werkte samen met hem aan een paar projecten, en hij was er nooit de persoon naar om zich al te druk te maken over deadlines.' Moritz schudde ongelovig zijn hoofd. 'Gaukurs Saga.'

'Ik wist niet dat deze saga bestond,' zei Magnus.

'Hij bestaat ook niet. Althans, wij dachten van niet. Vroeger wel. Kijk.'

Moritz opende het boek voor hem. 'Dit is een facsimile van het Boek van Mödruvellir, uit de veertiende eeuw, een van de belangrijkste verzamelingen van saga's. Er zijn er elf in totaal.'

Magnus liep rond de tafel en keek mee over Moritz' schouder. Moritz bladerde door het boek, elke bruine bladzijde een getrouwe kopie van het velijn van het originele manuscript. Hij hield stil bij een lege bladzijde waarop slechts een paar vervaagde regels stonden geschreven. Onleesbaar.

'Er zit een groot hiaat tussen de Njálssaga en de Egilssaga. Niemand kon deze regel lezen tot de uitvinding van ultraviolet licht. Nu weten we wat er staat.' Moritz citeerde uit zijn hoofd. '"Hier invoegen: Gauks Saga Trandilssonar; ik heb gehoord dat de weledele heer Grímur Thorsteinsson een exemplaar heeft."' Hij wendde zich tot Magnus en glimlachte. 'We weten dat er ooit een Gaukurs Saga bestond, maar we dachten dat die verloren was gegaan, zoals zo veel andere. Gaukur staat verder maar één keer vermeld, heel kort in de Njálssaga; dat hij was gedood door Ásgrímur.'

'Als u de saga leest, komt u erachter hoe dat is gebeurd,' zei Magnus met een glimlach, terugkerend naar zijn stoel. Het Boek van Mödruvellir moest de ene verwijzing zijn waar Ingileif het over had gehad.

'De andere plek waar zijn naam opduikt is uitzonderlijk,' zei Moritz.

'In de negentiende eeuw zijn in een graftombe op Orkney een aantal Vikingrunen ontdekt, graffiti in feite. De runen beweren dat ze zijn gekerfd met de bijl die ooit toebehoorde aan Gaukur Trandilsson van IJsland. De man heeft dus echt bestaan.'

Moritz bekeek de bundel papier die voor Magnus lag.

'En dat is de Engelse vertaling? Mag ik het lezen?'

'Ja. Maar niet zonder handschoenen en u zult het hier moeten lezen. Ons lab moet er eerst naar kijken voordat het kan worden gekopieerd.'

'Weet u waar het origineel is?'

'Ja, ik weet waar het is. Van het originele velijn zijn alleen wat stukjes over, maar er is een uitstekende zeventiende-eeuwse kopie op papier. We kunnen u die morgen laten zien. We weten natuurlijk niet zeker of datgene wat we hebben gevonden echt is. We hebben u nodig om de echtheid te bepalen.'

'Met alle plezier,' zei Moritz.

'En hou dit vertrouwelijk. Zeg het tegen niemand.'

'Ik begrijp het. Maar laat jullie lab geen van beide documenten onder handen nemen zonder mijn toezicht.'

'Uiteraard,' zei Magnus. 'Als de saga echt blijkt te zijn, hoeveel zou hij dan opbrengen?'

'Dat valt onmogelijk te zeggen,' antwoordde Moritz. 'Het laatste middeleeuwse manuscript dat op de markt kwam, is in de jaren zestig door Sotheby's verkocht aan een consortorium van IJslandse banken. Het had toebehoord aan een Britse verzamelaar. Maar de banken zitten nu natuurlijk zonder geld, net als de IJslandse regering.' Hij zweeg even. 'Maar voor dit? Als het authentiek is? Er zullen buiten IJsland genoeg kopers voor te vinden zijn. Dan praat je over miljoenen dollars.'

Hij schudde zijn hoofd. 'Vele miljoenen.'

Toen Magnus terugkeerde bij zijn bureau, zat Árni op hem te wachten. Hij leek opgewonden.

'Wat is er? Kwamen Ingileifs vingerafdrukken overeen?'

'Nee, maar ik heb antwoord gekregen uit Australië.'

'De expert in Elfentaal?'

Árni gaf Magnus een uitdraai van een e-mail.

Beste rechercheur Holm,

Ik ben erin geslaagd het merendeel te vertalen van de twee berichten die u mij heeft gestuurd. Ze zijn in het Quenya, de populairste van Tolkiens talen. De vertalingen luiden als volgt:

1. Ik spreek Haraldsson morgen. Moet ik erop aandringen het verhaal te zien?
2. Terug van Haraldsson. Hij heeft (??). Hij wilde meer geld. Vijf miljoen. We moeten praten.

N.B. – ik kon geen vertaling vinden voor het woord 'kallisarvoinen', hier gemarkeerd met (??).

Het was een genoegen te ontdekken dat mijn kennis van het Quenya eindelijk iemand van praktisch nut kon zijn!

Vriendelijke groet,

Barry Fletcher
Hoofddocent
Faculteit voor Taal en Taalwetenschap
Universiteit van New South Wales

'Nou, het eerste bericht is vrij duidelijk,' zei Magnus. 'Het tweede werd verstuurd om elf uur op de avond van de moord, toch?'

'Dat klopt. Zodra Jubb terugkwam in het hotel na zijn bezoek aan Agnar.'

'Geen wonder dat hij moest praten als hij net een lijk in het meer had geduwd.'

'Ik vraag me af wat dat woord kallisar... dinges betekent,' zei Árni.

Magnus dacht even na. 'Manuscript? "Hij heeft het manuscript?" Dat zou logisch zijn.'

'Ik weet het niet,' zei Árni.

'Hoezo?'

'Volgens mij is het dat niet. Het klinkt alsof Agnar iets ánders heeft.

Iets waar hij meer geld voor wil hebben. Dat Jubb met Isildur wil praten om te bespreken of hij ervoor moet betalen.'

Magnus zuchtte. Zijn geduld raakte op. 'Árni! We weten dat Agnar die avond is gestorven. Uit dit bericht blijkt dat hij veel meer geld eiste. Dus heeft Jubb hem vermoord en moest hij de baas spreken toen hij het had gedaan. Simpel. In Amerika is dit aan de orde van de dag bij drugsdeals. Kom op, Baldur hoort dit te zien. Hij zal dit vast willen bespreken met Jubb.'

Árni volgde Magnus naar Baldurs kantoor. Zo simpel leek het hem niet, maar Árni was het gewend om de plank mis te slaan bij politiezaken. Hij had geleerd dat het belangrijk was om niet al te zwaar te tillen aan zijn fouten, en zich er niet door te laten ontmoedigen.

Vigdís reed over de kronkelweg naar Hruni. Ze had er bijna twee uur over gedaan om van Reykjavík naar hier te komen; een heel eind rijden, alleen om een naam op een lijst af te vinken. Maar Baldur had erop gestaan dat elke afspraak in Agnars agenda werd onderzocht, en dus was het nu tijd om de raadselachtige notitie 'Hruni' na te trekken.

Ze passeerde twee tot drie auto's die de andere kant op reden, toen volgde ze een bocht en kwam bij het dal waarin Hruni genesteld lag. Zoals Rannveig had gezegd, viel hier niets te bekennen, uitgezonderd een kerk en een pastorie onder een steile rotswand. En een uitzicht over de graslanden op de verre bergen.

De zondagsdienst moest zojuist zijn afgelopen. Op de grindstrook voor de kerk stonden drie auto's geparkeerd. Twee ervan reden weg toen Vigdís tot stilstand kwam. Voor de kerk waren twee figuren, de ene heel groot, de andere heel klein, diep in gesprek gewikkeld. De pastoor van Hruni en een van zijn parochianen.

Vigdís hield zich afzijdig tot het gesprek was afgerond en de oude dame, haar wangen rood aangelopen, snel naar haar autootje strompelde en wegreed.

De pastoor wendde zich tot Vigdís. Hij was een boom van een kerel, met een dikke baard en donker haar dat hier en daar grijs werd. Ze schrok even terug bij het zien van zijn reusachtige omvang en kracht, maar werd gerustgesteld door het priesterboord rond zijn nek. Zijn borstelige wenkbrauwen gingen verbaasd omhoog. Dat was Vigdís wel gewend.

'Vigdís Audarsdóttir, Reykjavíkse politie,' stelde ze zichzelf voor.

'Werkelijk?' zei de man met een diepe stem.

Vigdís zuchtte en haalde haar legitimatiebewijs tevoorschijn. De pastoor bestudeerde het zorgvuldig.

'Kan ik u even spreken?' vroeg ze.

'Natuurlijk,' zei de pastoor. 'Kom binnen.' Hij leidde Vigdís de pastorie in en naar een studeerkamer met een warboel aan boeken en werkpapieren. 'Ga zitten alsjeblieft. Wil je een kop koffie, mijn kind?'

'Ik ben geen kind,' zei Vigdís. 'Ik ben een politieagent. Maar ja, graag.'

Ze pakte een stapel vergeelde kranten van een zitplaats op de bank en legde die op de vloer. Terwijl ze wachtte tot de pastoor terugkwam, keek ze rond in zijn studeerkamer. Op een groot bureau lagen opengeslagen bundels kriskras over elkaar heen en de muren waren gevuld met boeken. Op de enige lege plekken hingen oude prenten van diverse taferelen uit de IJslandse geschiedenis; een man op de rug van een vis of een walvis in de zee; een instortende kerk, ongetwijfeld die van Hruni zelf; en een stuk of vier etsen van de vulkaan Hekla die uitbarstte.

Door het raam zag Vigdís de huidige kerk van Hruni, rood en wit, spic en span, gelegen tussen oude grafzerken en verwrongen bomen.

De pastoor keerde terug met twee koppen koffie. Hij liet zich in een oude chintzen leunstoel zakken, die kraakte onder zijn gewicht. 'Zo, waarmee kan ik je van dienst zijn, mijn engel?' Zijn stem klonk zwaar en hij glimlachte, maar zijn ogen, diepliggend en donker, daagden haar uit.

'We onderzoeken de dood van professor Agnar Haraldsson. Hij werd donderdag vermoord.'

'Ik las erover in de krant.'

'Naar wij hebben begrepen heeft Agnar Hruni vrij recentelijk bezocht.' Vigdís raadpleegde haar aantekeningen. 'Op de twintigste. Vorig week maandag. Is hij bij u geweest?'

'Ja. Het was 's middags, dacht ik.'

'Kende u Agnar?'

'Nee, in het geheel niet. Dat was de eerste keer dat ik hem ontmoette.'

'En wat wilde hij met u bespreken?'

'Saemundur de Geleerde.'

Vigdís herkende de naam, hoewel geschiedenis nooit haar sterkste vak was geweest op school. Saemundur was een beroemde middeleeuwse historicus en schrijver. Nu ze erover nadacht, besefte ze dat de prent aan de muur van de studeerkamer Saemundur moest voorstellen die op de rug van de zeehond zat.

'Wat wilde hij weten over Saemundur de Geleerde?'

De pastoor antwoordde niet meteen. Zijn donkere ogen namen Vigdís in zich op. Ze begon zich ongemakkelijk te voelen. Niet het gebruikelijke ongemak dat ze voelde wanneer IJslanders haar als zwarte vrouw aanstaarden, daar was ze aan gewend. Dit was iets anders. Misschien had ze toch beter een collega mee kunnen nemen om haar te vergezellen.

Maar Vigdís was al eerder aangestaard door allerlei ongure types. Ze liet zich niet van haar stuk brengen door een eenvoudige priester.

'Geloof je in God, mijn kind?'

Vigdís was verrast door de vraag, maar vastbesloten dat niet te laten merken. 'Dat is niet relevant voor dit onderzoek,' zei ze. Ze wilde het initiatief in het vraaggesprek niet kwijtraken aan deze man.

De pastoor grinnikte. 'Het verbaast mij telkens weer hoe functionarissen die simpele vraag altijd ontwijken. Het lijkt bijna alsof ze zich schamen om het toe te geven. Of misschien schamen ze zich om toe te geven dat ze niet in God geloven. Hoe zit het bij jou?'

'Ik ben politieagent. Ik stel hier de vragen,' zei Vigdís.

'Je hebt gelijk, het is niet direct relevant. Maar mijn volgende vraag wel. Geloof je in de duivel, Vigdís?'

In weerwil van zichzelf gaf Vigdís antwoord. 'Nee.'

'Dat verbaast me. Ik dacht dat jullie mensen geen moeite zouden hebben met het idee van de duivel.'

'Als er al een deel van mij bijgelovig is, dan is het mijn IJslandse helft,' zei Vigdís.

De pastoor lachte, een diep en welluidend gerommel. 'Dat is waarschijnlijk nog waar ook. Maar het is geen bijgeloof, of het is op z'n minst meer dan dat. De wijze waarop mensen geloven in IJsland verschilt van die in andere landen, dat kan ook niet anders. Wij zien goed en kwaad, kracht en vrede in het landschap om ons heen. We zien het niet alleen, we horen het, ruiken het, vóélen het. Er bestaat toch niets mooiers dan de middagzon weerkaatsend op een gletsjer, of de vredige aanblik van een fjord bij zonsopgang. Maar als volk hebben wij ook de verschrikkingen ervaren van vulkaanuitbarstingen en aardbevingen, de angst om 's winters te verdwalen in een sneeuwstorm, de kille leegte van de lavawoestijnen. In dit land kun je de zwavel rúíken.

'Maar zelfs op de meest uitgestorven lavavelden bemerken we die eerste kleine tekenen van leven door het ijs en de as heen. De mossen knabbelen aan het lavagesteente, breken het af tot iets wat over een paar millennia vruchtbare aarde wordt. Dit hele land is een schepping in uitvoering.'

De pastoor glimlachte. 'God is hier in IJsland.' Hij zweeg. 'En de duivel ook.'

Vigdís kon niet anders dan luisteren. Het lage diepe gerommel van de stem van de pastoor eiste haar aandacht op. Maar zijn ogen verontrustten haar. Ze voelde een vlaag van paniek, een plots verlangen om de studeerkamer uit te vluchten en zo ver en zo snel mogelijk weg te rennen. Maar ze kon zich niet bewegen.

'Saemundur begreep de duivel.' De pastoor knikte naar de prent aan de muur. 'Zoals je weet, werd hij in Parijs door Satan onderwezen in de School van de Zwarte Kunst. Volgens de legende was hij de duivel meermaals te slim af. Een keer wist Saemundur de duivel over te halen zichzelf te veranderen in een zeehond om hem van Frankrijk terug te voeren naar IJsland. Maar hij was ook de eerste geschiedschrijver van IJsland, misschien wel de grootste die het land heeft gekend. Hoewel zijn werk verloren is gegaan, weten we dat de sagaschrijvers zijn *Geschiedenis van de koningen van Noorwegen* bewonderden en daar rijkelijk uit hebben geput. Een prima kerel. Ik heb mijn leven gewijd aan een studie van hem.'

De pastoor wees naar een rij van zo'n twintig dikke cahiers op een plank net naast het bureau. 'Het is een lang en traag proces. Maar ik heb een aantal interessante ontdekkingen gedaan. Professor Agnar wilde dat ik hem daarover vertelde.'

'En hebt u dat gedaan?' slaagde Vigdís erin te vragen.

'Natuurlijk niet,' zei de pastoor. 'Op een dag wordt dit allemaal gepubliceerd, maar die dag laat nog vele jaren op zich wachten.' Hij glimlachte. 'Maar het was bevredigend dat een professor van de universiteit eindelijk erkende dat een eenvoudige plattelandspriester een bijdrage kon leveren aan de wetenschappelijke kennis over dit land. Saemundur was zelf ook een priester, bij Oddi, niet ver hiervandaan.'

'Hoe lang hebt u met hem gesproken?'

'Twintig minuten, langer niet.'

'Heeft Agnar het gehad over een Engelsman met de naam Steve Jubb?'

'Nee.'

'Of over een vrouw die Ingileif Ásgrímsdóttir heet? Ze komt uit Flúdir.'

'O ja, ik ken Ingileif,' zei de pastoor. 'Een voortreffelijke jongedame. Maar nee, de professor heeft haar niet genoemd. Ik wist niet dat hij haar kende. Volgens mij studeerde ze IJslands aan de universiteit, misschien was ze een van zijn studentes?'

Vigdís wist dat ze eigenlijk nog een of twee vragen moest stellen, maar ze wilde hier zo snel mogelijk vandaan. 'Bedankt voor uw tijd,' zei ze, terwijl ze overeind kwam.

'Niets te danken,' zei de pastoor. Hij stond op en stak zijn hand uit.

Voordat ze zichzelf ervan kon weerhouden, nam Vigdís hem aan. Met beide handen hield de pastoor haar hand stevig vast. 'Ik zou graag nog eens met je willen praten over je geloof, Vigdís.' Zijn stem klonk kalm en tegelijkertijd gebiedend. 'Hier in Hruni kun je God leren begrijpen op een manier die in de stad onmogelijk is. Ik kan zien dat je een ongebruikelijke achtergrond hebt, maar ik kan ook zien dat je in je hart een IJslander bent, een echte IJslander. Het is een lange rit terug naar Reykjavík. Blijf nog even. Praat met me.'

Zijn grote handen waren warm en sterk, zijn stem klonk geruststellend en zijn ogen stonden dwingend. Vigdís kwam bijna in de verleiding om te blijven.

Toen haalde ze ergens diep in zichzelf de wilskracht naar boven om haar hand terug te trekken. Ze draaide zich om en verliet halsoverkop zijn huis. Ze haastte zich naar haar auto, bijna in looppas, startte de motor en reed snel weg van Hruni terug naar Reykjavík, daarbij constant de maximumsnelheid overschrijdend.

15

Colby bewonderde haar nieuwe zomerjurk in de spiegel in de slaapkamer van haar appartement in Back Bay. Ze had hem afgelopen zondag gekocht bij Riccardi's in Newbury Street. Het had haar een lieve duit gekost, maar hij stond haar goed. Simpel. Elegant. Chic. De jurk paste vooral goed bij de oorbellen. Oorbellen die Magnus haar had gegeven voor haar vorige verjaardag.

Magnus.

Hoezeer ze het ook probeerde, en ze probeerde het uit alle macht, ze bleef aan Magnus denken.

Waar zat hij nu? Op IJsland? In de regen op een of andere godverlaten rots in het midden van de Noord-Atlantische Oceaan? Hij had toch niet echt verwacht dat zij wekenlang, misschien maandenlang, haar baan in de steek zou laten om daar met hem te vertoeven?

Alsof hij ook maar een paar uur zou stoppen met werken om met haar naar de film te gaan.

Maar hij was tenminste veilig het land uit. Ze wist dat hij leefde in een smerige, gevaarlijke wereld, maar die wereld had zich nooit eerder aan haar opgedrongen tot die avond in de North End toen ze waren beschoten. Magnus had beweerd dat ze allebei nog in gevaar verkeerden. Maar ze wist zeker dat hoe meer afstand ze schiep tussen hem en zichzelf, hoe veiliger ze zou zijn.

Ze frunnikte aan haar oorbellen. Saffieren omringd door diamanten. Peperduur voor het salaris van een politieagent. Ze waren echt schitterend.

Ze had natuurlijk bijna een vergissing begaan, een grote vergissing, door bij hem aan te dringen om te gaan trouwen. Ze was heel blij dat hij nee had gezegd.

Niet dat ze hem niet aantrekkelijk vond. Integendeel zelfs. Ze drukte zich graag stevig tegen zijn brede borstkas aan. Ze hield van het gevoel van verborgen kracht en gevaar dat om hem heen hing. Hij kon beangstigend zijn wanneer hij kwaad werd, maar zelfs dat vond ze leuk aan hem. Hij was ook slim, kon geweldig luisteren, en ze kon wel de hele avond alleen pratend met hem doorbrengen. Hij was niet Joods, maar dat was voor haar geen punt, ook al had haar moeder er problemen mee.

Het vervelende was dat hij een loser was. En dat zou hij altijd blijven.

Dat kwam uiteraard door zijn werk. Met zijn diploma van Brown had hij veel meer kunnen bereiken dan politieagentje spelen, en daar had ze hem vaak op gewezen. Maar hij zou dat nooit overwegen. Hij was geobsedeerd door het werk, door het oplossen van de moord op de ene klaploper na de andere. Vaak was Magnus de enige die het iets kon schelen wie wie had doodgeschoten. Ze wist dat het allemaal met zijn vader te maken had, maar die wetenschap deed haar alleen maar beseffen hoe moeilijk het zou zijn om hem te veranderen.

Niet moeilijk. Onmogelijk.

Haar vriendin Tracey had haar verteld dat het tijdverspilling was om te proberen vriendjes te veranderen. En een nog grotere tijdverspilling om het huwelijksbootje in te stappen met als doel je echtgenoot te veranderen. Het werkte gewoon niet.

Magnus' besluit om zijn baas te vertellen over de corrupte rechercheur was de laatste druppel. Het mocht dan allemaal heel eerlijk en eerzaam zijn, maar het was dom. Boston was lang niet meer het oord van corruptie van twintig jaar geleden, maar mensen die het opnamen tegen de gevestigde orde van de stad zouden er nooit onderdeel van uitmaken.

In haar eigen bedrijf, een fabrikant van medische apparatuur, waren er momenten waarop je de andere kant opkeek, geen vragen stelde. Je moest wel, als je wilde dat het bedrijf succes oogstte. Het was haar taak om het bedrijf te beschermen tegen de juridische risico's van het zakendoen, niet om de wereld te zuiveren van oneerlijkheid.

Magnus zou nooit rechten gaan studeren. Hij zou waarschijnlijk niet eens hoger komen op de ladder in het politiedepartement.

Een loser.

En daarom had ze ja gezegd toen een slanke, goedgeklede advocaat, met wie ze een jaar eerder te maken had gehad, haar tegen het lijf liep in de 'T', de metro van Boston, en haar had uitgenodigd voor een kop koffie.

En daarom had ze ook ja gezegd toen hij haar had gebeld om haar uit eten te vragen.

Hij heette Richard Rubinstein. Hij was leuk, zij het iets te keurig naar haar zin. Joods, uiteraard. Ze had hem gegoogeld en ontdekt dat hij zojuist compagnon was geworden bij zijn advocatenkantoor in het centrum. Wat niet per se belangrijk was, maar wel betekende dat hij geen loser was. En in tegenstelling tot bijna iedereen die ze kende, kende hij Magnus niet, had hij zelfs nog nooit gehoord van Magnus, wist hij niet dat ze de afgelopen drie jaar een vriend had gehad.

Ze was van plan ervan te genieten. Maar niet met Magnus' oorbellen.

Ze maakte de oorbellen los, verving ze door een paar simpele parels, en ging naar buiten, de warme avond in.

Vanuit een geparkeerde auto aan de overkant van de straat, werd ze gadegeslagen door Diego. Hij keek naar de foto op zijn schoot. Ja, het was absoluut dezelfde vrouw.

Aan haar kleding te zien zou ze een poosje wegblijven. Dat zou hem volop de tijd geven om ongezien het gebouw en daarna haar appartement binnen te sluipen.

Er was alleen nog het probleem van de ene politieagent die recht voor het gebouw in zijn patrouillewagen zat. Maar Diego's ervaring met agenten had hem geleerd dat de kerel honger zou krijgen.

En inderdaad, zodra de vrouw aan het eind van de straat was verdwenen, startte de patrouillewagen en reed de agent weg.

Tijd genoeg om snel een pizza of hamburger te halen voordat de vrouw terugkeerde.

Diego stapte uit zijn auto en stak de straat over.

Magnus liep vanaf het hoofdbureau terug naar zijn nieuwe onderkomen in Thingholt. Hij was toe aan de lichaamsbeweging en de frisse lucht. En je kon zeggen over de lucht in Reykjavík wat je wilde, maar hij was fris.

Zijn hoofd duizelde door alle gebeurtenissen van die dag. Het was nog veel te vroeg om te zeggen, maar volgens professor Moritz stond er niets in de vertaling van Gaukurs Saga wat erop wees dat het een vervalsing betrof. De professor wilde duidelijk dolgraag geloven in de echtheid van de saga, maar hij gaf toe dat als iemand een saga kon vervalsen, het Agnar zou zijn.

Wat een andere interessante mogelijkheid opwierp. Misschien had Steve Jubb op de een of andere manier ontdekt dat het document dat Agnar hem voor zo veel miljoenen dollars probeerde te verkopen niet echt was, en had hij hem daarom vermoord.

Magnus was nog steeds niet overtuigd dat Ingileif de volledige waarheid vertelde. Maar ze had veel oprechter geleken toen hij haar die middag had gesproken. En hij moest toegeven dat hij haar mengeling van kwetsbaarheid en vastberadenheid aantrekkelijk vond.

Hij glimlachte toen hij zich agent O'Malleys wijze raad herinnerde toen Magnus begon als politieagent: 'Als een meisje een lekker kontje heeft, wil dat nog niet zeggen dat ze de waarheid spreekt.'

Het leed geen twijfel dat Ingileif een lekker kontje had.

Steve Jubb zou met niets over de brug komen, zeker niet als hij zo schuldig was als Magnus dacht dat hij was. Ze moesten op een vliegtuig naar Californië stappen om met Isildur te praten. Om hem te dreigen met een aanklacht wegens samenzwering tot moord en hem te laten bekennen. Magnus zou dat voor elkaar kunnen krijgen, dat wist hij zeker.

'Magnus!'

Hij bevond zich in een kleine straat, niet ver van Katríns huis, vrij hoog op de heuvel. Hij draaide zich om en zag een vrouw, die hij vaag herkende, aarzelend naar hem toe lopen. Ze was rond de veertig. Kort rossig haar, een breed gezicht met een brede glimlach. Hoewel ze een andere kleur haar had, deed haar gezicht hem sterk aan zijn moeder denken. Vooral hier, zo dicht bij het huis waarin hij was opgegroeid.

Ze staarde hem aandachtig aan, fronsend. 'Je bent toch Magnus? Magnus Ragnarsson?' Ze sprak in het Engels.

'Sigurbjörg?' Het was een beetje een gok van de kant van Magnus. Sigurbjörg was zijn nicht aan zijn moederszijde van de familie. De zijde die hij liever had willen ontlopen in Reykjavík.

De glimlach werd breder. 'Dat klopt. Ik dácht al dat jij het was.'

'Hoe heb je mij herkend?'

'Ik zag je door de straat lopen. Heel even dacht ik dat je mijn vader was, alleen ben jij een stuk jonger en zit hij in Canada. Toen realiseerde ik me dat jij het moest zijn.'

'Dat is lang geleden, wat zal het zijn, vijftien jaar?'

'Zoiets. Toen je naar IJsland kwam na de dood van je vader.' Sigurbjörg moest Magnus' grimas hebben opgemerkt. 'Geen plezierige trip voor je, naar ik mij meen te herinneren.'

'Niet echt.'

'Het spijt me van opa. Hij gedroeg zich vreselijk.'

Magnus knikte. 'Ik ben sindsdien niet meer in IJsland geweest.'

'Tot nu toe?'

'Tot nu toe.'

'Laten we ergens koffie gaan drinken, dan kun je mij er alles over vertellen, hè?'

Ze liepen de heuvel af naar een trendy café in Laugavegur. Sigurbjörg bestelde een plak wortelcake voor bij haar koffie, en ze gingen zitten naast een ernstig uitziende man met een bril, die achter zijn laptop werkte.

'Dus je bent teruggekomen uit Canada?' begon Magnus. 'Je deed daar toch een vervolgopleiding?'

'Ja. Aan de McGill-universiteit. Eigenlijk was ik net klaar met mijn opleiding toen ik je ontmoette. Ik ben in IJsland gebleven. Afgestudeerd in rechten; ik ben hier partner bij een van de advocatenfirma's. Ik heb inmiddels ook een echtgenoot en drie kinderen.'

'Gefeliciteerd.'

'Pa en ma wonen nog in Toronto. Ze zijn nu natuurlijk met pensioen.'

Sigurbjörgs vader, Magnus' oom Vilhjálmur, was in de jaren zeventig geëmigreerd naar Canada en werkte als civiel ingenieur. Net als Magnus was Sigurbjörg geboren op IJsland, maar had ze het merendeel van haar jeugd doorgebracht in Noord-Amerika.

'En jij? Ik had geen idee dat je in IJsland was. Hoe lang ben je al hier?'

'Pas twee dagen,' antwoordde Magnus. 'Ik ben in Boston gebleven en politieagent geworden. Rechercheur, afdeling Moordzaken. Toen kreeg mijn baas een telefoontje dat de nationale politiecommissaris van IJsland iemand zocht om hen hier te komen helpen. Hij koos mij.'

'Koos? Wilde je niet komen?'

'Laten we zeggen dat ik gemengde gevoelens had.'

'Na je vorige bezoek?' Sigurbjörg knikte. 'Dat moet niet makkelijk zijn geweest. Vooral vlak nadat je vader was overleden.'

'Was het ook niet. Ik was twintig en had allebei mijn ouders verloren. Ik kon er niet goed mee omgaan. Ik dronk. Ik voelde me alleen. Na acht jaar had ik bijna mijn draai gevonden in de VS, en opeens voelde het weer als een vreemd land.'

'Ik weet wat je bedoelt,' zei Sigurbjörg. 'Ik ben opgegroeid in Canada, maar mijn familie is IJslands en ik woon hier. Soms denk ik dat ik mij nergens thuis ga voelen. Het is niet echt eerlijk, hè?'

Magnus wierp een snelle blik op Sigurbjörg. Ze luisterde. En ze was het enige lid van zijn familie dat enige sympathie had getoond tijdens die paar afschuwelijke dagen. Ze was degene met wie hij zich het meest verwant had gevoeld, misschien vanwege hun gedeelde ervaringen in Noord-Amerika, misschien gewoon omdat ze hem als normaal mens had behandeld.

Hij wilde er met haar over praten.

'Ik had een soort familie nodig, afgezien van alleen mijn broer Óli. Alle IJslanders hebben daar behoefte aan, dat weet je. Amerikanen hebben er misschien geen moeite mee om hun leven alleen door te brengen, maar dat gold niet voor mij. Ik had een paar jaar bij opa en oma gewoond, en ik ging ervan uit dat ze mij bij terugkomst zouden verwelkomen na wat er was gebeurd. Dat leek mij vanzelfsprekend. En toen wezen ze mij de deur. Erger dan dat, ze gaven mij het gevoel dat ík verantwoordelijk was voor mams dood.'

Magnus' gezicht verstrakte. 'Opa zei dat mijn vader de slechtste man was die hij ooit had gekend en dat hij blij was dat hij dood was. Dat riep weer alle pijn op van die laatste jaren voordat pa mij meenam naar Amerika. Ik was blij toen ik vertrok en zwoer nooit meer terug te komen.'

'En nu ben je hier,' zei Sigurbjörg. 'Bevalt het?'

'Ja,' zei Magnus. 'Ik geloof van wel.'

'Totdat je mij tegenkwam?'

Magnus glimlachte. 'Ik herinner me hoe je met mij meeleefde, ook al deed de rest van de familie het niet. Daar wil ik je voor bedanken. Maar doe mij een plezier. Vertel ze niet dat ik hier ben.'

'O, ze kunnen je nu niets meer maken. Opa is zowat vijfentachtig, en oma is niet veel jonger.'

'Ik betwijfel of ze milder zijn geworden op hun oude dag.'

Sigurbjörg glimlachte. 'Nee, dat is zo.'

'En wat ik mij ervan herinner, was de rest van de familie net zo vijandig.'

'Dat slijt wel,' zei Sigurbjörg. 'Het is lang geleden.'

'Ik snap niet waarom ze zo boos waren,' ging Magnus verder. 'Ik weet dat mijn vader mam heeft verlaten, maar ze maakte zijn leven tot een hel. Vergeet niet, ze was alcoholiste.'

'Dat is het 'm nu juist,' zei Sigurbjörg. 'Ze werd pas alcoholiste nadat ze had ontdekt dat hij een verhouding had. En daaruit is al het andere voortgekomen. Je vader vertrok. Zij verloor haar baan. En toen dat vreselijke auto-ongeluk. Opa geeft jouw vader de schuld van alles, en dat zal hij altijd blijven doen.'

Een luidruchtig groepje van twee mannen en een vrouw kwam naast hen zitten. Ze begonnen te praten over een tv-programma dat ze gisteravond hadden gezien.

Magnus negeerde hen. Er was een wezenloze uitdrukking op zijn gezicht verschenen.

'Wat? Wat is er, Magnus?'

Magnus gaf geen antwoord.

'O, mijn god, je wist het niet, is dat het? Niemand heeft het je verteld!'

'Welke verhouding?'

'Vergeet maar wat ik heb gezegd. Luister, ik moet gaan.' Ze maakte aanstalten om op te staan.

Magnus pakte haar hand vast. 'Welke verhouding?' De woede klonk door in zijn stem.

Sigurbjörg ging weer zitten en slikte. 'Je vader had een verhouding met je moeders beste vriendin. Ze kwam erachter, ze kregen slaande ruzie, ze begon te drinken.'

'Ik geloof je niet,' zei Magnus.

Sigurbjörg haalde haar schouders op.

'Weet je zeker dat het waar is?'

'Nee, dat weet ik niet,' gaf Sigubjörg toe. 'Maar ik vermoed van wel. Luister, ze moeten ook andere problemen hebben gehad. Ik vond je moeder altijd heel aardig, vooral in de tijd voordat ze begon te drinken, maar ze was altijd al een tikje neurotisch. Gezien haar ouders is dat niet echt verwonderlijk.'

'Het is dus waar,' zei Magnus. 'Je hebt gelijk, dat moet wel. Ik vind het alleen moeilijk om te geloven.'

'Hé, Magnus, het spijt me echt dat je dit van mij moest horen.' Sigurbjörg raakte zijn hand aan. 'Maar ik moet nu gaan. En ik beloof je dat ik opa en oma niet zal vertellen dat je hier bent.'

Met die woorden holde ze weg.

Magnus staarde naar zijn koffiekop, nog voor een kwart vol. Hij had iets sterkers nodig. Iets veel sterkers.

Het was niet ver lopen naar de bar waar hij de avond ervoor iets had gedronken, de Grand Rokk. Hij bestelde een Thule en een van de borrels die alle andere kerels aan de toog dronken. Het was een soort kummel, zoet en straf, maar goed te drinken als je het wegspoelde met het bier.

Sigurbjörg had zojuist zijn wereld op z'n kop gezet. Alles was zojuist gekanteld: zijn hele leven, wie hij was, wie zijn ouders waren, wie goed was en wie fout was. Zijn vader had zijn moeder nooit de schuld gegeven voor wat er was gebeurd, maar Magnus wel.

Zij had zijn vader weggejaagd. Zij had Magnus verwaarloosd door te gaan drinken en hem vervolgens in de steek gelaten door zich dood te rijden. Ragnar had zijn zonen op heldhaftige wijze gered, totdat hij bruut was vermoord, mogelijk door de gemene stiefmoeder.

Dat was het verhaal van Magnus' jeugd. Dat was wat hem had gemaakt tot wie hij was.

En nu bleek alles op onwaarheid te berusten.

Nog een biertje, nog een borrel.

Een moment lang, een kalmerend moment, speelde Magnus met het idee dat de verhouding een verzinsel was van zijn grootvader om zijn haat jegens Magnus' vader te rechtvaardigen. Een deel van hem wilde meegaan in die gedachte, proberen de rest van zijn leven te blijven ontkennen.

Maar gedurende zijn tijd bij de politie had Magnus genoeg gezinnen de vernieling in zien gaan om te weten dat wat Sigurbjörg hem had verteld maar al te plausibel was. En het zou de diepgewortelde haat van zijn grootvader verklaren.

Hij had aangenomen dat zijn vaders weigering om zijn moeder de schuld te geven voor de puinhoop die zij van hun levens had gemaakt, een edelmoedig gebaar was van zijn kant. Dat was het niet. Het was een erkenning dat hij deels verantwoordelijk was. Geheel verantwoordelijk?

Magnus wist het niet. Hij zou het nooit te weten komen. Een typisch geval van een familie die met elkaar overhoop lag. Met vingers die alle kanten op wezen.

Maar het betekende dat zijn vader een andere man was dan hij had gedacht. Niet edelmoedig. Een echtbreker. Iemand die zijn vrouw verliet toen zij op haar zwakst en haar kwetsbaarst was. Magnus had altijd al geweten dat als hij er echt goed over nadacht, hij zou hebben beseft dat zijn vader zijn affaire met Kathleen, de vrouw die zijn stiefmoeder werd, moest zijn begonnen terwijl zij nog met iemand anders getrouwd was. Dus had Magnus er nooit echt goed over nagedacht.

Toegegeven, IJslanders waren ruimdenkender dan de preutse Amerikanen ten aanzien van overspel, maar het bleef verkeerd. Iets waar mindere stervelingen zich misschien mee zouden inlaten, maar Ragnar niet.

Wat had hij nog meer gedaan? Welke andere gebreken had hij verborgen voor zijn zonen? Voor zijn vrouw?

Magnus' bierglas was nog halfvol, maar zijn borrelglaasje leeg. Hij trok de aandacht van de kaalgeschoren barman en tikte op het glaasje. Het werd weer gevuld.

Hij voelde het vocht in zijn keel branden. Zijn hersenen raakten aangenaam beneveld. Maar Magnus zou niet stoppen, nog lang niet. Hij zou blijven drinken tot het pijn deed.

Net zoals hij had gedronken op de universiteit, nadat zijn vader overleed. Hij dronk zich het leplazarus. En de volgende ochtend voelde hij zich altijd ellendig. Dat was voor hem de halve reden waarom hij dronk, het gevoel van zelfdestructie na afloop.

Hij had in die tijd het merendeel van zijn vrienden verloren, afgezien van een paar verstokte drinkers zoals hijzelf. Zijn professoren waren ontsteld; hij wist amper voldoendes te halen terwijl hij eerder tot hun beste studenten had behoord. Hij werd bijna van de universiteit gestuurd. Maar hoezeer hij het ook probeerde, hij slaagde er niet echt in om zijn leven totaal te verwoesten.

In tegenstelling tot zijn moeder, uiteraard. Zij was er zeer goed in geslaagd.

Hij werd er bovenop geholpen door een meisje, Erin. Haar geduld, haar vastberadenheid en haar liefde hadden hem niet doen beseffen dat hij zichzelf ruïneerde – dat wist hij al, want dat was immers de bedoeling – maar dat hij zichzelf niet wilde ruïneren.

Na de universiteit ging zij haar eigen weg, als lerares op scholen in de binnenstad van Chicago, en hij de zijne. Hij had veel aan haar te danken.

Maar nu wilde hij proosten op zijn moeder. Hij hief zijn bierglas. 'Op Margrét,' zei hij.

'Wie is Margrét?' vroeg een lange man, gekleed in een zwarte leren jas, op de kruk naast hem.

'Margrét is mijn moeder.'

'Da's mooi,' zei de man met dubbele tong. Hij hief zijn biertje. 'Op Margrét.' Hij zette zijn glas neer. Hij knikte naar het biertje voor Magnus. 'Slechte dag gehad?'

Magnus knikte. 'Kun je wel zeggen, ja.'

'Ze zeggen toch altijd dat drank niets oplost?' merkte de man op.

Magnus knikte.

'Da's lulkoek.' De man lachte en hief zijn glas.

Het viel Magnus voor de eerste keer op dat er schaakspellen ondersteboven aan het plafond waren geplakt. Hè? Zag er best gaaf uit.

Hij keek de bar rond. De klanten waren van alle leeftijden en afmetingen. Ze voerden gesprekken waarbij ze van de hak op de tak sprongen, onderbroken door uitbarstingen van gegrinnik en spottend gelach. Velen stonden wankel op hun benen, gebaarden in het wilde weg en klopten uitbundig op schouders. Aan het ene uiteinde van de bar zaten twee Amerikaanse meisjes op krukken, aan hun leeftijd te zien studentes. Ze maakten praatjes met een opeenvolging van babbelzieke IJslanders. Aan het andere uiteinde begon een dunne man met grijs haar, zichtbaar vanonder een platte pet, opeens een deuntje uit *Porgy and Bess* te zingen met een zoetgevooisde baritonstem. 'Summertime – and the livin' is ea-easy…'

Goede zangers, die IJslanders.

Nog een biertje. Nog een borrel. De woede vervloog. Hij begon zich te ontspannen. Hij raakte in gesprek met de mannen aan weerszijden. Met de Amerikaanse meisjes, opzettelijk pratend met een dik IJslands accent. Hij vond dat behoorlijk grappig. Eigenlijk vond hij zichzelf ook behoorlijk grappig. Hij speelde een potje schaak en verloor.

Nog een biertje. Nog een borrel. Twee borrels. Hoeveel borrels had hij nu al op? Hoeveel biertjes? Geen idee.

Uiteindelijk werd het tijd om naar huis te gaan. Magnus verhief zich van zijn kruk en nam emotioneel afscheid van zijn nieuwe maatjes. Het vertrek tolde in het rond. De kerel met de platte pet veranderde in twee kerels met een platte pet, voordat hij weer overging in één persoon.

Tjonge, wat was Magnus dronken. Zo dronken was hij al lange tijd niet meer geweest. Maar het gaf een goed gevoel.

Hij liep met grote stappen de bar uit en rechtte zijn rug in de koude avondlucht. Het was ver na middernacht. De hemel stond helder, sterren twinkelden als ijskristallen boven zijn hoofd. Een driekwart maan werd weerspiegeld in de baai beneden. Hij haalde diep adem.

Hij hield van Reykjavík. Het was een onschuldig klein stadje, en daar was hij blij om. Hij zou zijn best doen om het zo te houden.

Hij was trots om deel uit te maken van de Reykjavíkse politie.

Op straat viel er niemand te bekennen. In Reykjavík was het contrast tussen een zondag- en een zaterdagavond opvallend. Maar toen hij de heuvel op ging, richting huis, zag Magnus drie mannen bij elkaar staan in een steeg. Het tafereel kwam hem bekend voor.

Drugs.

Magnus fronste. Schorem in speelgoedstad.

Hij zou hen wel eens aanpakken. 'Hé!' riep hij, en hij liep af op de steeg. 'Hé! Wat zijn jullie aan het doen?'

De vent die de drugs verkocht was klein en donker, mogelijk zelfs geen IJslander. De koper was langer, pezig, en droeg een wollen muts. Hij had een vriend bij zich, een grote Scandinavische reus van een kerel met kort blond haar en een piepklein blond baardje. Hij was zelfs nog groter dan Magnus, en droeg op deze koude nacht een zwart T-shirt dat zijn opbollende biceps goed liet uitkomen.

'Waar bemoei je je mee?' reageerde de drugsdealer. Hij zei het in het Engels, want Magnus had in het Engels naar hem geroepen.

'Geef het aan mij,' zei Magnus, die zijn hand uitstak en heen en weer wiegde. 'Ik ben politieagent.'

'Sodeflikker op,' zei de dealer.

Magnus haalde naar hem uit. De kerel dook weg en raakte hem op de borst. Maar er zat geen kracht in de stomp en Magnus vloerde hem met een enkele kaakslag. De Scandinavische hulk greep Magnus en probeerde hem tegen de grond te werken, maar Magnus schudde hem van zich af. Een paar tellen won de adrenaline het van de alcohol en deelde Magnus twee rake klappen uit, voordat hij de grote kerel in de houdgreep nam. 'Je staat onder arrest!' riep hij, nog steeds in het Engels.

De dealer lag kreunend op de grond. De magere kerel met de wollen muts nam de benen.

'Blijf met je poten van me af,' gromde de hulk in het IJslands.

Hij draaide hen rond, stormde achteruit tegen de muur en plette Magnus. Magnus liet hem los. De grote kerel keerde zich om en raakte Magnus twee keer, een keer tegen het hoofd en een keer in de maag, maar Magnus ontweek de derde klap en gaf hem een uppercut.

De grote kerel wankelde. Na nog een vermorzelende vuistslag van Magnus ging hij onderuit.

Magnus keek naar de drugsdealer die overeind krabbelde. 'En jij staat ook onder arrest.'

Toen begon de steeg te wiebelen en rond te tollen. De stomp in zijn maag begon te werken, en Magnus hing voorover om te kokhalzen. Hij probeerde rechtop te staan, maar het lukte hem niet. Hij slingerde. Bleef moeizaam op de been.

De kleine kerel stond op het punt weg te rennen, toen hij zag in welke toestand Magnus verkeerde. Hij lachte en gaf hem een kopstoot in het gezicht.

Magnus viel neer. Hij lag een tijdlang op het koude asfalt. Seconden? Minuten? Hij wist het niet.

Hij hoorde sirenes. Goed. Hulp.

Hij werd hardhandig opgepakt. Hij probeerde het gezicht voor hem scherp te krijgen. Het was een agent in het uniform van de Reykjavíkse politie.

'Ze gingen die kant op,' zei Magnus in het Engels, onduidelijk gebarend.

'Je gaat met ons mee,' zei de agent, en hij trok Magnus naar de wachtende patrouillewagen met het flitsende zwaailicht.

'Ik ben politieagent,' wierp Magnus tegen. 'Luister, ik zal je mijn legitimatiebewijs laten zien.' Allemaal nog steeds in het Engels.

De agent wachtte terwijl Magnus zijn rijbewijs van Massachusetts uit zijn portefeuille haalde.

'Kom mee,' zei de agent.

Toen braakte Magnus over de schoenen van de agent.

16

Diego deed het licht aan. De twee naakte lichamen verstrengeld op het bed verstarden, zij het maar heel even.

Toen sprong de man van de vrouw af, draaide zich om en ging rechtop zitten. Alles in één atletische beweging. De vrouw opende haar mond om te gillen, maar bedacht zich toen ze het wapen zag.

Gelukkig konden ze geen van beiden weten dat er maar één kogel in de cilinder van de revolver zat.

Diego grinnikte.

Het was vrij komisch. Hij had plaatsgenomen in een leunstoel in de woonkamer, met getrokken revolver, uit het zicht van de deur. Hij had daar vrolijk heel de avond gewacht. Toen waren er twéé mensen binnengekomen.

Diego besloot te wachten. Hen te verrassen wanneer ze zich omdraaiden. Maar die kans kreeg hij niet eens!

De man had de vrouw meteen besprongen. En ze leek daar niet mee te zitten. Even had het erop geleken dat Diego getrakteerd zou worden op een privévoorstelling, daar op de vloer van de woonkamer, maar toen leidde de vrouw de kerel naar de slaapkamer. Zonder dat een van beiden hem had gezien!

Hij besloot te wachten totdat ze alle kleren hadden uitgetrokken die ze wilden gaan uittrekken. Naakt was goed, wat hem betrof. Toen glipte hij door de open deur van de slaapkamer, en keek een paar tellen naar het vrijende paartje in het flauwe schijnsel van de straatlantaarns buiten.

Nu knipperden ze allebei met hun ogen in de gloed van het elektrisch licht.

'Jij!' Diego wees met de revolver naar de man. 'In de badkamer! Nu!

En als ik één kik hoor uit dat scharminkelige lijf van je, kom ik naar binnen en pomp je vol lood.'

Meer aanmoediging had de man niet nodig. Hij ging onmiddellijk uit bed de badkamer in en sloot de deur.

Diego kwam op de vrouw af. Colby.

Fraai lichaam. Een beetje mager, maar mooie ferme tieten.

Ze zag waar hij naar keek. 'Doe wat je wilt,' zei ze. 'Doe het gewoon.'

'Hé, ik wil alleen een babbeltje maken,' zei Diego. 'Ik ga je niet aanraken, zolang je tegen me praat.'

Colby slikte, haar ogen wijd open.

Met een snelle beweging greep Diego haar met de ene hand bij het haar en duwde met de andere de revolver in haar mond. 'Waar is Magnus?'

'Wie?' De vrouw was nauwelijks te verstaan.

'Magnus Jonson. Je vriendje.' Hij glimlachte en keek even naar de badkamer. 'Of althans een van je vriendjes. Zo te zien ben jij het soort meisje dat meerdere mannen nodig heeft om aan je trekken te komen.'

'Ik... ik weet het niet.'

Diego haalde de trekker over. Klik.

Een gesmoorde snik van Colby.

Diego legde de regels uit van zijn versie van het Russische roulettespel. Hij genoot van dat onderdeel, genoot ervan de ogen van zijn slachtoffers te zien. Hun angst. Hun onzekerheid. Perfect.

'Oké. Ik vraag het je nog een keer. Waar is Magnus?'

'Ik weet het niet,' zei Colby. 'Ik zweer het. Hij zei dat hij ergens naartoe ging en mij niet kon vertellen waarheen.'

'Heb je geraden waar hij zit?'

Colby schudde haar hoofd.

Diego zag een momentje van zwakte. 'Je hebt het wel geraden, hè?'

'N-nee. Nee, echt niet.'

'Weet je wat het is, ik geloof je niet.'

Hij haalde opnieuw de trekker over.

Klik.

'O, god.' Colby zakte achterover, probeerde te snikken met de loop van een revolver in haar mond.

Diego was dol op dit spelletje. 'Je hebt het geraden. Oké. Dan ga ik het nu raden,' zei Diego. 'Zit hij in Massachusetts?'

Colby aarzelde en schudde toen met haar hoofd.

'Goed. Wel in het land?'

'Nee.'

'Hebben we het over Mexico?'

Ze schudde met haar hoofd.

'Canada?'

Ze schudde nogmaals met haar hoofd.

Diego vermaakte zich eigenlijk prima. 'Is het er warm of koud?'

Geen antwoord.

Hij haalde de trekker over.

Klik.

'Koud. Het is er koud.'

'Grote meid. Maar ik geef het nu op. Zo goed ben ik niet in aardrijkskunde. Waar is hij?'

Nog een klik. Het spelletje was strikt genomen niet eerlijk. Hoewel Colby niet wist in welke kamer de kogel zat, wist Diego dat het de laatste was. Zo speelde hij het spelletje graag. Het zou echt doodzonde zijn als hij haar door het hoofd schoot voordat hij het antwoord had gekregen dat hij wilde horen.

'Oké. Oké. Hij zit in Zweden. Ik weet niet waar in Zweden. Stockholm, vermoed ik. Het is Zweden.'

'Je bent gewoon een stijfkoppige IJslandse dronkenlap, hè?'

Magnus concentreerde zich met moeite op het rood aangelopen gezicht van de nationale politiecommissaris voor hem. Zijn mond was droog, zijn hoofd bonkte, zijn maag rommelde.

'Het spijt me, meneer.' Hij stond erop zijn superieur 'meneer' te noemen. De IJslandse etiquette kon de pot op.

'Doe je dit vaak? Is dit een wekelijkse uitlaatklep voor je? Of zét je soms elke dag de fles aan je mond? Ik heb hier niets over gelezen in je dossier. Je hebt van tijd tot tijd wat regels overtreden, maar je bent nooit dronken op je werk verschenen.'

'Nee, meneer. Het is al jaren geleden sinds ik zo dronken ben geworden.'

'Waarom nu dan wel?'

'Ik weet het niet,' zei Magnus. 'Ik kreeg slecht nieuws te horen. Nieuws in de privésfeer. Het zal niet weer gebeuren.'

'Dat is je geraden,' zei de commissaris. 'Ik heb je een belangrijke taak toebedacht, maar die taak vereist dat mijn agenten je respecteren. Je hebt jezelf binnen drie dagen volkomen belachelijk gemaakt.'

De nacht stond hem wazig voor de geest, maar Magnus kon zich het gelach herinneren. De agent achter de balie had gehoord over de nieuwe kanjer van een rechercheur uit Amerika, en had het hoogst vermakelijk gevonden dat die man nu in zijn dronkenmanscel zat. Net als de agenten die hem hadden gearresteerd. En de andere geüniformeerde agenten die hun dienst erop hadden zitten. En de ploeg die hen afloste.

Ze waren wel zo vriendelijk geweest hem terug te rijden naar zijn huis. Hij was bewusteloos geraakt in de auto, maar herinnerde zich vaag dat Katrín zijn kleren uittrok en hem in bed stopte.

Hij was een paar uur later wakker geworden, met een hoofd dat leek te exploderen, een volle blaas en een droge mond. Rond tien uur schuifelde hij terug het politiebureau in. De rest van de rechercheurs grijnsde en fluisterde onderling toen hij achter zijn bureau ging zitten. Nog geen minuut later had Baldur hem met een flauw glimlachje verteld dat de Grote Zalm hem wilde spreken.

'Het spijt me vreselijk dat ik u heb teleurgesteld, commissaris,' herhaalde Magnus. 'Ik waardeer absoluut wat u hier voor mij heeft gedaan, en ik weet zeker dat ik kan helpen.'

De commissaris bromde. 'Thorkell schijnt te denken dat je een goede start hebt gemaakt. Hoe vordert de zaak-Agnar Haraldsson? Ik hoorde over de ontdekking van de saga. Is hij echt?'

'Misschien, maar dat weten we nog niet zeker. Het ziet ernaar uit dat de Brit Steve Jubb hem wilde kopen van Agnar. Er deed zich een probleem voor, ze kregen ruzie, en Jubb vermoordde hem.'

'Jubb praat nog steeds niet?'

'Nog niet. Maar er is ook ene Lawrence Feldman die op internet zit onder de schuilnaam Isildur. Hij lijkt de deal te hebben gefinancierd. We weten waar hij woont. Als ik hem onder druk zet, weet ik zeker dat hij zal praten.'

'Waarom doe je dat dan niet?'

'Hij zit in Californië. Baldur wil er geen toestemming voor geven.'

De commissaris knikte. 'Kun je vandaag werken, of heb je een dag ziekteverlof nodig?'

Magnus vermoedde dat dit geen vriendelijk aanbod was van een bezorgde superieur. Zijn toewijding werd regelrecht in twijfel getrokken.

'Ik kan vandaag werken.'

'Goed. En stel me niet weer teleur. Anders stuur ik je linea recta terug naar Boston, want het kan mij niet schelen wie er achter je aan zit.'

Ingileif keek toe terwijl professor Moritz voorzichtig de envelop met de oude stukjes velijn buiten naar zijn auto bracht. Een vrouwelijke collega nam het grotere zeventiende-eeuwse boek mee. Enkele geüniformeerde agenten, en de jonge rechercheur die Árni heette, hingen rond om toezicht te houden.

Ze had verwacht opluchting te voelen. Ze voelde niets van dien aard. Ze werd overspoeld door een golf van schuldgevoel, dreigde erin te verdrinken.

Het geheim dat haar familie zo veel generaties lang had bewaard, honderden en honderden jaren, verdween door de deuropening. Het was een verbazingwekkende prestatie geweest om het zo lang zo stil te houden. Ze maakte zich een voorstelling van haar voorouders, alle vaders die met hun oudste zoon rond een turfvuurtje hadden gezeten in hun simpele boerderij met plaggendak, elkaar keer op keer de saga voorlezend tijdens de lange winteravonden. Het moest moeilijk zijn geweest om het bestaan ervan geheim te houden voor de rest van de familie, buren, aangetrouwde familieleden. Maar ze waren erin geslaagd. En ze hadden hun principes niet verloochend. Een boerenleven op IJsland was in de vorige drie eeuwen uitermate hachelijk. Zelfs toen ze onvoorstelbare armoede hadden geleden en verhongerden, hadden ze niet de gemakkelijkste weg gekozen. Ze hadden het geld harder nodig gehad dan zij.

Welk recht had zij om de saga nu te gelde te maken?

Haar broer, Pétur, had de waarheid gesproken toen hij bij haar had aangedrongen hem niet te verkopen. En hij haatte de saga nog meer dan zij.

Ze keek rond in de galerie. De tentoongestelde objecten – de vazen, de tassen van vissenhuid, de kandelaars, de lavalandschappen – waren werkelijk prachtig. Maar waren ze echt zo belangrijk?

De politie zei de saga nodig te hebben als bewijsmateriaal. Ze zouden het bestaan ervan stilhouden zolang het onderzoek liep. Maar uiteindelijk zou iedereen het te weten komen. Niet alleen IJslanders, maar de hele wereld. Tolkien-fans uit Amerika, Engeland en de rest van Europa zouden alles willen achterhalen over het document. Elk donker hoekje van het geheim zou fel worden belicht door de wereldwijde publiciteit.

Uiteindelijk zou ze waarschijnlijk toestemming krijgen om de saga te verkopen. Ze zou er in het openbaar, onder grote media-aandacht, ongetwijfeld een flinke prijs voor krijgen, vooropgesteld dat de IJslandse regering hem niet op een of andere manier wist te confisqueren. Als ze de galerie nog een paar maanden draaiende kon houden, zouden ze het misschien redden.

Tot Agnars dood was het openhouden van de galerie het belangrijkste in haar leven. Nu besefte ze hoezeer ze zich had vergist.

De galerie ging failliet omdat ze zakelijk een verkeerde beslissing had genomen. De *kreppa* maakte alles nog erger, maar ze had Nordidea nooit moeten vertrouwen. Het was haar schuld en zij had de consequenties ervan moeten aanvaarden.

Buiten stapten de professor en de politieagenten in hun auto's om vervolgens weg te rijden. Ingileif voelde zich gevangen in de piepkleine galerie. Ze pakte haar tas, deed het licht uit en sloot af. Wat maakte het uit als ze die ochtend een of twee klanten misliep?

Ze liep de heuvel af, haar geest in totale verwarring. Ze kwam al snel bij de baai, en wandelde over het fietspad dat langs de kust voerde. Ze ging oostwaarts, in de richting van het massieve steenblok van de Esja, de top bedekt met wolken. De wind die van over het water kwam, verkilde haar gezicht. De geluiden van het Reykjavíkse verkeer mengden zich met de kreten van zeemeeuwen. Een stel eenden peddelde in cirkeltjes op een paar meter van het rode vulkanische puimsteen dat diende als zeewering.

Ze voelde zich zo alleen. Haar moeder was een paar maanden eerder gestorven, en haar vader op haar twaalfde. Birna, haar zus, zou dat niet interesseren of begrijpen. Ze zou enkele momenten welwillend luisteren, maar ze was te egocentrisch, kon aan niets anders denken dan haar mooie woning en haar slechte huwelijk en haar flessen wodka. Ze had nooit interesse getoond in Gaukurs Saga, en na het overlijden van hun vader had ze net zo vijandig tegenover de familielegende gestaan als hun moeder. Ze had Ingileif verteld dat het haar geen barst kon schelen wat Ingileif ermee deed.

Ingileif wist dat ze met Pétur moest gaan praten, maar ze kon het niet opbrengen. Hij had de saga hartgrondig gehaat voor wat die zijn vader zou hebben aangedaan. Maar zelfs hij had gevonden dat het verkeerd zou zijn om hem te verkopen. Ze had hem verzekerd dat Agnar de verkoop zo kon regelen dat het geheim niet naar buiten kwam, en toen pas had Pétur schoorvoetend ingestemd. Hij zou nu wel kwaad op haar zijn, en terecht. Ze kon bij hem op weinig sympathie rekenen.

Hij moest over de moord op Agnar hebben gelezen in de krant, maar hij had nog geen contact met haar opgenomen. Godzijdank.

Best ironisch. Ze was vastbesloten geweest zich niet zo gek te laten maken door haar vaders dood als de andere leden van haar familie. Zij was degene met het gezonde verstand en de beide benen op de grond. Dat dacht ze althans.

En nu was die arme Aggi vermoord. Stom genoeg had ze getracht het bestaan van de saga te verbergen voor de politie. Dat plannetje had nooit enige kans van slagen gehad. En zelfs nu hield ze nog iets achter.

Ze keek omlaag naar haar tas. Net voordat de politie kwam om de saga mee te nemen, had ze de envelop erin gestopt. De ándere envelop.

Ze herinnerde zich de grote roodharige agent met het licht Amerikaanse accent. Hij probeerde de man te pakken te krijgen die Agnar had vermoord, en zij had informatie die hem zeker zou helpen. Het was veel te laat om nu nog te proberen het stil te houden, de politie zou er uiteindelijk toch achter komen. Het verraad was gepleegd, de fout was gemaakt, de gevolgen waren niet uitgebleven. Ze kon niets doen om de saga terug te krijgen in zijn kluis.

Ze stopte voor het Höfdi-huis, het elegante, withouten herenhuis waar Gorbatsjov een ontmoeting had gehad met Reagan toen zij zes jaar oud was.

Ze diepte het nummer van de rechercheur op uit haar tas, en toetste het op haar mobiele telefoon.

Colby stond buiten te wachten op de stoep toen de bank openging. Ze stapte regelrecht af op de kassier, de eerste in de rij, en nam twaalfduizend dollar in contanten op. Toen reed ze naar een buitensportwinkel en kocht kampeerspullen.

Toen de schoft met de revolver haar appartement had verlaten, was ze te bang geweest om te gillen. Aan Richard had ze ook niet veel gehad: hij was uit de badkamer gehold, mompelend dat zijn juridische carrière te belangrijk was om betrokken te raken bij criminelen, en dat ze eens moest overwegen andere vrienden te zoeken. Ze had versuft toegekeken toen hij worstelde om in zijn kleren te komen en haar achterliet. Hij vergat zijn jasje.

Jammer dan.

Ze was blij dat ze de schoft niets over IJsland had verteld. Het had niet veel gescheeld. Ze was zo bang geweest dat ze het bijna had verraden, maar om op het allerlaatste moment met Zweden te komen, was een briljante ingeving. Magnus had verteld dat hij vroeger 'Zweed' als bijnaam had, en dat was blijven hangen.

De schoft had haar geloofd. Daar was ze van overtuigd.

Ze hoopte dat het even zou duren voordat hij en zijn vrienden hun fout in de gaten kregen, maar ze bleef niet rondhangen. Ze zou al helemaal niet in de buurt komen van Magnus. Nu nam ze Magnus' waarschuwingen serieus. Ze zou geen enkel risico meer nemen met creditcards, of hotels, of vrienden. Niemand zou weten waar ze was.

Ze stond op het punt te verdwijnen.

Van de kampeerwinkel ging ze naar de supermarkt. Toen, met de kofferbak vol levensmiddelen, reed ze naar het westen. Ze was van plan om uiteindelijk naar het noorden te rijden, naar Maine of New Hampshire of waar dan ook, en geheel op te gaan in de wildernis. Maar eerst moest ze nog iets doen. Ze reed vanaf de hoofdweg de buitenwijk Wellesley in. Ze vond een internetcafé, kocht snel een kop koffie.

De eerste e-mail was gericht aan haar baas, waarin ze hem vertelde dat ze niet op haar werk zou verschijnen en niet kon uitleggen waarom, maar dat hij zich geen zorgen hoefde te maken. De tweede was voor haar moeder, met min of meer dezelfde inhoud. Ze kon het nooit verwoorden op een manier die haar moeder niet radeloos maakte, dus probeerde Colby het niet eens.

De derde was gericht aan Magnus.

17

Het was niet meer dan tien minuten lopen van het hoofdbureau van politie naar het Höfdi-huis, waar Ingileif had afgesproken met Magnus. Hij voelde zich al iets beter na de worst die hij op de terugweg van het kantoor van de commissaris had gehaald bij het eethuisje in het busstation, maar hij moest nog zijn uiterste best doen om zijn hoofd helder te krijgen.

Hij voelde zich zo stom. Zijn verontschuldiging aan de nationale politiecommissaris was oprecht geweest; hij waardeerde alles wat de man voor hem had gedaan, en Magnus had hem teleurgesteld. Zijn mederechercheurs leken eerst ontzag voor hem te hebben gehad; nu zouden ze hem alleen een lachertje vinden. Geen goed begin.

Hij was ook bang. Alcoholisme kwam vaak voor in families. Als er een gen voor bestond, vermoedde hij dat hij het had. Op de universiteit was hij door het oog van de naald gekropen. En toen hij hoorde over zijn vaders ontrouw was er diep vanbinnen iets in hem geknakt. Zelfs nu, met de gevolgen van zijn stommiteit nog naklinkend in zijn oren, wilde een deel van hem gewoon een omweg maken langs de Grand Rokk om een biertje te halen. En nog een. Uiteraard zou dat alles in het honderd laten lopen. Maar dat was ook de reden waarom hij het wilde.

En dat was gevaarlijk. Op een of andere manier moest hij wat Sigurbjörg hem had verteld terug in de kast stoppen.

Zich volledig storten op de zaak Agnar zou helpen. Hij vroeg zich af waarover Ingileif hem wilde spreken. Ze had nerveus geklonken aan de telefoon.

Hij vertrouwde haar niet. Hoe meer hij erover nadacht, hoe waarschijnlijker het hem leek dat de saga een door Agnar geschreven vervalsing was. Dat Ingileif met hem onder één hoedje had gespeeld, om het geheel authentieker te laten lijken. Ze hadden een heel hechte relatie gehad, mogelijk was die heel hecht gebleven, niettegenstaande de balletdansende studente literatuur.

Het Höfdi-huis stond helemaal alleen op een grasrijk plein tussen twee drukke wegen langs de kust. Een eenzame gestalte zat op een lage muur naast het gedrongen witte gebouw.

'Bedankt dat je bent gekomen,' zei Ingileif.

'Geen probleem,' zei Magnus. 'Daarom heb ik je mijn nummer gegeven.'

Magnus ging op het muurtje naast Ingileif zitten. Ze keken uit over de baai. Een stevige wind dreef kleine wolken voort aan de lichtblauwe hemel, hun schaduwen schoten over het fonkelende grijze water. In de verte kon Magnus net een glimp opvangen van de gletsjer van Snaefellsnes, een witte vlek drijvend boven de zee.

Ingileif was gespannen, zat kaarsrecht op de muur, de schouders naar achter, het voorhoofd gefronst, wat het sneetje bij haar wenkbrauw accentueerde. Ze zag eruit als zo veel andere meisjes in Reykjavík: slank, blond, met hoge jukbeenderen. Maar ze had iets over zich wat haar anders maakte, een vastberadenheid, een doelgerichtheid, een houding waaruit sprak dat ze, ondanks de twijfels en zorgen die haar duidelijk plaagden, wist wat ze wilde en zich door niets of niemand liet weerhouden. Dat sprak Magnus aan. Ze leek met zichzelf te overleggen of ze hem iets wel of niet zou vertellen.

Hij bleef zwijgend zitten. Wachtte. Hij zag dat er ook een klein litteken op haar linkerwang zat. Dat was hem niet eerder opgevallen.

Ten slotte sprak ze. Iemand moest de stilte verbreken. 'Je weet toch dat dit een spookhuis is?'

'Het Höfdi-huis?' Magnus keek over zijn schouder naar het elegante witte gebouw.

'Ja. Er spookt een jong meisje rond dat zichzelf vergiftigde nadat ze was veroordeeld voor incest met haar broer. Ze joeg de mensen die hier vroeger woonden de stuipen op het lijf.'

'IJslanders moeten eens leren niet zo bang te zijn voor spoken,' merkte Magnus op.

'Niet alleen IJslanders. Dit was vroeger het Brits consulaat. De consul was zo bang dat hij erop stond dat het Britse ministerie van Buitenlandse Zaken hem toestemming gaf het consulaat op een ander adres onder te brengen. Blijkbaar blijft ze de lampen aan- en uitdoen.' Ingileif zuchtte. 'Ik heb echt medelijden met haar.'

Magnus dacht een trilling in haar stem te horen. Vreemd. De meeste spoken hadden het tijdens hun leven niet gemakkelijk gehad, maar toch. 'Wilde je mij daarover spreken?' vroeg hij. 'Je wilt dat ik een kijkje ga nemen? Zo te zien zijn alle lampen momenteel uit.'

'O, nee,' reageerde ze, met een zwak glimlachje. 'Ik wilde alleen weten hoe het met het onderzoek gaat.'

'We maken vorderingen,' zei Magnus. 'We moeten Steve Jubbs handlanger opsporen. En we hebben nog niet geverifieerd of de saga echt is.'

'O, hij is wel degelijk echt.'

'Is dat zo?' zei Magnus. 'Of is het één grote zwendel bedacht door Agnar? Is hij daarom vermoord? Steve Jubb kwam erachter dat hij voor de gek werd gehouden?'

Ingileif lachte. De spanning leek uit haar lichaam te vloeien. Magnus wachtte tot ze was uitgelachen.

'Nou?' drong hij aan.

'Ik zou graag willen dat je gelijk had,' zei Ingileif. 'En ik kan wel begrijpen waarom je dat misschien denkt. Maar uiteraard weet ik dat hij echt is. De saga heeft mijn hele leven overschaduwd, en generaties lang dat van al mijn familieleden.'

'Dat zeg jij.'

'Geloof je me niet?'

'Niet echt,' zei Magnus. 'Je hebt geen geweldige staat van dienst als het aankomt op het vertellen van de waarheid.'

De glimlach verdween. Ingileif slaakte een zucht. 'Nee, dat is zo, hè? En ik snap hoe je vanuit jouw positie de mogelijkheid moet overwegen dat het om een vervalsing gaat. Maar als jullie labjongens klaar zijn met hun tests, koolstof-14 of wat dan ook, zullen ze je vertellen hoe oud het velijn is. En de zeventiende-eeuwse kopie.'

'Misschien,' zei Magnus.

Ingileifs grijze ogen keken recht in de zijne. Magnus voelde zich een momentje ongemakkelijk, maar hij hield haar blik vast. 'Ik wil je iets laten zien,' zei ze.

Ze rommelde in haar tas en haalde er een vergeelde envelop uit.

Ze gaf hem aan Magnus. Een Britse postzegel, dezelfde koning als vorige keer, en hetzelfde handschrift.

'Dit is waarom ik je heb gevraagd te komen. Ik had hem gisteren aan je moeten laten zien, maar dat heb ik niet gedaan.'

Magnus opende de envelop. Er zat een velletje postpapier in.

Merton College
Oxford

12 oktober 1948

Beste Ísildsson,

Bedankt voor je uitzonderlijke brief. Wat een ongelofelijk verhaal! Het deel dat mij het meest verbaasde, was de inscriptie 'De Ring van Andvari' in runen. Je weet het nooit met de IJslandse saga's. Ze zijn zo realistisch, maar onder geleerden is het gebruikelijk om ze af te doen als fictie. En ziehier, de ring zelf, minstens duizend jaar oud, die voorkomt in Gaukurs Saga! Na de ontdekking dat Gaukurs boerderij ligt bedolven onder al die as, heeft de saga een hoger waarheidsgehalte dan ik oorspronkelijk had verondersteld.

Ik zou graag de kans hebben gekregen om de ring te zien, vast te houden, aan te raken. Maar ik denk dat je er absoluut goed aan hebt gedaan om hem terug te brengen naar zijn geheime schuilplaats. Het is of dat, of hem zelf naar de mond van de Hekla brengen en erin gooien! Het zou volkomen misplaatst zijn om de kwade magie van de ring te gaan onderwerpen aan wetenschappelijk archeologisch onderzoek. En wees maar niet bang, ik zal niemand vertellen over je ontdekking.

Ik heb *The Lord of the Rings* eindelijk voltooid, na tien jaar hard werken. Het is een enorm omvangrijk werk geworden dat vermoedelijk minstens twaalfhonderd bladzijden zal beslaan, en ik ben er heel trots op. De publicatie gaat lastig worden in deze moeilijke tijden waarin het papier zo schaars is, maar mijn uitgevers blijven enthousiast. Als het uiteindelijk wordt gepubliceerd, wat ik toch hoop, zal ik je zeker een exemplaar sturen.

Met de beste wensen
en vriendelijke groeten,
J.R.R. Tolkien

'Hierin staat dat je grootvader de ring heeft gevonden,' zei Magnus.
Ingileif knikte. 'Ja.'
Magnus schudde zijn hoofd. 'Dat is ongelofelijk.'
Ingileif zuchtte. 'Nee, dat is het niet. Het verklaart alles.'
'Verklaart wat precies?'
'Mijn vaders obsessie. Hoe hij is gestorven.'
'Hoe bedoel je?'
Ingileif staarde naar de zee. Magnus bestudeerde aandachtig haar gezicht terwijl ze worstelde met haar emoties. Toen wendde ze zich tot Magnus, met tranen opwellend in haar ooghoeken. 'Ik had je toch verteld dat mijn vader overleed rond mijn twaalfde?'
'Ja.'
'Hij was op zoek naar de ring. Ik vond het altijd absurd dat een geleerd iemand zo overtuigd kon zijn dat de ring nog bestond. Maar hij wíst het uiteraard. Zijn eigen vader moet het hem hebben verteld.'
'Maar niet waar de ring exact verborgen lag?'
'Precies. Na het overlijden van mijn grootvader begon pa meteen op zoek te gaan naar de ring. Ik vermoed dat opa hem had verboden ernaar te zoeken. Mijn vader zwierf vaak dagenlang in weer en wind door het gebied rond het Thjórsádal. En op een dag kwam hij niet meer terug.'
Ingileif beet op haar lip.
'Wanneer heb je deze brief gevonden?' vroeg Magnus.
'Heel recentelijk. Nadat ik Agnar had benaderd. Hij had al de eerste brief van Tolkien, de brief uit 1938, die ik je gisteren heb laten zien. Maar hij vroeg of ik nog meer bewijs kon vinden, dus ging ik terug naar Flúdir en doorzocht de papieren van mijn vader. Er lag een bundeltje met brieven van Tolkien aan mijn opa, en deze zat erbij.'
'Heb je het aan Agnar verteld?'
'Ja.'

'Die was vast door het dolle heen.'

'Hij reed direct naar Flúdir om mij te zien. En de brief.'

Magnus haalde zijn notitieboekje tevoorschijn. 'Op welke dag was dat?'

'Vorige week zondag.' Ze rekende snel uit het hoofd. 'De negentiende.'

'Vier dagen voordat hij werd vermoord,' zei Magnus. Hij herinnerde zich Agnars e-mail aan Steve Jubb, waarin Agnar vertelde iets anders te hebben gevonden. En Jubbs sms'je aan Isildur waaruit min of meer hetzelfde bleek. Iets waardevols. Kon het de ring zijn geweest?

'Heb je enig idee waar de ring is?'

Ingileif schudde haar hoofd. 'Nee. In de saga staat wel dat de ring verborgen ligt onder de kop van een hond. Er zijn allerlei vreemd gevormde lavarotsen waarin je honden zou kunnen herkennen wanneer je er vanuit een bepaalde hoek naar kijkt. Daar was mijn vader naar op zoek. Waarschijnlijk heeft mijn grootvader de grot gevonden, en mijn vader niet.'

'En Agnar? Had hij enig idee waar de ring kon zijn?'

Ingileif schudde haar hoofd. 'Nee. Hij vroeg het natuurlijk aan mij. Hij drong er heel agressief op aan. Ik heb hem er min of meer uitgegooid.'

'Dus voor zover jij weet, ligt de ring nog ergens verborgen in een kleine grot?'

'Ik denk het,' zei Ingileif. 'Je gelooft me nog steeds niet, hè?'

Magnus bestudeerde het rechte, zorgvuldige handschrift. Het zag er echt uit. Maar als een nauwkeurig vervalser dit had geschreven, zou het uiteraard ook echt lijken. Hij keek op naar Ingileif. Ze leek de waarheid te vertellen, in tegenstelling tot zijn twee eerdere gesprekken met haar, toen ze glashard had gelogen. Ze kon haar eerdere ongemakkelijkheid natuurlijk hebben gespeeld om hem de indruk te geven dat ze ditmaal de waarheid sprak, maar ze zou een volleerd actrice moeten zijn om dat voor elkaar te krijgen. En heel sluw.

Kon hij geloven dat de ring uit Gaukurs Saga werkelijk bewaard was gebleven?

Het was een verleidelijke gedachte. Er werd onder geleerden veel gediscussieerd over hoe historisch accuraat de IJslandse saga's eigenlijk waren. De meeste mensen en veel van de gebeurtenissen die erin stonden vermeld, hadden echt bestaan dan wel plaatsgevonden, maar er kwamen ook passages in voor die duidelijk pure verzinsels waren. Telkens wanneer Magnus de saga's las, wisten de zakelijke stijl en de realistische personages zijn ongeloof op te schorten, totdat hij het gevoel kreeg dat hij het middeleeuwse IJsland bijna kon aanraken.

De rechercheur in hem weerstond de verleiding. Om te beginnen kon Magnus er niet eens zeker van zijn dat de saga echt was. En zelfs als dat zo was, kon de ring zijn verzonnen. En zelfs als er een gouden ring had bestaan, zou die nu waarschijnlijk begraven liggen onder tonnen as, of al lang geleden zijn gevonden en verkocht door een arme herder. Het hele verhaal klonk onwaarschijnlijk. Hoogstonwaarschijnlijk. Maar speculeren had geen zin. Het deed er niet echt toe wat Magnus dacht: wat er wel toe deed, was wat Agnar geloofde, en Steve Jubb en Isildur.

Want als een ware *The Lord of the Rings*-fanaticus dacht dat hij een kans maakte om de ring, de Ene Ring, in handen te krijgen, zou hij er mogelijk een moord voor willen plegen.

'Ik weet niet wat ik ervan moet denken,' zei Magnus. 'Maar bedankt dat je het mij hebt verteld. Uiteindelijk.'

Ingileif haalde haar schouders op.

'Het was uiteraard beter geweest als je dit van te voren had verteld.'

Ingileif zuchtte. 'Het was beter geweest als ik die vervloekte saga helemaal niet uit mijn kluis had gehaald.'

18

De kantine zat bijna vol. Agent Pattie Lenahan keek in het rond om te zien of ze een bekende kon ontdekken. Achterin zag ze Shannon Kraychyk van de verkeerspolitie alleen aan een tafeltje zitten, naast een stel civiele medewerkers, de nerds van de computerafdeling. Ze liep erheen met haar dienblad.

'Hoe is het ermee, Shannon?'

'Alles goed. Afgezien van mijn stomme brigadier die mij het leven zuur maakt omdat we achterlopen met ons quotum bekeuringen voor deze maand. Alsof ik daar iets aan kan veranderen! Wat kan ik eraan doen als de inwoners van Boston opeens massaal besluiten zich keurig aan de maximumsnelheid te houden?'

Pattie en Shannon bleven vrolijk een tijdje mopperen, totdat Shannon zich verontschuldigde en Pattie alleen liet met de rest van haar Chef's salade.

De computerfreaks zaten te praten over een zaak van vorig jaar. Pattie herinnerde het zich. De ontvoering van een vrouw in Brookline door haar buurman; het nieuws had een paar weken de kranten en de roddels op het bureau beheerst.

'Ik heb Jonson hier al een poosje niet meer gezien,' zei een van hen.

'Wist je dat dan niet? Ze hebben hem laten verdwijnen. Hij is getuige in de zaak Lenahan.'

'Je bedoelt een getuigenbeschermingsprogramma?'

'Ik denk het.'

'Ik heb eergisteren nog van 'm gehoord.' Pattie wierp een vluchtige blik op de spreker. Een Chinese jongen, niet zo groot, die heel snel praatte. 'Ik kreeg een e-mail van 'm, zomaar uit het niets. Hij vroeg of ik een e-mailheader voor 'm kon natrekken, net als in de zaak Brookline.'

'Is het je gelukt?'

'Ja. Dit was lang zo moeilijk niet. Een of andere kerel in Californië. Hij had niet echt geprobeerd om het IP-adres te verbergen.'

Het gesprek ging over op andere onderwerpen en Pattie at haar salade op. Ze haalde een kop koffie en nam die mee naar de politiekamer.

De arrestatie van oom Sean had tot grote beroering geleid in haar familie. Niet zo verwonderlijk, want iedereen in haar familie zat bij de politie, al drie generaties lang, en geen ervan was een slechte agent, vooral oom Sean niet. Dat was het probleem met het departement, alles hing aan elkaar van regels en voorschriften, agenten die loerden op agenten. Agenten zoals Magnus Jonson.

Pattie wist niet helemaal zeker of ze het eens was met de heersende opvatting binnen de familie. Het scheen haar toe dat oom Sean iets vrij ernstigs ten laste was gelegd. En ze had hem nooit echt vertrouwd: hij was haar een beetje te gladjes, te onbetrouwbaar. Ze wist niet wie Magnus Jonson was; maar ze wist wel dat je nooit een andere agent verlinkte. Nooit.

Moest ze haar vader vertellen wat ze had gehoord? Hij was tenminste recht door zee. Hij zou wel weten wat te doen, of iemand anders het moest weten.

En bovendien, als ze het hem niet vertelde en hij er ooit achter kwam, zou hij haar levend villen.

Ze kon het hem maar beter vertellen.

De herrie was vreselijk. Magnus en Árni zaten achter in een lang, laag vertrek, diep onder de grond, en luisterden naar een groepje kansloze tieners die zich Shrink Wrapped noemden. Ze speelden een bizarre mix van reggae en rap, waar ze hun eigen IJslandse draai aan gaven. Origineel misschien, maar het was pijnlijk om te horen. Vooral in combinatie met Magnus' aanhoudende kater. Hij had gedacht dat een hapje eten en frisse lucht zijn hoofdpijn hadden verdreven, maar nu kreeg hij nog meer koppijn.

Magnus was plichtsgetrouw teruggekeerd naar het bureau om Baldur bij te praten over zijn gesprek met Ingileif. Net als Magnus betwijfelde Baldur of Ísildurs ring echt bestond, maar hij snapte dat alleen al de mogelijkheid dat de ring bestond tot grote opwinding zou hebben geleid bij Steve Jubb en de hedendaagse Isildur, alsook bij Agnar.

Baldur had een van zijn rechercheurs naar Yorkshire gestuurd om Steve Jubbs huis en computer te doorzoeken, maar ze hadden moeite om een bevel tot huiszoeking te krijgen van de Britse autoriteiten. Uit het niets was er een kei van een strafadvocaat uit Londen opgedoken om allerlei bezwaren op te werpen.

Nog een aanwijzing dat er in deze zaak iemand met een hoop geld ergens achter de schermen zat.

'Is dit jouw soort muziek, Árni?' vroeg Magnus.

Árni keek hem minachtend aan. Magnus voelde zich opgelucht. De jongen gaf in elk geval blijk van enige smaak. Hij wist zelf heel weinig over IJslandse bands, maar had onlangs een voorliefde opgevat voor het etherische geluid van Sigur Rós. Wat in niets leek op dit zootje ongeregeld.

De band stopte. Stilte, verrukkelijke stilte.

Pétur Ásgrímsson stond op van zijn stoel in het midden van de vloer en deed een paar stappen in de richting van de band. 'Bedankt, maar nee, dank je,' zei hij.

Er werd luidkeels geprotesteerd door de vijf blonde tienersterren van de rap-'n-reggaeband. 'Kom volgend jaar nog maar eens terug, als jullie de puntjes meer op de i hebben gezet,' zei hij. 'En ontsla de drummer.'

Hij wendde zich tot zijn bezoekers en trok een van de stoelen uit de rij achter in het vertrek. Pétur Ásgrímsson was een lange, imposante figuur, met een tenger lichaam maar brede schouders, en dezelfde hoge jukbeenderen als Ingileif. Zijn schedel, gladgeschoren, bolde op boven zijn lange smalle gezicht. Zijn grijze ogen stonden hard en intelligent, maakten een snelle inschatting van de twee politieagenten.

'Jullie zijn zeker gekomen om over Agnar Haraldsson te praten?'

'Verrast je dat?' vroeg Magnus.

'Ik had jullie hier eerder verwacht.'

Er klonk iets verwijtends door in de opmerking, een beschuldiging dat ze een beetje traag van begrip waren.

'We zouden ook eerder zijn gekomen als je zus ons meteen het volledige verhaal had verteld. Of als je zelf contact met ons had opgenomen.'

Pétur trok zijn blonde wenkbrauwen op. 'Om wat te zeggen?'

'Je wist toch dat Ingileif Gaukurs Saga wilde verkopen via Agnar?'
Pétur knikte. 'Zeer tegen mijn zin in.'

'Heb je hem ooit ontmoet?'

'Nee. Althans niet recentelijk. Volgens mij ben ik hem een paar keer tegen het lijf gelopen toen Ingileif studeerde. Maar sindsdien niet meer. Ik had heel duidelijk gemaakt dat ik niets van doen wilde hebben met de onderhandelingen over de saga.'

'Maar je wilde wel je deel van de opbrengst?' vroeg Árni.

'Ja,' zei Pétur simpelweg. Hij keek rond in zijn nachtclub. 'Het zijn zware tijden. De banken gaan moeilijk doen. Net als iedereen heb ik te veel geleend.'

'Is dit je enige club?' Ze zaten in de catacomben van Neon, in de Austurstraeti, een korte winkelstraat in het centrum van de stad.

'Nee,' antwoordde Pétur. 'Dit is mijn derde. Ik ben begonnen met Theme in Laugavegur.'

'Sorry, die ken ik niet,' zei Magnus. 'Ik ben lange tijd niet in IJsland geweest.'

'Ik dacht al aan je accent te horen dat je uit Amerika komt,' zei Pétur. 'Het was een paar jaar terug de populairste uitgaansplek in Reykjavík. Ik had in Londen een paar jaar aan de rand van de muziekscene gezeten, om het vak te leren zou je kunnen zeggen, maar toen Reykjavík uitgroeide tot het Ibiza van het noorden leek het mij beter om terug te keren naar IJsland. Theme was maar een klein cafeetje. Ik wist er een dansvloer in te stouwen en had mazzel. Het werd dé uitgaansplek, en omdat het zo klein was, moest iedereen buiten in de rij staan. Niemand is gelukkiger dan een zeventienjarig IJslands meisje in een kort truitje dat om drie uur 's nachts buiten in de sneeuw voor een club staat te rillen.'

'Wat is ermee gebeurd?' vroeg Magnus.

'Theme draait nog steeds, maar is veel minder populair dan vroeger. Ik zag dat aankomen, dus opende ik Soho, en nu Neon.' Pétur glimlachte. 'Deze stad is wispelturig. Je moet iedereen een stap voor blijven, anders word je onder de voet gelopen.'

Pétur straalde zelfvertrouwen uit. Híj zou zich niet onder de voet laten lopen.

'Heb je Gaukurs Saga gelezen?' vroeg Magnus.

'Gelezen? Ik ken hem zowat uit mijn hoofd. Vroeger wel tenminste.'

'Je zus zei dat de saga je niet interesseert.'

Pétur glimlachte. 'Dat is nu zeker waar. Maar niet als kind. Mijn vader en grootvader waren erdoor geobsedeerd, en die obsessie hebben ze op mij overgedragen. Hebben jullie hem gelezen?'

Magnus en Árni knikte.

'Ik was dol op mijn grootvader, en ik hield van de verhalen over Ísildur en Gaukur en Ásgrímur die hij voorlas toen ik klein was. Ik werd voorbereid op mijn taak als hoeder van de saga, begrijp je, de bewaarder van het geheim. En ik was niet alleen geïnteresseerd in de saga over Gaukur, ook in alle andere.'

'Wist je dat je grootvader de ring heeft gevonden? vroeg Magnus.

Pétur fronste. 'Heeft mijn zus je dat verteld? Ik wist niet eens dat zij het wist.'

Magnus knikte. 'Ze heeft een brief gevonden van Tolkien aan je grootvader Högni, waarin staat dat Högni de ring had gevonden.'

'En teruggelegd,' zei Pétur. 'Hij heeft hem weer teruggelegd.'

'Ja, dat stond ook in de brief.' Magnus bestudeerde Pétur. Het noemen van de ring had hem duidelijk verontrust. 'Hoe komt het dat de saga je niet langer interesseert?'

Pétur haalde diep adem. 'Mijn vader en ik kregen er ruzie over, of beter gezegd over de ring, net voordat hij overleed. Weet je, mijn grootvader vertrouwde mijn vader niet nadat die Gaukurs Saga aan de hele familie had voorgelezen. Dat had hij niet mogen doen, hij hoorde hem alleen aan mij te vertellen, de oudste zoon.'

Er klonk iets van verbittering door in Péturs stem. 'Dus besloot mijn grootvader een paar maanden voor zijn dood mij te vertellen over het bestaan van de ring. Hij drukte mij op het hart hoe belangrijk het was om de ring niet te verstoren. Hij joeg me de stuipen op het lijf. Hij wist mij ervan te overtuigen dat er een vreselijk kwaad zou worden losgelaten op de hele wereld als ik, of mijn vader, de ring zou vinden en hem uit zijn schuilplaats weghaalde.'

'Welk kwaad?' vroeg Magnus.

'Weet ik niet. Hij was er niet specifiek over. In mijn verbeelding ging het om een soort kernoorlog. Ik had net *De laatste oever* van Nevil Shute gelezen – je weet wel, dat verhaal over overlevenden van een atoomoorlog in Australië – en dat beangstigde mij enorm. Maar de dag nadat mijn grootvader stierf, ging mijn vader op expeditie naar Thjórsárdalur om de ring te zoeken. Ik was woest. Ik zei dat hij niet moest gaan, maar hij wilde niet luisteren.'

'Je bent niet met hem meegegaan?'

'Nee. Ik zat op de middelbare school in Reykjavík. Maar ik zou in geen geval zijn meegegaan. Mijn vader was goed bevriend met de lokale pastoor. Zodra mijn grootvader overleed, vertelde mijn vader hem alles over Gaukurs Saga en de ring. Dat was nog iets waar ik mij aan stoorde, dat hij het geheim onthulde aan iemand buiten de familie. De pastoor was een kenner van volkslegenden, en met z'n tweeën bespraken ze waar de ring kon liggen. Dus gingen ze samen op expeditie.

'Mijn moeder wilde ook niet dat ze gingen. Ze vond het heel vreemd, al dat gedoe over Ísildur en Gaukur en een magische ring. Ik denk eerlijk gezegd dat mijn vader haar er pas over heeft verteld nadat ze waren getrouwd. Toen het te laat was.'

Hij glimlachte. 'Ze hebben de ring natuurlijk nooit gevonden.'

'Geloof je dat hij bestaat?' vroeg Árni, zijn ogen opengesperd.

'Toen wel,' zei Pétur. 'Nu ben ik er niet meer zo zeker van.' Er sloop iets van woede in zijn stem. 'Ik denk nu helemaal niet meer aan de ring of die vervloekte saga. Mijn stomme vader trok de heuvels in toen er een sneeuwstorm was voorspeld en tuimelde over de rotsen. Dat kwam door Gaukur en zijn ring. De ring hoefde niet eens te bestaan om hem de dood in te jagen.'

'En je zus, Ingileif?' vroeg Magnus. 'Was zij bij dit alles betrokken?'

'Nee,' zei Pétur. 'Ze wist natuurlijk van de saga, maar niet van de ring.'

'Zie je haar vaak?'

'Af en toe. Na de dood van mijn vader zijn de familie en ik uit elkaar gedreven. Of beter gezegd, ik ben weggevlucht. Ik kon er niet meer tegen. Al die onzin over de ring; in mijn ogen had dat hem het leven gekost. En ik vond dat ik hem ervan had moeten weerhouden om de ring te zoeken, zoals mijn grootvader mij had opgedragen. Ik kon uiteraard niets doen, ik was nog maar vijftien, maar op die leeftijd denk je soms meer te kunnen dan in werkelijkheid mogelijk is.

'Ik stopte met school, ging naar Londen. Toen ik weer terugkwam, ging ik af en toe langs bij Ingileif. Ze was boos op me; ze vond dat ik onze moeder in de steek had gelaten.' Pétur vertrok zijn gezicht. 'Ergens had ze daar ook gelijk in.'

'Weet je of ze nog steeds een relatie had met Agnar?'

'Dat betwijfel ik ten zeerste,' zei Pétur. 'Maar hij was de meest voor de hand liggende persoon die ze kon benaderen toen ze de saga wilde verkopen.' Hij kneep zijn ogen samen. 'Je verdenkt haar er toch niet van hem te hebben vermoord?'

Magnus haalde zijn schouders op. 'We sluiten niets uit. Ze was niet helemaal eerlijk tegenover ons toen we haar de eerste keer spraken.'

'Ze probeerde alleen haar fout te verbergen. Ze had nooit moeten proberen de saga te verkopen, en dat weet ze. Maar Ingileif is goud-eerlijk. Het is ondenkbaar dat zij iemand zou hebben vermoord; daar is ze niet toe in staat. Eigenlijk ben ik enorm op haar gesteld, altijd al geweest. Ze zou hemel en aarde bewegen voor haar vrienden of haar familie. Van ons drieën was zij degene die uiteindelijk voor moeder heeft gezorgd, toen ze stierf aan kanker. Je weet dat de galerie in de problemen zit?'

Magnus knikte.

'Daarom had ze het geld voor de saga nodig. Om haar partners uit te betalen. Ze geeft zichzelf de schuld. Ik heb gezegd dat ze zich er niet te veel zorgen over moest maken; het is zakelijk. Als een onderneming faalt, hou je ermee op, krabbel je overeind, en ga je verder met iets nieuws. Maar zij denkt daar anders over. In IJsland gaat tegenwoordig iedereen failliet.'

De deur van de club ging open en nog eens drie muzikanten kwa-men binnen, zeulend met grote koffers vol muziekinstrumenten en elektronische apparatuur. Dit groepje was een tikje ouder, een tikje meer behaard.

'Ik kom zo bij jullie,' riep Pétur tegen hen. Toen wendde hij zich weer tot Magnus en Árni. 'Ingileif heeft geen makkelijk leven gehad. Eerst haar vader, toen haar stiefvader, toen haar moeder, en nu raakt ze ook nog haar zaak kwijt.'

'Stiefvader?' vroeg Magnus.

'Ja. Ma is hertrouwd. Een dronken klootzak met de naam Sigur-steinn. Ik heb hem nooit ontmoet, het gebeurde allemaal toen ik in Londen zat.'

'Zijn ze gescheiden?'

'Nee, hij raakte bezopen in Reykjavík, viel van de havenmuur en kwam daarbij om het leven. Van wat ik heb gehoord, was dat voor ie-dereen het beste. Maar ma is het nooit te boven gekomen.'

Magnus knikte. 'Zoals je zegt, het heeft Ingileif niet meegezeten. En jou ook niet.'

Pétur schokschouderde. 'Ik ben alles ontvlucht. Ingileif bleef om te doen wat ze kon. Dat deed ze altijd.'

'En je andere zus? Birna?'

Pétur schudde zijn hoofd. 'Ze is behoorlijk in de war.'

'Bedankt, Pétur,' zei Magnus, die opstond. 'Nog één vraagje. Wat deed je op de avond dat Agnar stierf?'

Eerst leek Pétur verrast te zijn door de vraag, maar toen verscheen er een glimlach. 'Die vraag hoor je zeker altijd te stellen?'

Magnus wachtte.

'Op welke dag was dat?'

'Donderdag, de drieëntwintigste. De eerste dag van de zomer.'

'Het was die avond druk in de clubs. Ik ben heel de avond van de ene naar de andere gegaan. Als jullie mij nu willen excuseren, ik moet nog wat muziek beluisteren. Ik hoop alleen maar dat deze jongens beter zijn dan het vorige stelletje.'

19

Árni reed Magnus naar het huis van Birna Ásgrímsdóttir in Gardabaer, een buitenwijk van Reykjavík.

Magnus' hoofdpijn werd erger. 'Trek Péturs alibi na, Árni,' zei Magnus.

'Is hij een verdachte?' vroeg Árni verbaasd.

'Iedereen is een verdachte,' reageerde Magnus.

'Ik dacht dat je er zeker van was dat Steve Jubb Agnar heeft vermoord.'

'Doe het nou maar!' gromde Magnus.

Ze reden door de grauwe buitenwijken. 'Overigens, ik heb nog een berichtje ontvangen van de Australische Elfenexpert,' zei Árni. 'Hij heeft ontdekt wat *kallisarvoinen* betekent.'

'Wat dan?'

'Het is Fins. Blijkbaar hield Tolkien van het Fins, vond hij die taal interessant. Een heleboel Quenya-woorden komen uit het Fins, net als de grammatica. Onze vriend vroeg zich af of Jubb en Isildur misschien Finse woorden hadden gebruikt wanneer er geen bestaand Quenya-woord voor handen was. Dus zocht hij *kallisarvoinen* op in een Fins woordenboek.'

'En?'

'Het betekent "lieveling".'

'Lieveling? Zo noemde Gollem de ring in *The Lord of the Rings*.'

'Klopt.'

Magnus herinnerde zich de sms van Steve Jubb. *Terug van Haraldsson. Hij heeft kallisarvoinen.* 'Steve Jubb dacht dus dat Agnar de ring had,' zei hij. 'En Agnar wilde die verkopen voor vijf miljoen dollar.'

'We zijn in Agnars spullen geen oude ring tegengekomen,' zei Árni.

'Misschien heeft Steve Jubb hem meegenomen,' opperde Magnus. 'Nadat hij Agnar had vermoord.'

'Waar is hij er dan mee gebleven? We hebben in zijn hotelkamer geen ring gevonden.'

'Hij heeft hem misschien verstopt.'

'Waar?'

Magnus zuchtte. 'God mag het weten. Of misschien heeft hij hem per post verstuurd naar Isildur in Californië. Op het postkantoor kon niemand zich Steve Jubb herinneren die een pakketje aanbood, maar het zou niet moeilijk zijn geweest om een ring in een envelop te steken en in een brievenbus te gooien.'

'Maar Jubb stuurde het sms'je naar Isildur nadát hij terugkwam van Agnar. Dat wijst erop dat Agnar de ring nog steeds had. Althans dat dacht Jubb.'

Magnus wist dat Árni op dat punt gelijk had.

'Denk je echt dat Agnar de ring had gevonden?' vroeg Árni. 'Hij hoorde er pas zondag over. De e-mail werd dinsdag verstuurd. Er zijn mensen die jarenlang naar de ring hebben gezocht en hem niet hebben gevonden. Tenzij het een vervalsing was?'

'Dat zou in zo'n korte tijd net zo lastig te regelen zijn. Zelfs nog lastiger. Een duizend jaar oude ring vervalsen is een heidens karwei. En je kunt ervan op aan dat Isildur geen vijf miljoen dollar zou neertellen zonder de koopwaar heel nauwkeurig onder de loep te nemen.'

'Je wilt toch niet beweren dat de ring echt is?' bracht Árni verbaasd uit. 'Dat de ring die Gaukur afpakte van Ísildur bewaard is gebleven?'

'Natuurlijk niet,' haalde Magnus geïrriteerd uit. Maar zoals hij zojuist had aangegeven, viel het lastig voor te stellen dat de ring zo snel kon zijn vervalst. Misschien ging het om een oudere vervalsing? Het werk van Ingileifs grootvader? Geduld. Alles zou na verloop van tijd duidelijk worden.

Na de berisping bleef Árni een moment zwijgen. 'Dus wat doen we nu?' wilde hij uiteindelijk weten.

'We vertellen het Baldur. Zoeken overal waar je zo'n ring zou kunnen verstoppen. Kijken of we iets over het hoofd hebben gezien.' Magnus keek Árni boos aan. 'Waarom heb je me dit niet eerder verteld?'

'Ik kreeg de reactie vanochtend pas.'

'Je had het me op het bureau kunnen vertellen.'

'Sorry.'

Magnus wendde zijn gezicht af om door het raam naar de grijze blokkendozen te kijken. Hij zat opgescheept met een idioot. En hij wenste dat zijn hoofdpijn zou verdwijnen.

Birna Ásgrímsdóttir woonde in een nieuw betonnen huis met een lichtrood dak in een nieuwbouwwijk. Elk huis had zijn eigen stuk gazon, optimistisch beplant met jonge boompjes. Op de opritten stonden her en der dure SUV's. Welvarend. Comfortabel. Zielloos.

Birna zelf was zachter, ronder en ouder dan Ingileif. Ze had grote blauwe ogen en pruillippen. Ze had aantrekkelijk kunnen zijn, maar iets gaf haar een verlept en slonzig voorkomen. Twee lijntjes wezen omlaag vanaf haar mondhoeken. Ze droeg een strakke, opbollende spijkerbroek en een feloranje truitje.

Bij het zien van Magnus glimlachte ze. Haar ogen dwaalden over zijn lichaam voordat ze omhooggingen naar zijn gezicht.

'Hallo,' zei ze.

'Hallo,' zei Magnus, ongewild in verlegenheid gebracht. 'Wij zijn van de Reykjavíkse politie. We zouden je wat vragen willen stellen naar aanleiding van de moord op professor Agnar Haraldsson.'

'Wat leuk,' reageerde Birna. 'Kom binnen. Willen jullie iets drinken?'

'Alleen koffie,' zei Magnus.

Árni knikte. 'Voor mij ook,' zei hij met ietwat schorre stem. Deze vrouw had beslist uitstraling.

Ze gingen zitten in de woonkamer, wachtend op de koffie. De meubels waren nieuw en karakterloos, en de voornaamste plaats werd ingenomen door een werkelijk kolossale televisie. Hierop was een of ander Amerikaans huisvrouwenprogramma te zien dat Magnus vaag herkende in het Engels. Satelliet.

Overal in de woonkamer hingen foto's. Op de meeste stond een verbluffend mooi blond meisje van rond de achttien in badpakken met diverse sjerpen. Birna. Een jongere Birna. Er stonden ook een paar foto's van een hoffelijke, donkerharige man in het uniform van Icelandair.

Birna kwam terug met de koffie. 'Sorry, ik denk niet dat ik jullie veel verder kan helpen, maar ik zal het proberen.'

'Heb je Agnar ooit ontmoet?'

'Nee, nooit. Jullie zijn op de hoogte van de familiesaga, neem ik aan?'

'Ja, dat is ons bekend.'

'Nou, Ingileif nam alle onderhandelingen voor haar rekening. Ze heeft mij wel gevraagd of ik het goed vond dat ze het ding verkocht, en ik zei dat het me geen moer kon schelen.'

'Heeft ze je verteld hoe de onderhandelingen vorderden?'

'Nee. Sterker nog, ik heb haar sindsdien niet meer gesproken.'

'Heeft ze het gehad over een ring?'

Birna lachte hardop. 'Je bedoelt de ring van Ísildur?'

'Het lijkt erop dat je grootvader hem zestig jaar geleden heeft gevonden, maar toen weer heeft verstopt. Mogelijk heeft Agnar hem onlangs gevonden, of beweerde hij dat althans.'

'Doe niet zo belachelijk,' zei Birna. 'Als er ooit al een ring was, is die eeuwen geleden verloren gegaan. Zal ik jullie eens wat vertellen,' vervolgde ze, waarbij ze voorover leunde naar Magnus. Haar adem stonk naar een of ander alcoholisch drankje. In zijn huidige toestand kostte het Magnus de grootst mogelijke moeite om niet achteruit te deinzen. 'Die ring en die saga zorgen alleen maar voor problemen. Het is een hoop lulkoek. Geloof er geen woord van. Neem van mij aan, Ingileif had dat vervloekte ding moeten verkopen, zeker als ze dat in het geheim had kunnen doen.'

'Zijn jij en Ingileif hecht met elkaar?'

Birna leunde achterover in haar stoel. 'Dat is een goede vraag. Vroeger wel, heel hecht. Nadat mijn vader overleed, is mijn moeder opnieuw getrouwd, en ik had wat problemen met mijn stiefvader. Ook al was Ingileif twee jaar jonger dan ik, ze hielp mij enorm. Sleepte mij erdoorheen. Maar daarna zijn we een beetje uit elkaar gedreven. We leiden nu verschillende levens. Ik ben getrouwd met een lulhannes, en Ingileif doet haar ding als ontwerpster.'

'Problemen met je stiefvader?'

Birna keek opnieuw naar Magnus, ditmaal naar zijn ogen, als om te bepalen of ze hem kon vertrouwen. 'Is dit relevant voor jullie onderzoek?'

Magnus haalde zijn schouders op. 'Zou kunnen. Dat weet ik pas als je het mij vertelt.'

Birna haalde een pakje sigaretten tevoorschijn. Na Magnus en Árni een sigaret te hebben aangeboden, stak ze er zelf eentje op.

'Ik was veertien toen mijn vader overleed. Ik was een mooi meisje.' Ze knikte naar de foto's. 'Mijn moeder had het idee opgevat dat ik Miss IJsland moest worden. Ze raakte erdoor bezeten. Al net zo erg als pa met zijn saga. Misschien was het haar manier om te proberen om te gaan met zijn dood, om er niet meer aan te hoeven denken. Wat uiteraard niet werkte.'

Ze glimlachte. 'Ik ben nooit verder gekomen dan de derde plaats, maar mamma en ik deden ons uiterste best. Te midden van dat alles trouwde ze met Sigursteinn, een of andere autohandelaar uit Selfoss. Zodra ik hem ontmoette, kon ik zien dat Sigursteinn een oogje op mij had. Nadat ze waren getrouwd duurde het nog geen maand voordat hij, nou ja...' Ze nam een stevige trek van haar sigaret. 'Nou ja, hij verkrachtte me in feite. Ik had dat in die tijd niet zo door, maar het wás verkrachting. Hij wilde seks met me, en ik was bang voor hem. Het gebeurde. Heel vaak.

'Ingileif kwam erachter, betrapte ons en ging door het lint. Ze viel hem aan met een gebroken fles, maar uiteindelijk raakte ze zelf verwond. Is het je opgevallen dat ze een klein litteken heeft bij haar wenkbrauw? En op haar wang?'

Magnus knikte.

'Dat komt door Sigursteinn. Ingileif vertelde het mamma, maar die geloofde haar niet. Ze kregen slaande ruzie. Ingileif werd het huis uit gegooid, en ik was te bang om iets te zeggen. Drie maanden later was Sigursteinn op zakenreis naar Reykjavík, toen hij in de haven viel. Ik was zo opgelucht.'

'Hoe reageerde je moeder?'

'Ze was totaal van streek. Ze ging zelfs zover dat ze Ingileif ervan beschuldigde hem te hebben vermoord, wat volstrekt idioot was. Toen vertelde ik haar precies wat hij mij had aangedaan, en uiteindelijk geloofde ze het.' Birna staarde voor zich uit, zonder met haar grote blauwe ogen te knipperen. 'Dat heeft onze familie behoorlijk beschadigd.'

'Dat kan ik me voorstellen,' zei Magnus.

'Ingileif vertrok naar Reykjavík. De afgelopen jaren begon ze weer te praten met mamma. Ze heeft veel tijd met haar doorgebracht, net voordat ze overleed.'

'En jij?'

Birna knipperde met haar ogen. 'O, ik trouwde met Matthías en sindsdien leid ik een volmaakt gelukkig leventje.'

Magnus negeerde het sarcasme. 'En Pétur?'

'Hij heeft er niets van meegekregen. Hij kwam een paar jaar later terug naar Reykjavík. We zien elkaar af en toe. Maar ik krijg bij hem altijd de indruk alsof hij medelijden met mij heeft. Ik zou niet weten waarom.'

God, wat een familie, dacht Magnus. Hij vond zijn eigen familie al erg genoeg. Hij herinnerde zich de trillende stem van Ingileif toen ze hem had verteld over het van incest beschuldigde meisje dat als geest rondwaarde in het Höfdi-huis. Geen wonder dat ze medelijden met haar had gehad. Ze had gedacht aan Birna.

'Nog een laatste vraag. Waar was je afgelopen donderdagavond? De eerste dag van de zomer?'

Birna lachte opnieuw. 'Dat kun je niet menen. Je denkt toch niet dat ík die arme man heb vermoord?'

'Geef nu maar gewoon antwoord op de vraag.'

Birna aarzelde. 'Moet dat?'

Magnus wist wat er ging komen. Hij begon al gewend te raken aan het seksleven van de IJslanders. 'Ja, ik vrees van wel. En we zullen alles wat je ons hebt verteld moeten natrekken. Maar we zullen het discreet doen, dat beloof ik. En het komt niet ter sprake bij een eventuele rechtszaak, tenzij het relevant is voor het proces.'

Birna zuchtte. 'Matthías zat in New York. Waarschijnlijk lag hij in bed met een stewardess.'

'En jij?'

'Ik was bij een vriend, Dagur Tómasson. Hij is ook getrouwd. We hebben samen de nacht doorgebracht in een hotel in Kópavogur. Veel anoniemer en discreter kun je niet vinden in IJsland.'

'Welk hotel?'

'De Merlin.'

'Mogen we zijn adres?'

'Ik zal je het nummer van zijn mobiele telefoon geven,' zei Birna. 'Er is niets serieus tussen ons,' ging ze verder, waarbij ze Magnus recht in de ogen keek. Haar mondhoeken gingen iets omhoog. 'Ik beperk mezelf niet graag tot één man.'

'Volgens mij vindt ze je leuk,' zei Árni vijf minuten later, toen hij Magnus terugreed naar het politiebureau.

'Kop dicht,' bromde Magnus. 'En doe navraag bij het hotel. Al heb ik zo'n vermoeden dat dít alibi overeind blijft.'

20

Baldur luisterde aandachtig terwijl Magnus zijn theorie uiteenzette dat Agnar de ring uit Gaukurs Saga probeerde te verkopen aan Steve Jubb en de hedendaagse Isildur.

'Wat wil je nu eigenlijk voorstellen?' vroeg hij, toen Magnus was uitgesproken. 'Dat we weer naar Agnars huis gaan om te zoeken naar een mythische ring die al duizend jaar wordt vermist? Weet je wel hoe absurd dat klinkt?' De uitdrukking op Baldurs lange gezicht grensde aan verachting. 'Je bent naar hier overgevlogen om ons wat bij te brengen over de aanpak van moordzaken in grote steden. In plaats daarvan begin je te raaskallen over elfen en ringen als een bijgelovig IJslands grootje. Straks wil je nog beweren dat het verborgen volkje het heeft gedaan.'

Magnus voelde zijn slechte humeur nog slechter worden. Hij wist dat Baldur hem op de kast probeerde te krijgen, en hield met moeite zijn boosheid in bedwang.

'Natuurlijk geloof ik niet dat de ring echt duizend jaar oud is,' zei Magnus. 'Luister. We weten dat Agnar is vermoord door Steve Jubb. Maar aangezien hij ons niet wil vertellen waarom, moeten we dat zelf uitpuzzelen. We weten ook dat Agnar een saga probeerde te verkopen – die hebben we allebei gezien. De saga bestaat.'

Baldur schudde zijn hoofd. 'Het enige wat we hebben gezien, zijn honderdtwintig bladzijden die twee weken geleden door een computerprinter zijn uitgespuwd.'

Magnus leunde achterover. 'Oké. Misschien is de saga een vervalsing. Misschien is er een ring, maar is die ook nep. Dat geeft Jubb zo mogelijk nog een sterker motief om Agnar te vermoorden. We moeten hoe dan ook op zoek naar die ring.'

'Weet je, ik ben er niet zeker van dat Steve Jubb Agnar heeft vermoord.'

Magnus snoof.

'Ik heb hem net weer ondervraagd. Hij wilde me niets vertellen over saga's of ringen. Maar hij ontkende wel de moord op Agnar.'

'En jij gelooft hem?'

'Eerlijk gezegd wel. Ik heb een vermoeden dat hij de waarheid spreekt.'

'Een vermoeden?'

Baldur vond een vel papier in de stapel op zijn bureau. 'Hier heb je een rapport van het lab.'

Magnus bekeek het vluchtig. Een analyse van de grondmonsters die waren genomen van Steve Jubbs schoenen, maatje vijfenveertig.

'Hieruit blijkt dat er geen sporen zijn aangetroffen van de modder op het pad vanaf het zomerhuis naar de oever van het meer, en ook niet van de modder op de oever zelf.'

Magnus las het rapport, verwoed nadenkend. 'Misschien heeft Jubb zijn schoenen schoongemaakt. Heel goed gereinigd.'

'Het lab vond wél grond van het terrein voor het zomerhuis. Hij was die avond dus aan de voorkant, maar niet aan de achterkant. En hij heeft zijn schoenen niet schoongemaakt.'

'Misschien heeft hij laarzen aangetrokken? Die na afloop gedumpt?'

'Dan hadden we in of rond het huis de afdrukken gevonden,' wierp Baldur tegen. 'En lijkt je dat ook niet erg onwaarschijnlijk?'

Magnus staarde naar het vel papier. Hij las niet langer de woorden, probeerde alleen te bedenken hoe Jubb het lichaam naar het meer had kunnen slepen zonder modder aan zijn schoenen te krijgen. Hij kon onmogelijk geloven dat Jubbs aanwezigheid, die avond in het zomerhuis, op puur toeval berustte.

'Iemand anders heeft Agnar versleept,' stelde Baldur. 'Nadát Steve Jubb was vertrokken. En het is heel goed mogelijk dat Agnar door iemand anders is vermoord.'

'Hebben jullie voetsporen gevonden bij het meer?'

Baldur schudde zijn hoofd. 'Niets bruikbaars. Het had 's nachts geregend. En de plaats delict was volledig platgelopen. De kinderen, hun vader, het ambulancepersoneel, de politieagenten uit Selfoss. Ze lieten overal voetsporen achter.'

'Een medeplichtige dan,' opperde Magnus.

'Zoals wie?' vroeg Baldur.

'Isildur. Die ene kerel, Lawrence Feldman.' Magnus kreeg meteen spijt dat hij het had gezegd.

Baldur zag onmiddellijk de zwakke plek. 'Je hebt twee dagen later contact gezocht met Isildur, en hij reageerde vanaf een computer in Californië.'

'Een medeplichtige in IJsland. Er zijn in dit land ook fans van *The Lord of the Rings*.'

'Er staat in Steve Jubbs mobieltje geen enkel IJslands nummer geregistreerd, behalve dat van Agnar. We weten dat Steve Jubb zijn hotel nooit heeft verlaten vanaf het moment dat hij 's ochtends in Reykjavík arriveerde tot het moment dat hij laat in de middag vertrok naar het meer bij Thingvellir. Niemand van het hotelpersoneel herinnert zich dat hij bezoek heeft gehad in het hotel.'

'Iemand kan regelrecht naar zijn kamer zijn gelopen, zonder het bij receptie te vragen.'

Baldur trok alleen zijn wenkbrauwen op.

'Je gaat me toch niet vertellen dat je hem laat lopen?' vroeg Magnus.

'Nog niet. En ik sluit hem niet uit als verdachte. Maar we moeten het onderzoek breder trekken. Kijken naar de meer werkelijke feiten.' Baldur telde ze af op zijn vingers. 'Agnar had in de weken voor zijn dood een ontmoeting met een minnares en een ex-minnares. Zijn vrouw was echt woedend omdat hij haar bedroog. Hij zat in grote financiële problemen. Hij kocht drugs. Misschien had hij schulden waar wij niets van weten? Misschien was hij zijn dealer geld verschuldigd? Er was die avond nog iemand anders aanwezig, en wij moeten erachter komen wie.'

'Dus is het louter toeval dat hij onderhandelde over die deal met Jubb en Isildur?'

'Waarom niet?' zei Baldur. 'Luister. We moeten dat verkoopverhaal over die saga niet compleet uitsluiten. Als je wilt, kun jij je daarop concentreren. Maar er zijn genoeg andere zaken waar de rest van het team naar kan kijken.'

'Als ik naar Californië zou gaan, weet ik zeker dat ik Isildur...'

'Nee,' zei Baldur.

Enkele tijdzones ten westen van IJsland brak de ochtend aan in de bossen van Trinity County, Noord-Californië. Isildur keek vanuit zijn werkkamer over de kleine vallei naar de waterval, die naar beneden tuimelde vanaf een kale rotswand tegenover hem. Het ochtendlicht glinsterde op het door regen bedruppelde groen. In de tuin kon hij de levensgrote gedaanten zien van Gandalf, Legolas en Elrond, bronzen sculpturen die hij voor een enorm bedrag had laten vervaardigen door een kunstenaar in San Francisco.

Het was een prachtig oord. Hij had het gekocht met een fractie van het geld dat hij vorig jaar had verdiend met de verkoop van zijn aandeel in 4Portal. Hij had een afgelegen plek in de bossen gezocht om ongestoord te kunnen werken aan zijn projecten en de perfecte locatie gevonden. Aan drie kanten stonden hoge bergen, en aan de vierde liep een kleine kronkelweg door de bossen omlaag naar het dichtstbijzijnde gehucht, zo'n vijftien kilometer verderop.

Het was een plaats waar hij kon denken.

Hij had het uiteraard Rivendell genoemd, naar het toevluchtsoord waar het Reisgenootschap van de Ring had gerust. Hij herinnerde zich nog wanneer hij voor het eerst over Rivendell had gelezen; hij was toen zeventien geweest, en hij had zich een duidelijk beeld gevormd van de plaats, omringd door bossen, bergen, stromend water, vrede, rust.

En ziehier.

Hij had gewerkt aan twee projecten. Het project dat zijn meeste tijd had verslonden, was zijn poging om de samenstelling van een onlinewoordenboek met twee van Tolkiens Elfentalen, het Quenya en Sindarijns, te coördineren. Het project was veel frustrerender gebleken dan hij had gedacht. Tolkien had nooit vaste grammaticaregels en een vocabulaire op papier gezet, dus bestonden er veel afwijkende interpretaties van de twee talen. Isildur wist dat: dat was nu juist het punt van zijn woordenboek, dat het genoeg ruimte zou bieden aan de verschillende dialecten die in de loop der tijd waren ontstaan. Probleem was alleen dat zijn medewerkers niet zo ruimdenkend waren.

Het project was uitgelopen op felle discussies en scheldpartijen. Als geldschieter had hij gehoopt het laatste woord te krijgen. Hij bleek ook inderdaad de autoriteitsfiguur te zijn die anderen wist te verenigen, zij het als geliefd haatobject van allen.

Zijn andere project was een poging om Gaukurs Saga op te sporen. De saga was hem een paar jaar geleden voor het eerst ter ore gekomen, via een forum op internet. Hij had een Deense professor, die restanten van de verloren saga had ontdekt in een door hem gevonden achttiende-eeuwse brief, gekoppeld aan Gimli, een Engelsman wiens grootvader onder Tolkien had gestudeerd aan de universiteit van Leeds. De details bleven frustrerend vaag, maar Isildur was bereid veel geld te betalen om ze nader uit te werken.

En dat alles deed hij vanachter de computer in zijn werkkamer in Rivendell.

Hij was nooit in het buitenland geweest. Hij was opgegroeid in New Jersey, en had als kind al zijn vakanties met zijn familie doorgebracht aan de kust van Jersey. Hij was afgestudeerd in elektrotechniek aan Stanford in Californië, en had carrière gemaakt in Silicon Valley. Hij was een getalenteerd programmeur, intuïtief, geconcentreerd, in staat om verbanden te leggen. 4Portal was zijn tweede onderneming, een bedrijf dat software ontwikkelde voor advertentieportals op mobiele telefoons. Het was spectaculair succesvol, en Isildurs aandeel van zes procent was omgewisseld in vele miljoenen toen hij en zijn meer commercieel ingestelde partners hun bedrijf van de hand hadden gedaan.

Zijn plan was om na een jaartje of wat in Rivendell terug te gaan naar de Valley om iets nieuws te proberen.

Zodra hij Gaukurs Saga in zijn bezit had. En de ring.

Hij had de afgelopen paar weken ervaren als een achtbaanrit van stijgende verwachtingen en teleurstellingen. Eerst kwam het bericht van Agnar dat hij de saga had gevonden. Toen, een paar weken later, het bericht dat hij werkelijk de ring van Ísildur had gevonden, gevolgd door Gimli's opgewonden sms'jes dat de saga inderdaad echt kon zijn en er een deal moest worden gesloten. En toen was alles in het honderd gelopen.

Agnar was dood. Gimli zat in de gevangenis. De politie had de saga.

En de ring lag daarbuiten te wachten, ergens in IJsland, en hij kon onmogelijk te weten komen waar.

Isildur kon niet meer doen vanuit Rivendell. Hij had de beste advocaat ingehuurd voor Gimli. Maar het werd hem duidelijk dat als hij de ring wilde vinden, hij zelf naar IJsland zou moeten gaan.

Hij had een paspoort, aangevraagd voor een geplande reis naar

Nieuw-Zeeland om te zien waar de films waren opgenomen. Hij had in een aanval van zenuwen op het laatste moment van de reis afgezien. Had al op het vliegveld gestaan, maar was nooit in het vliegtuig gestapt.

Hij moest die zenuwen zien te overwinnen.

Hij wendde zich tot zijn computerscherm en surfte naar een website van een reisbureau.

Magnus sprak de rest van de dag met de politieagenten die het zomerhuis en Agnars woning hadden doorzocht, alsook de hotelkamer van Steve Jubb. Er was niets gevonden wat leek op een ring.

Hij bezocht Linda, de echtgenote van Agnar, bij haar thuis in Seltjarnarnes. Ze tolereerde zijn onaangekondigde bezoek met nauwelijks verhulde irritatie. Ze was lang en dun, met blond haar en een afgetobd gezicht. Met de zorg voor een baby en een peuter kwam ze bijna handen tekort.

Er zat veel boosheid in de vrouw. Ze was boos op haar echtgenoot, boos op de politie, boos op de bank, de advocaten, de koelkastdeur die niet fatsoenlijk sloot, het gebroken raam dat Agnar niet had laten repareren, boos op het enorm gapende gat in haar leven.

Magnus voelde met haar mee, en met haar twee kinderen. Wat Agnar ook mocht hebben misdaan, hoe vaak hij haar ook mocht hebben bedrogen, hij had het niet verdiend om te sterven.

Weer een gezin verwoest door een moord. Magnus had het zo vaak zien gebeuren in de loop van zijn carrière. En hij deed alles wat hij kon voor al die gezinnen.

Ze had de vermaledijde ring natuurlijk niet gezien. Hij zocht in het huis op plekken waar de ring mogelijk kon zijn verstopt, maar vond niets. Om acht uur vertrok hij, en nam de bus terug naar het centrum van Reykjavík. Hij had nog geen eigen voertuig van de politie gekregen, en hij had Árni achtergelaten.

Zijn gesprek met Baldur had hem van zijn stuk gebracht. Hij begreep Baldur, dat was het probleem. Hij kon niet bedenken hoe Steve Jubb erin kon zijn geslaagd Agnar te vermoorden en het lichaam te dumpen zonder zijn voeten vuil te maken.

Maar hij kon gewoon niet accepteren dat Jubb naar Agnar was gereden voor een geheime transactie ter waarde van vele miljoenen, en

Agnar een paar uur later was vermoord om een reden die er totaal geen verband mee hield.

Zijn intuïtie zei hem dat dat simpelweg niet logisch was. En in tegenstelling tot Baldur ging hij af op zijn intuïtie.

Hij stopte bij de Krambúd-buurtwinkel tegenover de Hallgrímskirkja, en kocht een Thaise curry om op te warmen. Toen hij terugkwam bij Katríns huis, schoof hij de kant-en-klaarmaaltijd in de magnetron.

'Hoe voel je je?'

Hij draaide zich om en zag de verhuurster van het huis naar de koelkast lopen. Ze sprak in het Engels. Ze pakte een *skyr* en opende die.

'Zozo.'

'Dat was me gisteren het nachtje wel.'

'Bedankt dat je me in bed hebt gelegd,' zei Magnus. Hij meende het, hoewel hij het onderwerp liever had willen vermijden. Hij was al genoeg vernederd voor één dag.

'Geen probleem,' zei Katrín glimlachend. 'Je was heel lief. Net voordat je ging slapen, gaf je me een schattig kusje en zei: "Je staat onder arrest." Toen viel je in slaap.'

'O jee.'

'Maakt niet uit. Op een dag zul je voor mij waarschijnlijk hetzelfde moeten doen.'

Ze leunde achterover tegen de koelkast, at van haar yoghurt. Ze had een paar sierknopjes minder in haar gezicht dan op de avond toen Magnus haar voor het eerst had ontmoet. Ze droeg een zwarte jeans en een T-shirt met een afbeelding van een wolvenmuil. De magnetron pingde en Magnus haalde zijn maaltijd eruit, kiepte die op een bord en begon te eten. 'Ik word meestal niet zo dronken.'

'Mij maakt het echt niet uit. Zolang je maar uitkijkt waar je overgeeft. En je ruimt het nadien zelf op.'

Magnus trok een vies gezicht. 'Zal ik doen. Ik beloof het.'

Katrín bestudeerde hem. 'Ben je echt een politieagent?'

'Om eerlijk te zijn, ja.'

'Wat doe je hier in IJsland?'

'Handje helpen.'

Katrín at nog wat van haar *skyr*. 'Weet je wat het is, ik hou er niet van als mijn kleine broertje mij bespioneert.'

'Dat verbaast me niets,' zei Magnus. 'Maak je geen zorgen. Ik hoor officieel niet bij de Reykjavíkse politie. Ik ga niemand vertellen wat je uitspookt.'

'Mooi,' zei Katrín. 'Ik zag je gisteren naar binnen gaan bij de galerie van Ingileif.'

'Ken je haar?'

'Een beetje. Wordt ze ergens van verdacht?'

'Dat kan ik je echt niet vertellen.'

'Sorry. Ik was alleen nieuwsgierig.' Ze zwaaide met haar lepel door de lucht. 'Ik weet het! Gaat het om de moord op Agnar?'

'Dat kan ik echt niet zeggen,' antwoordde Magnus.

'Zie je wel! Een vriendin van me ging met hem uit toen ze op de universiteit zat. Ik zag hem onlangs in een café, weet je. Café Paris. Met Tómas Hákonarson.'

'Wie?' vroeg Magnus.

'Hij heeft zijn eigen televisieprogramma. *Punktur.* Geeft politici ervan langs. Hij is heel grappig.'

Ze aten een moment in stilte. Magnus wist dat hij de naam moest opschrijven, maar hij was te moe, hij kon er niet de puf voor opbrengen.

'Wat vind je van haar?' vroeg hij.

Katrín zette de yoghurt neer en schonk voor zichzelf een glas sinaasappelsap in. Magnus zag een kloddertje *skyr* op de ring die uit haar lip stak. 'Ingileif? Ik vind haar aardig. Maar haar broer is een hufter.'

'Waarom?'

'Hij wil me niet meer laten zingen in zijn clubs, daarom,' zei Katrín, met woede in haar stem. 'Hij is de eigenaar van de coolste clubs in de stad. Het is niet eerlijk.'

'Waarom mag je niet meer zingen bij hem?'

'Weet ik niet. Ik heb een aantal heel succesvolle optredens gedaan. Het komt alleen omdat ik er een paar heb gemist, dat is alles.'

'Aha.' Van wat hij had gezien van Pétur verbaasde het hem niet dat hij onbetrouwbare artiesten hard aanpakte.

'Maar zij is aardig.'

'Ingileif?'

'Ja.' Katrín stak een sigaret op en ging tegenover hem zitten. 'Ik heb zelfs het een en ander gekocht in haar galerie. Die vaas, bijvoorbeeld.' Ze wees naar een smalle, kronkelige, glazen vaas met een vieze houten lepel erin. 'Kostte kapitalen, maar ik vind het wel iets hebben.'

'Denk je dat ze eerlijk is?' vroeg Magnus.

'Hoor ik nu een agent praten?'

Magnus haalde zijn schouders op.

'Ja, ze is eerlijk. Mensen mogen haar graag. Waarom? Wat heeft ze gedaan?'

'Niets,' zei Magnus. 'Ken je Lárus Thorvaldsson?'

'De schilder. Ja, een beetje. Hij is ook een vriend van Ingileif.'

'Een goede vriend?'

'Ze hebben niets serieus. Lárus heeft een boel meisjes. Je weet bij hem waar je aan toe bent, als je begrijpt wat ik bedoel. Geen gedoe.'

'Ik geloof dat ik je begrijp,' zei Magnus. Het was vrij duidelijk dat Katrín hem kende op ongeveer dezelfde manier als Ingileif hem kende.

Katrín bekeek Magnus aandachtig. 'Vraag je dat als agent, of ligt je interesse soms ergens anders?'

Magnus legde zijn vork neer en wreef zich in de ogen. 'Ik zou het echt niet weten.' Hij pakte zijn lege bord, spoelde het af en zette het in de vaatwasser. 'Ik moet nodig slapen. Ik ga naar bed.'

21

Bij de ochtendbriefing leek Baldur zich met hernieuwde kracht te storten op het uitdelen van taken aan zijn rechercheurs. Hij liet het rapport van het forensisch laboratorium over de modder op Steve Jubbs schoenen rondgaan, en legde uit dat ze hun onderzoek breder moesten trekken. Ze moesten nog een keer gaan praten met iedereen die ze hadden ondervraagd. Nieuwe mensen ondervragen: iedereen die mogelijk een andere bezoeker had gezien bij Agnar, de mensen die Agnar drugs verkochten, zijn studenten, zijn ex-liefjes, zijn collega's, zijn vrienden, de vriendinnen van zijn echtgenote, zijn buren – iedereen.

Er volgde enige discussie met Rannveig over het benodigde papierwerk voor de Britse politie teneinde een bevel tot huiszoeking te krijgen voor Jubbs woning en computer. De rechercheur die Baldur naar Yorkshire had gestuurd, had Jubbs buren gesproken. Jubb was nogal een eenling, vaak onderweg met zijn vrachtwagen. Zijn passie voor *The Lord of the Rings* was bekend. Een voormalige vriendin, nu getrouwd met iemand anders, zei dat hij een intelligente man was, obsessief van aard, maar niet in het minst gewelddadig. Dat bracht hen geen stap verder, bood geen aanknopingspunten.

Al die tijd gunde Baldur Magnus geen blik waardig.

Tot na de bespreking, toen hij Magnus gebaarde hem te volgen naar zijn kantoor. Hij sloeg de deur achter zich dicht.

'Ik hou er niet van ondermijnd te worden!'

'Wat bedoel je?'

'Ik bedoel dat het mij niet zint dat je achter mijn rug om met de commissaris hebt gesproken, en tegen hem hebt gezegd dat we mensen naar Californië moeten sturen.'

'Hij vroeg mij naar mijn mening. Die heb ik hem gegeven,' zei Magnus.

'Dit is nu precies het verkeerde moment om mankracht te onttrekken aan de kern van het onderzoek.'

'Wanneer ga ik?' vroeg Magnus.

Baldur schudde zijn hoofd. 'Je gaat niet. Árni is onderweg. Hij is gisteravond vertrokken.'

'Árni! Alleen?'

'Ja. Ik kan niet meer dan één rechercheur missen.'

'En ik dan?'

'O, jij bent veel te waardevol,' zei Baldur, zijn stem overlopend van ironie. 'Bovendien is Árni afgestudeerd in de VS. En hij spreekt goed Engels.'

'En wat moet ik doen?'

'Jij kunt zoeken naar een ring,' zei Baldur met een vals glimlachje. 'Daar ben je wel even zoet mee.'

Zodra Magnus weer achter zijn bureau zat, belde hij Árni. De jonge rechercheur bevond zich op JFK Airport, wachtend op zijn verbindingsvlucht naar San Francisco. Hoewel het in New York heel vroeg in de ochtend was, klonk Árni klaarwakker. Hij was echt opgewonden. Magnus wist hem net voldoende te kalmeren om een ondervragingstechniek aan te raden voor het gesprek met Isildur. Dreig hem met samenzwering tot moord tenzij hij uitlegt wat Steve Jubb werkelijk in Reykjavík doet.

Árni leek er notitie van te nemen, maar Magnus had er weinig vertrouwen in dat Árni Isildur iets kon laten bekennen wat hij niet wilde loslaten.

'Overigens,' ging Magnus verder, 'heb je gisteren nog het alibi van Birna en Pétur nagetrokken?'

'Hun alibi klopt,' zei Árni. 'Ik heb navraag gedaan bij Birna's minnaar en het hotel in Kópavogur. Ik heb ook de managers van Péturs drie clubs gesproken. Ze hebben hem die avond allemaal gezien.'

Dat verbaasde Magnus niets. Maar hij wist hoe belangrijk het was om bij een onderzoek alles te controleren en nog eens te controleren. 'Nou, veel succes,' zei hij.

'Moet ik nog iets voor je meenemen?'

'Nee, Árni. Alleen een volledige bekentenis van Lawrence Feldman.'

Magnus zette zijn computer aan en logde in. Hij was ervan overtuigd dat Baldur een vergissing maakte om het belang van Isildur of Lawrence Feldman, of wie hij dan ook mocht zijn, te bagatelliseren. Hij zou blijven zoeken naar de ring, of een ring, en hopen dat Árni terugkwam met iets bruikbaars.

Hij checkte zijn e-mails.

Colby had er eentje gestuurd.

Magnus,

Gisternacht heeft een van je grote ploerten van vrienden ingebroken in mijn appartement en mij aangevallen. Hij stopte een revolver in mijn mond en vroeg waar jij was. Ik zei dat je in Zweden zat en toen ging hij weg.

Ik ben me kapot geschrokken.

Ik ben vertrokken. Ze zullen mij niet vinden. Jij zult mij ook niet vinden. Niemand weet waar ik ben, mijn familie niet, mijn vrienden niet, de mensen op mijn werk niet, de politie niet, en ik ga het jou zeker niet vertellen.

Magnus, je hebt mijn leven verpest en door jouw toedoen ben ik bijna vermoord.

Rot in de hel, waar je ook bent. En ik wil nooit nooit meer iets van je horen.

C.

Er zat nog een korte e-mail bij.

Hallo Magnus,

Sorry dat ik dit niet eerder kon doorsturen, ik was gisteren niet op kantoor. Ik zoek het uit.

Agent Hendricks

Magnus staarde naar het scherm. Emoties overspoelden hem, deden hem naar adem happen. Alsof hij verdronk.

Hij was boos op de schoft die Colby dit had aangedaan. Op Williams omdat hij haar niet had beschermd. Op Colby zelf omdat ze niet begreep dat het zijn schuld niet was.

Boos op zichzelf omdat hij het had laten gebeuren.

Hij voelde zich schuldig, want het was natuurlijk wél zijn schuld.

Machteloos, want hij zat vast in Reykjavík, op duizenden kilometers afstand.

Opnieuw schuldig, want hij had de afgelopen vierentwintig uur heel weinig aan Colby gedacht, was haar bijna vergeten toen ze in groot gevaar verkeerde.

Hij sloeg zijn vuist hard op tafel. Er zaten maar twee rechercheurs in de kamer, maar ze keken allebei achterom.

Colby had tenminste niet verteld waar hij werkelijk zat. Hoewel hem dat op dit moment niets kon schelen. Op dit moment dacht hij erover in een vliegtuig naar Boston te stappen om Pedro Soto persoonlijk te vinden en overhoop te schieten. Waarom moest hij zich ineengedoken verschuilen op IJsland? Hij was geen lafaard.

Hij stuurde, via agent Hendricks, een boze e-mail naar hoofdinspecteur Williams, waarin hij vertelde wat er was gebeurd en hem vroeg waar verdomme de bescherming was gebleven die hij Magnus had beloofd.

Als de politie van Boston Colby niet kon beschermen, zou Magnus terugvliegen om het zelf te doen. Hij zou toch niets nuttigs te doen krijgen in IJsland.

Ingileif wachtte in café Mokka, spelend met een koffie verkeerd. Ze kwam graag in het café, een van de oudste in Reykjavík, op de hoek van Skólavördustígur en Laugavegur. Het kleine en knusse café, bekleed met houten panelen, stond bekend om zijn wafels en clientèle: kunstenaars, dichters en romanschrijvers. De muren fungeerden als een soort wisselende expositieruimte voor lokale kunstenaars, met elke maand ander werk. In maart was het de beurt geweest aan haar partner van de galerie.

Er lag een krant op het tafeltje, maar ze pakte hem niet op. Ze had een goede middag achter de rug – ze had zes vazen verkocht ter waarde van enkele honderdduizenden krónur. Maar ze had ook een ongemakkelijk gesprek gehad met een van haar partners over de achtergestelde betalingen van Nordidea.

Ze had niet echt gelogen, maar ze had ook niet echt de waarheid verteld.

Het hele gedoe met de saga en Agnars dood had haar opnieuw doen denken aan haar vader. Ze kon zich de laatste ochtend waarop ze hem had gezien duidelijk voor de geest halen. Hij was met zijn rugzak het huis uit gelopen toen hij bleef stilstaan, zich omdraaide en haar een afscheidskus gaf. Ze kon zich herinneren wat hij had gedragen: zijn blauwe parka, zijn nieuwe lichte wandelschoenen. Ze kon zich zijn geur herinneren, de pepermuntjes waarop hij altijd zo graag sabbelde. Ze herinnerde zich ook haar irritatie jegens hem omdat hij haar de avond ervoor had verboden te blijven slapen bij haar vriendin thuis. Ze had hem die vreselijke ochtend nooit echt vergeven.

De dood van Agnar werd nu omgeven door al die vragen, maar die van haar vader had heel weinig vragen opgeroepen. Iemand die in een sneeuwstorm te pletter viel, was in IJsland een maar al te vaak voorkomende gebeurtenis, een vast onderdeel van het IJslandse leven door de eeuwen heen.

Misschien hadden er meer vragen moeten worden gesteld. Misschien moesten die vragen nu alsnog worden gesteld.

'Hoi, Inga!'

De andere klanten in het café keken naar de man die haar aansprak, zij het slechts een paar tellen, alvorens verder te gaan met hun gesprekken en het lezen van kranten. IJslanders lieten zich erop voorstaan beroemdheden in het openbaar hun eigen leven te laten leiden. Hoewel er uiteraard maar één beroemde IJslander bestond, en dat was Björk, maar de inwoners van Reykjavík lieten haar in hun stad gaan en staan waar ze wilde.

'Tómas! Goed om je te zien!' Ze stond op en kuste hem op de wang.

'Wacht even,' zei de man. 'Ik wil eerst koffie halen. Wil jij er nog een?'

Ingileif schudde haar hoofd en haar metgezel liep naar de toog om een dubbele espresso te bestellen. Zijn gelaatstrekken waren Ingileif heel vertrouwd: de ronde bril, de vooruitstekende tanden, de opbollende wangen, het uitdunnende, achterovergekamde muisgrijze haar. Toegegeven, die vertrouwdheid kwam deels omdat ze hem eens per week op tv zag, maar ook omdat ze hun jeugd samen hadden doorgebracht.

Hij keerde terug naar haar tafeltje. 'Hoe staan de zaken?' vroeg hij. 'Ik ben onlangs in je galerie geweest. Ik ben je misgelopen, maar je hebt heel wat mooie artikelen. Die verkopen vast goed.'

'Ja, dat is zo,' zei Ingileif.

'Maar?' Tómas had de aarzeling in haar stem gehoord. Zoiets viel hem altijd op.

'Te goed,' gaf Ingileif toe. 'Onze grootste klant ging vorige maand failliet en ze zijn ons veel geld verschuldigd.'

'En aan de bank heb je zeker niet veel?'

'Dat mag je wel zeggen. Een paar jaar terug smeten ze met geld naar ons, en nu weten ze niet hoe snel ze het moeten terughalen. Ze gaven ons een van die leningen in buitenlandse valuta waarvan de rente maar blijft groeien.'

'Nou, succes ermee,' zei Tómas. 'Ik weet zeker dat je er weer bovenop komt.'

'Dank je,' zei Ingileif met een glimlach. 'Hoe is het met jou? Het lijkt uitstekend te gaan met je programma. Ik vond het geweldig om te zien hoe je vorige week de Britse ambassadeur aan het spit reeg.'

Tómas toonde een brede glimlach, zijn wangen bolden op als die van een eekhoorn. 'Hij verdiende het. Ik bedoel, antiterrorismewetgeving gebruiken om de grootste bank van IJsland in te pikken? Dat was regelrechte dwingelandij. Hoe zouden de Britten het vinden als de Amerikanen bij hen hetzelfde deden?'

'En die bankier de week ervoor. Die zichzelf drie maanden voordat zijn bank failliet ging een bonus van vier miljoen dollar had gegeven.'

'Hij had tenminste het fatsoen om terug naar IJsland te komen om verantwoording af te leggen,' zei Tómas. 'Dat is nu juist het probleem. Ik zal een hele tijd geen bankiers meer in mijn programma krijgen, ook geen ambassadeurs trouwens. Ik moet balanceren op de dunne scheidslijn tussen onbeleefdheid om de kijkers te plezieren en niet te veel met de botte bijl hakken om de gasten niet af te schrikken.'

Hij nam een slokje van zijn espresso. De roem had hem goed gedaan, dacht Ingileif. Ze had hem altijd aardig gevonden, hij had een warm gevoel voor humor, maar vroeger was hij een beetje verlegen, ontbrak het hem aan zelfvertrouwen. Nu hij een bekende naam was geworden, had hij die verlegenheid deels van zich afgeschud. Zij het niet helemaal. Dat bleef deel van zijn charme.

'Heb je het gehoord van Agnar Haraldsson?' vroeg Tómas, die Ingileif aandachtig bekeek door zijn bril.

'Ja,' zei ze simpelweg.

'Ik herinner me dat jullie iets met elkaar hadden.'

'Dat is zo,' bekende Ingileif. 'Grote vergissing. Nou ja, misschien alleen een kleine vergissing, maar niettemin een vergissing.'

'Het was zeker nogal een schok? Zijn dood? Ik bedoel, ik was geschokt en ik kende de man nauwelijks.'

'Ja,' zei Ingileif, haar stem opeens hees. 'Zeker.'

'Heeft de politie met je gesproken?'

'Waarom zouden ze?' vroeg Ingileif. Ze voelde zich rood aanlopen.

'Het is een grote zaak. Een groot onderzoek. Ze hebben met je gesproken, of niet?'

Ingileif knikte.

'Weten ze al iets meer? Is er iemand gearresteerd?'

'Ja. Een Engelsman. Ze denken dat hij betrokken was bij een of andere louche deal met Agnar. Maar ik denk niet dat ze er veel bewijs voor hebben.'

'Had je hem recentelijk nog gezien?'

Ingileif knikte opnieuw. Toen ze de opgetrokken wenkbrauwen van Tómas zag, protesteerde ze. 'Nee, niet op die manier. Hij was getrouwd, en hij was een viespeuk. Ik heb een betere smaak wat betreft mannen.'

'Ik ben blij dat te horen,' zei Tómas. 'Je bent veel te goed voor kerels zoals hij.'

'Wat ontzettend aardig van je,' zei Ingileif met gespeelde beleefdheid.

'Waar heb je het met hem over gehad?'

Ingileif overwoog een momentje om Tómas alles te vertellen over de saga. Het zou binnenkort toch allemaal in de openbaarheid komen, en Tómas was zo'n oude vriend. Maar het bleef bij dat ene momentje. 'Waarom wil je dat weten?'

'Ik ben nieuwsgierig. De kranten staan er vol van.'

'Het is toch niet voor je programma, hè?'

'Goeie god, nee.' Tómas zag dat zijn ontkenning niet overtuigend genoeg overkwam. 'Ik beloof het. Luister, het spijt me als ik te direct ben geweest met mijn vragen. Het is een gewoonte geworden.'

'Dat kan bijna niet anders,' zei Ingileif. Tómas had altijd al het talent gehad om mensen hun hart bij hem te laten uitstorten. Hij leek onschuldig en hij leek geïnteresseerd. Maar iets vertelde Ingileif dat ze op haar hoede moest zijn. 'Het was niet meer dan een vriendschappelijk gesprek,' zei ze. 'Net als dit.'

Tómas glimlachte. 'Luister, ik moet gaan. Ik geef zaterdag een feestje. Wil je komen?'

'Gaat het er net zo wild aan toe als op al je andere feestjes?' wilde Ingileif weten.

'Nog wilder. Hier, ik zal je het adres geven. Ik ben een paar maanden geleden verhuisd.' Hij haalde een visitekaartje tevoorschijn met het logo van RUV, de staatsomroep, en schreef zijn huisadres op, ergens in de Thingholtsstraeti.

Toen hij het café verliet, daarbij heimelijk nagekeken door een stuk of wat klanten, kon Ingileif niet anders dan zichzelf een simpele vraag stellen.

Wat had dit allemaal te betekenen?

Vigdís nam de kop koffie aan en begon eraan te nippen. Het was al haar vijfde vandaag. Mensen ondervragen in IJsland betekende altijd heel veel koffie drinken.

De vrouw tegenover haar was achter in de dertig, droeg een spijkerbroek en een blauwe sweater. Ze had een intelligent gezicht en een vriendelijke glimlach. Ze zaten in een elegant huis in Vesturbaer, een chic deel van Reykjavík, net ten westen van het stadscentrum. De Range Rover van het gezin blokkeerde het uitzicht op de rustige straat buiten.

'Sorry dat ik je nogmaals moet storen, Helena,' begon Vigdís. 'Ik weet dat je al veel vragen van mijn collega's hebt beantwoord. Maar ik wil graag alles met je doornemen wat je je kunt herinneren van de dag van de moord, en de dagen ervoor. Tot in de kleinste details.'

Helena en haar gezin hadden verbleven in een van de andere zomerhuizen aan de oever van het meer Thingvellir. Haar kinderen hadden Agnars lichaam ontdekt. Na het gesprek met Helena wilde Vigdís langsgaan bij haar echtgenoot op het kantoor van zijn verzekeringsmaatschappij in Borgartún.

'Maar natuurlijk. Ik weet alleen niet of ik je meer kan vertellen.'

Helena fronste echter aan het eind van haar zin. Iets wat Vigdís opmerkte.

'Wat is er?'

'Eh... niets. Het is niet belangrijk.'

Vigdís glimlachte uitnodigend. 'Maak je daar geen zorgen over,' zei ze. Ze toonde Helena de pagina's van haar notitieboekje, bedekt met keurig handschrift. 'Dit boekje staat vol met onbelangrijke dingen. Maar een klein deel ervan blijkt later toch heel belangrijk te zijn.'

'Mijn echtgenoot vond niet dat we het moesten vertellen.'

'Waarom niet?' vroeg Vigdís.

Helena glimlachte. 'Ach, nou ja, oordeel zelf maar. Onze vijfjarige dochter, Sara Rós, vertelde ons gisteren bij het ontbijt een verhaaltje. Mijn echtgenoot is ervan overtuigd dat ze het heeft gedroomd.'

'Wat voor verhaaltje?' vroeg Vigdís.

'Ze zegt dat ze 's nachts twee mannen zag spelen in het meer.'

'Het meer Thingvellir?'

'Ja.'

'Dat klinkt interessant.'

'Het is wel zo dat Sara Rós vaak verhaaltjes verzint. Soms om aandacht te krijgen. Soms alleen om zichzelf te vermaken.'

'Juist. Ik denk dat ik toch eens met haar moet gaan praten. Als jij dat goed vindt, uiteraard.'

'Oké. Zolang je maar bedenkt dat ze alles misschien heeft verzonnen. Je zult wel moeten wachten totdat ze terugkomt van de kleuterschool.'

'Nee,' zei Vigdís. 'Het lijkt me beter om het nu meteen te doen.'

De kleuterschool waar Helena's dochter op zat, lag slechts een paar honderd meter verderop. De directrice stelde met tegenzin haar kantoor ter beschikking aan Vigdís en Helena, en ging het meisje halen.

Ze was een typisch IJslands kind van vijf jaar. Lichtblauwe ogen, roze wangen en krulhaar dat zo blond zag dat het bijna wit leek.

Bij het zien van haar moeder straalde haar gezicht, en ze kroop dicht tegen haar aan op de bank in het kantoor van de directrice.

'Hallo,' zei Vigdís. 'Ik heet Vigdís en ik ben een politieagent.'

'Je ziet er niet uit als een politieagent,' zei Sara Rós.

'Dat komt omdat ik een rechercheur ben. Ik draag geen uniform.'

'Kom je uit Afrika?'

'Sara Rós!' kwam haar moeder tussenbeide.

Vigdís glimlachte. 'Nee. Ik kom uit Keflavík.'

Het kleine meisje lachte. 'Dat ligt niet in Afrika. Dat is het vliegveld voor als we op vakantie gaan.'

'Dat klopt,' zei Vigdís. 'Ik heb van je moeder gehoord dat je vorige week iets hebt gezien bij jullie zomerhuis aan het meer. Kun je mij daarover vertellen?'

'Papa zegt dat ik het verzin. Hij gelooft me niet.'

'Ik geloof je,' zei Vigdís.

'Hoe kun je mij geloven als je nog niet hebt gehoord wat ik ga zeggen?'

Vigdís glimlachte. 'Daar heb je gelijk in. Weet je wat? Jij vertelt me het verhaal, en dan zal ik je na afloop vertellen of ik je geloof of niet.'

Het meisje keek naar haar moeder, die knikte. 'Ik werd wakker en toen was het midden in de nacht. Ik moest naar de wc. Toen ik terugkwam, keek ik uit mijn raam en zag ik twee mannen spelen in het meer, net voor het huis van de professor. Ze spetterden wat rond. Toen werd een ervan moe en die viel in slaap.'

'Waren ze allebei aan het spetteren?'

'Hm,' bracht het meisje uit, diep nadenkend. 'Nee, niet allebei. De ene spetterde en de andere hing helemaal slap.'

'En viel de man in slaap in het water, of op de oever van het meer?'

'In het water.'

'Oké. En wat deed de andere man?'

'Hij kwam uit het meer en toen stapte hij in zijn auto en reed weg.'

'Heb je gezien hoe de man eruitzag?'

'Natuurlijk niet, suffie. Het was donker! Maar ik denk dat hij zijn kleren aan had, niet een zwempak.'

'En de auto? Heb je gezien welke kleur die was?'

Het meisje giechelde. 'Ik zei toch dat het donker was? Het was nacht. Je kunt geen kleuren zien in het donker.'

'Weet je dit heel zeker?'

'Ja, heel zeker. En ik weet dat het waar is, want de volgende dag zag ik de slapende man uit het meer toen Jón en ik daar gingen spelen. Alleen was hij toen dood.' Het kleine meisje verstomde.

'Heb je dit tegen iemand verteld?' vroeg Vigdís.

'Nee.'

'Waarom niet?'

'Omdat niemand het heeft gevraagd.' Ze keek Vigdís recht aan met haar lichtblauwe ogen. 'Nou, ik heb je mijn verhaal verteld. Geloof je me?'

'Ja,' zei Vigdís. 'Ja, ik geloof je.'

22

Magnus keek voor de laatste keer rond in kamer 208, in een poging zich te verplaatsen in Steve Jubb. Waar zou hij zoiets kleins als een ring verstoppen?

Hij kon niets bedenken. Hij had elke millimeter van de kamer doorzocht en liet een behoorlijke puinhoop achter, maar dat kon hem niet schelen. De relatie tussen de Reykjavíkse politie en het management van Hótel Borg was in de afgelopen paar uur nogal bekoeld. Toen Magnus erop had aangedrongen om de huidige gast in de kamer, een Duitse zakenman, een uur voor diens vertrek eruit te knikkeren, had het management met ergernis gereageerd. Net als de zakenman.

De schoonmaakster, een Poolse vrouw, was behulpzamer. Zoals ze een paar dagen eerder aan de politie had verteld, was ze er vrij zeker van geen ring te hebben gezien, noch iets waarin een ring kon zitten. Helaas voor Magnus leek het te gaan om een betrouwbaar, opmerkzaam kamermeisje.

De ring lag hier absoluut niet. Árni's interpretatie van Jubbs sms'je aan Isildur klopte waarschijnlijk: Jubb had de ring niet meegenomen, hij dacht dat Agnar hem had.

Op naar het zomerhuis aan het meer Thingvellir. Voor de zoveelste keer.

Magnus nam de trap omlaag naar de foyer. Hij dacht opnieuw aan Colby. Wilde hij echt terugvliegen naar Boston?

Dan zou hij tenminste iets doen. Maar het zou lastig worden om Pedro Soto te vinden. En nog lastiger om hem te doden. Het was veel aannemelijker dat hij Soto de gelegenheid zou geven om hem af te maken. Dat zou de problemen van Soto oplossen, de druk van de ketel halen bij het proces rond Lenahan, zijn import van verdovende middelen en distributienetwerk draaiende houden.

Kon hij niet op zoek gaan naar Colby en haar beschermen? Maar ook dat kon lastig worden. Colby leek vastbesloten te zijn geweest om te verdwijnen. Ze was ertoe in staat: als ze ergens haar zinnen op had gezet, kreeg ze het meestal voor elkaar. Het zou Magnus moeite kosten om haar te vinden. Net als de Dominicanen. Maar als Magnus stad en land afreisde om haar te zoeken, liep hij het risico de Dominicanen regelrecht naar haar toe te leiden.

Of hij het nu leuk vond of niet, Magnus maakte de meeste kans om Soto persoonlijk te raken en Colby te beschermen door zich gedeisd te houden, in IJsland te blijven en te getuigen bij het proces van Lenahan.

Hij overhandigde de sleutelkaart aan de receptioniste. Toen hij het hotel verliet, passeerde hij een kleine man met een slordige baard die binnenkwam, een koffer op wieltjes achter zich aan slepend. De man droeg een groen honkbalpetje met de woorden FRODO LIVES.

Magnus hield de deur voor hem open.

'O, eh, vriendelijk bedankt, meneer,' zei de man nerveus. Hij sprak in het Engels, met een Amerikaans accent.

'Graag gedaan,' zei Magnus.

Het Hótel Borg stond aan hetzelfde plein als het parlementsgebouw, waar tijdens de winter elke zaterdagmiddag de wekelijkse demonstratie werd gehouden. Terwijl Magnus zich over het plein begaf naar de zilveren Skoda van de politie, waarvoor hij die ochtend had getekend, verbaasde hij zich over het honkbalpetje. Vreemd, hij had nooit eerder gedacht aan memorabilia van *The Lord of the Rings*. Moest hij nu ook stilstaan bij elk T-shirt dat hij tegenkwam met Gollem of Gandalf erop? Waren er daar echt zo veel van?

Nee, dat niet.

Hij draaide zich onmiddellijk om en keerde net op tijd terug in de foyer om de liftdeur te zien sluiten achter de koffer op wieltjes.

'Hoe heet de gast die zojuist heeft ingecheckt?' vroeg hij de receptioniste.

'Meneer Feldman,' zei ze. Toen, met een blik op haar computerscherm: 'Lawrence Feldman.'

'Welke kamer?'

'Drie-tien.'

'Bedankt.'

Magnus gaf Feldman een moment om in zijn kamer te komen en nam toen de lift naar de derde verdieping. Hij klopte op de deur van kamer 310.

De man deed open.

'Isildur?' vroeg Magnus.

Feldman knipperde met zijn ogen. 'Wie bent u?'

'Ik ben rechercheur Jonson. Ik werk voor de Reykjavíkse politie. Mag ik binnenkomen?'

'Eh, dat moet dan maar,' zei Feldman. Zijn koffer en jas lagen op het bed, samen met het honkbalpetje. Magnus hoorde uit de badkamer het geluid van de vollopende stortbak van het toilet.

'Ga toch zitten,' zei Magnus, gebarend naar het bed. Feldman ging erop zitten en Magnus trok de stoel vanachter de schrijftafel.

Feldman zag er vermoeid uit. Zijn bruine ogen toonden een scherpe en intelligente blik, maar waren omrand met rode adertjes. Zijn huid zag wasbleek onder de slordige baard.

'Net binnengevlogen?' vroeg Magnus.

'U bent mij vanaf het vliegveld gevolgd,' zei Feldman. 'U wist vermoedelijk dat ik bij het Borg zou inchecken.'

Magnus bromde alleen. Feldman had gelijk; ze hadden kunnen weten dat er een goede kans bestond dat hij vroeg of laat in IJsland zou opduiken. Ze hadden de luchthavens moeten controleren. En Hótel Borg was een voor de hand liggende verblijfplaats. Maar Magnus besloot niet aan Feldman uit te leggen dat hij hem gewoon bij stom toeval had opgemerkt.

Hij dacht aan Árni, nu hoog boven het midwesten van Amerika, op weg naar Californië. Het kostte hem moeite om niet bij zichzelf te glimlachen.

'Heb ik een advocaat nodig?' vroeg Feldman.

'Goede vraag,' zei Magnus. 'Je zit zonder twijfel diep in de shit. Als we in de VS zouden zitten, zou ik het je beslist aanraden. Maar hier? Ik weet het niet.'

'Hoe bedoel je?'

'Nou, als ze denken dat je een verdachte bent, kunnen ze je hier drie weken opsluiten. Dat is Steve Jubb overkomen. Hij zit nu in de zwaarbeveiligde gevangenis van Litla Hraun. Als je niet meewerkt, zou ik je daar met gemak heen kunnen sturen om hem gezelschap te houden. Ik bedoel, er hangt je een aanklacht boven het hoofd wegens samenzwering tot moord.'

Feldman knipperde alleen met zijn ogen.

'Die IJslandse gevangenissen zijn niet mis. Met al die grote, blonde, gespierde Vikingen. O, maak je geen zorgen, jij valt wel bij hen in de smaak. Ze houden van kleine knaapjes.' Feldman verschoof ongemakkelijk op het bed. 'Veel ervan zijn herder, begrijp je. Al die herders zitten moederziel alleen op een heuvel met een kudde schapen. Ze overtreden de wet – verkrachting, incest, ontuchtige handelingen met herbivoren, dat soort dingen. Ze worden gepakt. Ze komen in de gevangenis. Geen vrouwen, geen schapen. Wat moet je dan als grote blonde Vikingkerel?' Magnus glimlachte. 'En daar kom jij om de hoek kijken.'

Even dacht Magnus dat hij te ver was gegaan, maar Feldman leek het te geloven. Hij was moe, gedesoriënteerd, in een vreemd land.

Natuurlijk had Magnus geen flauw idee hoe het er werkelijk aan toeging in Litla Hraun. IJsland kennende, vermoedde hij eerder dat de gevangenbewaarders de gedetineerden elke avond warme chocolademelk en pantoffels kwamen brengen, terwijl de gevangenen onder het kijken naar de nieuwste soap op tv een sjaal voor zichzelf breiden.

'Dus als ik nu met je praat, beloof je mij daar niet heen te sturen?'

Magnus keek Isildur recht aan. 'Dat hangt er een beetje vanaf wat je mij vertelt.'

Feldman slikte. 'Ik had niets te maken met de moord op Agnar. En ik denk echt dat hetzelfde geldt voor Gimli.'

'Oké,' zei Magnus. 'Laten we bij het begin beginnen. Vertel mij eens over de ring van Gaukur.'

'Ik noem hem liever de ring van Isildur,' zei Feldman. 'Ik heb mijn bijnaam op internet veranderd in Isildur toen ik het verhaal voor het eerst hoorde.'

'Hoe noemde je jezelf daarvoor?' vroeg Magnus.

'Elrond. De heer van Rivendell.'

'Goed. Vertel mij dan over de ring van Isildur.'

'Ik hoorde drie jaar terug voor het eerst over de ring. Een Deense jongen, Jens Pedersen, verscheen op een van de websites en zei een brief te hebben gevonden van een dichter die ooit bevriend was geweest met Árni Magnússon in Kopenhagen. De dichter had Gaukurs

Saga gelezen. In de brief stonden een paar regels over Isildurs queeste om de ring in de Hekla te gooien.

'En die Deense jongen werkte als student aan een proefschrift over de dichter. Hij wilde de hulp van het forum inschakelen om erachter te komen of er enig verband bestond tussen Gaukurs Saga en *The Lord of the Rings*. We raakten natuurlijk door het dolle heen; hij wist niet wat hem overkwam. Ik probeerde rechtstreeks met hem in contact te komen om hem tegen betaling meer onderzoek te laten doen naar die saga. Volgens mij vond hij mijn aanbod in het begin verleidelijk; hij zei contact te hebben gezocht met ene Agnar Haraldsson, een professor IJslands aan de universiteit van IJsland, die hem iets meer had verteld over Gaukur en diens verloren saga. Maar toen liet hij niets meer van zich horen.' Feldman zuchtte. 'Hij zal wel gedacht hebben dat ik een of andere mafketel was.'

Magnus ging er niet op in. 'Heb je recentelijk nog van hem gehoord?'

Feldman schudde zijn hoofd. 'Nee, maar ik weet waar hij is.'

Magnus trok zijn wenkbrauwen op.

Feldman verklaarde zich nader. 'Hij heeft zijn proefschrift afgerond en geeft nu geschiedenisles op een middelbare school in Odense, een stad in Denemarken. Ik sta in contact met een van zijn leerlingen.'

'Wat? Een middelbare scholier? Hoe oud is hij?'

'Zeventien, geloof ik. Hij is een grote fan van *The Lord of the Rings*.'

Lawrence Feldman die via internet een Deense schooljongen kon rekruteren om voor hem te spioneren, had iets ontegenzeglijk griezeligs. Eigenlijk had Lawrence Feldman sowieso iets griezeligs over zich.

'Wat is de rol van Steve Jubb in dit alles?' vroeg Magnus.

'Gimli? Ik ontmoette hem via hetzelfde forum. Hij had het over een verhaal dat hem was verteld door zijn grootvader. Blijkbaar had die in de jaren twintig gestudeerd in Leeds en les gekregen van Tolkien, die daar werkte als professor. Op een avond had hij bier gedronken met een IJslandse medestudent en Tolkien. De IJslander was een beetje dronken geworden en begon Tolkien te vertellen over Gaukurs Saga, over de ring van Andvari die werd gevonden door een Viking met de naam Isildur, en hoe Isildur de opdracht kreeg om hem in de Hekla te gooien. Het verhaal maakte grote indruk op Gimli's grootvader, en blijkbaar ook op Tolkien.

'Dertig jaar later, toen hij *The Lord of the Rings* las, viel het zijn grootvader op hoezeer de verhalen op elkaar leken.'

'Heeft hij dat ergens op papier gezet?'

'Nee. Hij vertelde het Gimli toen die voor het eerst *The Hobbit* las. Gimli vond het uiteraard fascinerend, en daarom is hij fan van *The Lord of the Rings* geworden. Ik heb de grootvader nagetrokken. Hij heette Arthur Jubb en was in de jaren twintig een student in Leeds. In die tijd werkte Tolkien daar als professor en richtte hij de Vikingclub op, waar iedereen dronken lijkt te zijn geworden en liederen zong. Maar in Tolkiens gepubliceerde correspondentie wordt de saga nergens genoemd. Hebt u de twee brieven aan Högni Ísildsson gezien?'

'Ja.'

'Dan weet u waarom. Tolkien had beloofd de familiesaga geheim te houden.'

Magnus knikte.

'Dus vormde ik een team met Gimli. Ik hou niet van reizen. Eigenlijk is dit de eerste keer dat ik buiten de Verenigde Staten kom, maar Gimli is een slimme kerel, en als vrachtwagenchauffeur is hij voortdurend op pad. Ik zei dat ik de financiële kant voor mijn rekening zou nemen, hij zou het veldwerk doen, en samen zouden we Gaukurs Saga vinden.'

'Gimli's grootvader heeft hem nooit de naam van de IJslandse student verteld, dus ging Gimli eerst naar Leeds om die boven water te krijgen. Zonder succes.'

'Ik dacht dat zoiets werd bijgehouden in het archief van de universiteit.'

'Gebombardeerd in de Tweede Wereldoorlog, naar het schijnt. Dus vertrok Gimli daarna naar IJsland om met professor Haraldsson te spreken. Die toonde interesse maar kon hem niet veel verder helpen. We zaten nogal op een dood spoor. Tot een maand of wat geleden, toen professor Haraldsson contact opnam met Gimli. Een oud-studente had hem benaderd met Gaukurs Saga en wilde die verkopen. U kunt zich voorstellen hoe opgewonden Gimli en ik waren, maar we moesten Haraldsson eerst de tijd geven om hem in het Engels te vertalen.'

'Hoeveel vroeg hij ervoor?'

'Twee miljoen dollar, meer niet. Maar de afspraak was dat de saga geheim moest worden gehouden. Dat idee stond mij wel aan. Dus spraken we een datum af waarop Gimli zou terugvliegen naar IJsland om langs te gaan bij Haraldsson. Gimli bezocht hem in het zomerhuis aan het meer Thingvellir, waar hij de saga las. Maar ze konden het niet eens worden over de uiteindelijke prijs, en de professor had ook niet de originele saga bij zich. Dus keerde Gimli terug naar het hotel.'

'Vanwaar hij je een sms'je stuurde?'

'Dat klopt. Ik belde hem terug en we bedachten een strategie voor de onderhandeling over de saga. Hij zou het de volgende dag opnieuw met Agnar bespreken, maar toen kreeg Gimli te horen dat de professor dood was en hij werd verdacht van moord.'

'En de ring?'

'De ring?' reageerde Feldman. Hij probeerde onschuldige verbazing voor te wenden, maar dat ging hem slecht af.

'Ja, de ring,' zei Magnus. 'De *kallisarvoinen*. Jullie lieveling. Het is een Fins woord. Dat hebben we uitgezocht. En Agnar wilde er vijf miljoen dollar voor.'

Feldman zuchtte. 'Ja, de ring. De professor zei dat hij wist waar hij was, en dat hij hem voor ons kon krijgen, maar het zou ons vijf miljoen kosten.'

'De ring lag dus niet in het zomerhuis?'

'Nee. Hij liet tegen Gimli niets los over waar de ring kon zijn. Maar hij had er alle vertrouwen in dat hij hem te pakken kon krijgen. Voor het juiste bedrag.'

'Geloofde je hem?'

Feldman aarzelde. 'We wilden hem natuurlijk geloven. Dat zou de gaafste ontdekking in de geschiedenis zijn geweest. Maar we wisten dat we een groot risico liepen om afgezet te worden. Dus ging ik aan de slag om er een expert bij te halen die de ring kon taxeren zodra we hem in handen kregen. Iemand die nadien zijn mond zou houden.'

'Steve Jubb heeft de ring nooit gezien?'

'Nee,' zei Feldman.

Magnus leunde achterover in zijn stoel en bestudeerde Feldman.

'Heeft Jubb de professor vermoord?'

'Nee,' reageerde Feldman onmiddellijk.

'Ben je daar zeker van?'

Feldman weifelde. 'Vrij zeker.'

'Maar niet absoluut zeker?'

Feldman haalde zijn schouders op. 'Dat hoorde niet bij het plan. Maar ik was er niet bij.'

Magnus gaf toe dat hij op dat punt gelijk had. 'Hoe goed ken je Jubb?'

Feldman wendde zijn blik af van Magnus en keek uit het raam naar de kale takken van de bomen op het plein, en de bovenkant van het standbeeld van een gedistingeerde negentiende-eeuwse IJslander. 'Dat is een moeilijke vraag om te beantwoorden. Ik heb hem nooit in het echt ontmoet of gesproken. Ik weet niet hoe hij eruitziet. Maar aan de andere kant heb ik de afgelopen paar jaar online met hem gecommuniceerd. Ik weet een heleboel van hem.'

'Vertrouw je hem?'

'Dat deed ik wel,' zei Feldman.

'Maar nu ben je niet meer zo zeker?'

Feldman schudde zijn hoofd. 'Ik geloof echt niet dat Gimli de professor heeft vermoord. Er was geen reden voor, en we hebben het nooit over zoiets gehad. Gimli kwam op mij nooit gewelddadig over. Mensen worden vaak agressief als ze anoniem op internet zitten, maar Gimli was dat nooit. Hij vond *flaming*, andere forumleden beledigen, gewoon dom. Maar nee, ik kan niet met honderd procent zekerheid zeggen dat hij onschuldig is.'

'Dus kwam je naar IJsland om hem te helpen?' vroeg Magnus.

'Ja,' zei Feldman. 'Om te kijken wat ik kan doen. We hebben contact onderhouden via de advocaat, Kristján Gylfason, maar ik wilde zelf ook doen wat ik kon.'

'En de ring zoeken,' vulde Magnus aan.

'Ik weet niet eens of er een ring *ís*,' wierp Feldman tegen.

'Maar daar wil je achter zien te komen,' zei Magnus.

'Gaat u mij arresteren?' vroeg Feldman.

'Nu niet, nee,' zei Magnus. 'Maar ik neem je paspoort in beslag. Je blijft in IJsland. En laat me je dit vertellen: als je de ring vindt, of die nu echt of nep is, wil ik dat weten, begrijp je me? Het is bewijsmateriaal.' Feldman deinsde achteruit bij de indringende blik van Magnus. 'En als ik je betrap op het achterhouden van bewijsmateriaal, kun je er vergif op innemen dat je een paar nachtjes doorbrengt in een IJslandse gevangenis.'

23

Ingileif ging helemaal op in haar tekenwerk, haar ogen schoten van haar beginnend ontwerp naar het stuk gelooide vissenhuid voor haar. Het was nijlbaars, de schubben groter dan bij de zalm die ze vaak gebruikte, de structuur ruwer. De huid had een prachtige lichtblauwe, doorschijnende kleur. Ze ontwierp een creditcardhoesje, altijd een populair artikel.

Ingileif werkte op dinsdagmiddag meestal niet in de galerie; haar partner Sunna, de schilderes, paste op de winkel. Ze had genoeg zorgen aan haar hoofd, maar het voelde goed om zichzelf een paar uur te verliezen in het ontwerpproces. Na haar afstuderen aan de universiteit had ze een jaartje doorgebracht in Florence, om daar te leren hoe je leer moest bewerken. Toen ze terugkwam in IJsland was ze naar de kunstacademie gegaan, waar ze experimenteerde met vissenhuid. Elke huid was anders. Hoe meer ze met het materiaal werkte, hoe meer mogelijkheden ze zag.

De bel ging. Ingileif woonde in een minuscuul appartementje met één slaapkamer, op de bovenverdieping van een klein huis in 101, niet al te ver van de galerie. De slaapkamer deed dienst als haar atelier en soms als logeerkamer; ze sliep zelf in de woonkamer. Het appartement was strak ingericht: IJslands minimalisme met witte muren, heel veel hout en weinig tierelantijntjes. Desondanks bleef het er krap, maar ze kon zich niets anders veroorloven in Reykjavík 101, de centraal gelegen postcodewijk. En ze wilde niet wonen in een van die zieloze appartementen in de buitenwijken van Kópavogur of Gardabaer.

Ze liep de trap af naar de voordeur. Het was Pétur.

'Pési!' Ze voelde opeens de behoefte om zich in haar broers armen te storten. Hij hield haar enige tijd stevig vast, streelde haar haar.

Ze verbraken hun omhelzing. Pétur glimlachte ongemakkelijk naar haar, verrast door haar plotse vertoon van genegenheid. 'Kom naar boven,' nodigde ze hem uit.

'Sorry dat ik niets meer van mezelf heb laten horen,' zei Pétur.

'Je bedoelt sinds de moord op Agnar?' Ze plofte weer neer op de witte sprei op haar bed, leunde achterover tegen de muur. Pétur pakte een van de twee lage verchroomde stoelen.

Hij knikte.

'Ergens was ik daar blij om,' zei Ingileif. 'Want je bent zeker heel boos op me?'

'Ik zei toch dat je niet moest proberen de saga te verkopen.'

Ingileif keek naar haar broer. Uit zijn ogen sprak evenveel sympathie als boosheid. 'Je had gelijk. En het spijt me. Had ik het maar niet gedaan. Ik heb het geld nodig.'

'Nou, dat zul je nu wel krijgen,' zei Pétur. 'Ik neem aan dat je hem nog steeds kunt verkopen?'

'Weet ik niet,' zei Ingileif. 'Heb ik niet gevraagd. Het geld kan me niet meer schelen. Het was allemaal één grote vergissing.'

'Is de politie langs geweest?'

'Ja. Een aantal keer. En bij jou?'

'Eén keer,' zei Pétur. 'Ik kon ze niet veel vertellen.'

'Ze lijken te denken dat Agnar is vermoord door een Engelsman. De kerel die optrad namens de Amerikaanse *The Lord of the Rings*-fan die de saga wilde kopen.'

'Ik heb niets gezien over de saga in het nieuws,' merkte Pétur op.

'Nee. De politie houdt het bestaan ervan geheim zolang het onderzoek loopt. Ze hebben de saga meegenomen voor analyse. De rechercheur die ik heb gesproken, scheen te denken dat het om een vervalsing ging, wat belachelijk is.'

'Het is geen vervalsing,' beaamde Pétur. Hij zuchtte. 'Maar ze zullen hem uiteindelijk wel openbaar maken, denk je ook niet? En dan duikt de hele wereldpers erbovenop. We zullen interviews moeten geven, erover moeten praten. Alles wordt dan breed uitgemeten op de cover van elk IJslands tijdschrift.'

'Ik weet het,' zei Ingileif. 'Ik zal dat allemaal op me nemen, als je dat wilt. Ik weet hoezeer jij de saga haat. En dit is immers allemaal mijn schuld.'

'Aardig van je om dat aan te bieden,' zei Pétur. 'We zien wel.'

'Ik moet je nog iets anders laten zien,' zei Ingileif. Ze pakte haar tas vanachter de deur en overhandigde Pétur de brief van Tolkien. De tweede brief, geschreven in 1948.

Hij opende hem en las, fronsend.

Ingileif had meer reactie verwacht. 'Dit bewijst dat opa de ring echt heeft gevonden.'

Pétur keek op naar zijn zus. 'Dat wist ik.'

'Jij wist het?! Hoe? Sinds wanneer?'

'Opa heeft het mij verteld. Hij zei ook dat hij wilde dat de ring verborgen bleef. Hij was bezorgd dat pa ernaar zou gaan zoeken zodra hij overleed, en hij wilde dat ik hem tegenhield.'

'Waarom heb je mij dat niet verteld?' vroeg Ingileif.

'Het was nog een van onze familiegeheimen,' zei Pétur. 'En nadat pa overleed, wilde ik er niet meer over praten. Nooit meer.'

'Hád je hem maar tegengehouden,' zei Ingileif.

Woede vlamde op in Péturs ogen. 'Wat dacht je van mij? Ik heb me jarenlang schuldig gevoeld. Maar wat kon ik doen? Ik zat op de middelbare school in Reykjavík. Bovendien, ik was zijn zoon. Ik kon hem niet vertellen wat hij moest doen.'

'Nee, natuurlijk niet,' zei Ingileif snel. 'Het spijt me.' Ze bleven een moment zwijgend zitten. Péturs woede zakte.

'Ik heb de laatste tijd, sinds ik deze brief vond, eens zitten nadenken over de dood van pa,' zei ze.

'Hoezo?'

'Nou, hij ging met de pastoor op zoek naar de ring. Misschien hebben ze hem gevonden?'

'Nee. We hebben geen reden om dat aan te nemen.'

'Ik zou het hem moeten vragen.'

'Wie? De pastoor? Denk je niet dat hij het ons zou hebben verteld als ze iets hadden gevonden?'

'Misschien niet.'

Pétur sloot zijn ogen. Toen hij ze opendeed, waren ze vochtig. 'Inga, ik weet niet waarom denken aan pa's dood mij zo aangrijpt, maar dat overkomt me altijd. Ik wil het vergeten. Ik heb in de loop der jaren zo mijn best gedaan om het te vergeten, maar het lijkt me nooit te lukken. Ik blijf maar denken dat het allemaal mijn schuld is.'

'Natuurlijk was het niet jouw schuld, Pési,' zei Ingileif.

'Dat weet ik. Dat wéét ik.' Pétur pinkte een traan weg. Het was voor Ingileif vreemd om haar broer, meestal zo beheerst en afstandelijk, zo overstuur te zien. Hij snoof en schudde zijn hoofd. 'Of anders denk ik dat het door die vervloekte ring komt. Als kind was ik erdoor geobsedeerd, was ik er bang voor. En toen pa overleed vond ik het een hoop gelul en wilde ik er niets meer mee te maken hebben.'

Hij staarde kwaad naar zijn zus. 'En nu? Nu vraag ik me af of die ring ons gezin niet heeft verwoest. Ons in de greep heeft vanaf dat ene moment, duizend jaar geleden, toen Gaukur hem afpakte van Isildur op de top van de Hekla. Nog altijd invloed uitoefent om ons te ruïneren: pa, ma, Birna, mij, jou.'

Hij leunde voorover, zijn betraande ogen glinsterden. 'De ring hoeft nergens te bestaan, behalve hier.' Hij tikte met zijn vinger tegen zijn slaap. 'Hij heeft zich in ons hoofd genesteld, net als bij iedereen in onze familie. Daar richt hij schade aan.'

Vigdís parkeerde haar auto in een van de kleine straten die vanaf Hverfisgata omlaagliepen naar de baai. Zij en Baldur stapten uit. De nieuwe ondervragingen op de universiteit hadden iets opgeleverd. Een agent in uniform had een van Agnars studenten ondervraagd, een sullige twintigjarige, die zich had herinnerd dat er iemand op de universiteit had rondgevraagd naar Agnar op de dag dat hij was gestorven. De student had de man verteld over Agnars zomerhuis bij het meer Thingvellir en dat de professor daar soms zijn tijd doorbracht. Waarom de student dit niet eerder had gemeld, bleef voor zowel de student als de politie onduidelijk, hoewel hij geen goede verklaring kon geven voor wat hij op het universiteitsterrein deed op een officiële feestdag. De politie ging er niet verder op in.

Nee, de man had niet gezegd hoe hij heette. Maar de student had hem herkend. Van de tv.

Tómas Hákonarson.

Hij woonde op de achtste verdieping van een van de nieuwe luxe flatgebouwen die de hoogte in waren geschoten in Skuggahverfi, ofwel het Schaduwdistrict, langs de kust van de baai. Hij deed de deur open. Zijn ogen stonden slaperig, alsof hij net wakker was geworden.

Baldur stelde zichzelf en Vigdís voor, en stapte ongevraagd naar binnen.

'Waar gaat dit over?' vroeg Tómas, met de ogen knipperend.

'De moord op Agnar Haraldsson.'

'Ah. Dan kunnen jullie beter even gaan zitten.'

Het meubilair was van duur crèmekleurig leer. Het appartement bood een spectaculair uitzicht op de baai, hoewel er precies op dat moment een donkere wolk laag boven het nog donkerder water hing. Alleen de voet van de Esja was zichtbaar, tot een meter of dertig, en in het halfduister viel er niets te ontwaren van de gletsjer van Snaefellsnes. Links stonden hoge kranen werkeloos boven het onvoltooide nationale concertgebouw, een van de slachtoffers van de *kreppa*.

'Wat weten jullie?' vroeg Tómas.

'Ik kan jou beter vragen wat jij weet,' zei Baldur. 'Te beginnen met wat je deed op donderdag de drieëntwintigste. Afgelopen donderdag.'

Tómas dacht na. 'Ik stond laat op. Haalde voor de lunch een sandwich en een kop koffie. Toen reed ik naar de universiteit.'

'Ga door.'

'Ik zocht Agnar Haraldsson. Ik vroeg het aan een student, en die zei dat hij misschien in zijn zomerhuis bij het meer Thingvellir zat. Dus ben ik daarheen gereden.'

'Hoe laat was dat?' vroeg Vigdís, met haar notitieboekje opengeklapt en haar pen in de aanslag.

'Volgens mij kwam ik rond vier uur aan. Ik weet het niet. Ik kan het mij niet exact herinneren. Kan niet veel vroeger zijn geweest dan halfvier. Of misschien was het iets na vieren.'

'En was Agnar daar?'

'Ja, hij was er. Ik dronk een kop koffie. We kletsten wat. En toen vertrok ik.'

'Juist. En hoe laat ben je vertrokken?'

'Weet ik niet. Ik heb wederom niet op mijn horloge gekeken. Ik ben zo'n drie kwartier gebleven.'

'Dus rond kwart voor vijf?'

'Zo ongeveer.'

Baldur zweeg. Tómas zweeg ook. Vigdís kende het spel: ze bleef roerloos zitten, pen in de aanslag. Maar Tómas zei niets meer.

'Waar hebben jullie het over gehad?' vroeg Baldur ten slotte.

'Ik wilde een mogelijk televisieproject over de saga's met hem bespreken.'

'Wat voor project?'

'Nou, dat was het probleem. Ik had geen specifiek idee. Ik hoopte eigenlijk dat Agnar met een idee zou komen. Maar hij kon niets bedenken.'

'Dus vertrok je weer?'

'Klopt.'

'En wat heb je toen gedaan?'

'Ik kwam terug naar huis. Keek een film, een dvd. Heb wat gedronken. Nou ja, om eerlijk te zijn, ik heb behoorlijk wat gedronken.'

'Alleen?'

'Ja,' zei Tómas.

'Drink je vaak alleen?'

Tómas haalde diep adem. 'Ja,' zei hij opnieuw.

Vigdís keek rond in het appartement. Er lag inderdaad een lege whiskyfles in de prullenbak. Dewar's.

'En was dat de eerste keer dat je Agnar had ontmoet?' vroeg Baldur.

'Nee,' zei Tómas. 'Ik ben hem in het verleden een paar keer tegen het lijf gelopen. In zekere zin was hij mijn contactpersoon als het om saga's ging.'

Baldurs lange gezicht bleef strak in de plooi, maar Vigdís voelde de opwinding die zich van hem meester maakte. Tómas vertelde onzin, en Baldur wist het.

'En waarom heb je je niet eerder gemeld?' vroeg Baldur kalm.

'Eh. Nou, zie je, ik heb in de kranten niets over de moord gelezen.'

'O, kom nou toch, Tómas! Het is je werk om het nieuws bij te houden. De kranten stonden er vol van.'

'En... ik wilde er niet bij betrokken raken. Het leek mij niet belangrijk.'

Bij die woorden kon Baldur zich niet langer inhouden. Hij lachte. 'Oké, Tómas. Je komt met ons mee naar het bureau, waar je maar beter met een geloofwaardiger verhaal kunt komen dan die lulkoek. Ik zou je aanraden de waarheid te vertellen; dat werkt meestal. Maar eerst wil ik dat je mij de kleren laat zien die je op die dag hebt gedragen. En de schoenen.'

24

'Je kunt Steve Jubb niet vrijlaten!' schreeuwde Magnus bijna.

Baldur stond tegenover hem in de gang buiten de verhoorkamer. 'Kan ik wel en ik ga het doen ook. We hebben geen bewijs om hem vast te houden. We wéten dat er die avond iemand anders is geweest nadat Steve Jubb was teruggereden naar Reykjavík. Iemand die Agnar in het meer heeft gedumpt zodra het donker werd.'

'Volgens een vierjarig meisje.'

'Ze is vijf. Maar het punt is dat al het forensisch bewijs haar verhaal onderschrijft.'

'Maar hoe zit het dan met haar ouders? Als er na halftien een andere auto langs hun huis was gereden, zouden ze dat toch moeten hebben gehoord?'

'Dat hebben we gecheckt. Ze waren vroeg naar bed gegaan. En ze waren druk bezig.'

'Bezig? Waarmee?'

'Met wat getrouwde mensen soms doen als ze vroeg naar bed gaan.'

'O.'

'En we hebben nu een andere verdachte.' Baldur knikte naar de deur waarachter Tómas Hákonarson op het punt stond aan een langdurige ondervraging onderworpen te worden.

Magnus keek naar binnen. Een man met een rond brilletje, uitdunnend haar en vlezige wangen zat een sigaret te roken, scherp in het oog gehouden door Vigdís. De beroemde televisiepersoonlijkheid.

'En heeft hij bekend?'

'Geef me even de tijd,' zei Baldur. 'Zijn vingerafdrukken komen overeen met het niet-geïdentificeerde paar dat we in het huis aantroffen. We onderzoeken nu zijn kleren en zijn schoenen. Hij beweert momenteel dat hij kwam en vertrok vóór de komst van Steve Jubb. Jubb arriveerde die avond rond halfacht en de buren waren de hele middag weg, dus is het mogelijk dat ze Tómas niet hebben zien komen en gaan. Maar als je Steve Jubb al vond liegen, zou je deze kerel eens moeten zien. Zijn verhaal rammelt van alle kanten. We laten er geen spaan van heel.'

'Denk je niet dat wat ik je heb verteld over Lawrence Feldman en Steve Jubb die een ring probeerden te kopen van Agnar alles verandert?'

'Nee,' zei Baldur ferm. 'En nu moet ik aan het werk.'

Magnus keerde diep gefrustreerd terug naar zijn bureau. Wat hem werkelijk dwarszat, was de mogelijkheid dat Baldur gelijk had en hij ongelijk. Baldur was een goede politieagent die afging op zijn intuïtie, maar dat gold ook voor Magnus. Daarom zou het des te zuurder zijn als Baldurs ingevingen bleken te kloppen en de zijne niet.

Hij wist dat hij zich er beter niet druk over kon maken, niets mocht uitsluiten, de richting van het onderzoek moest laten afhangen van het aangeleverde bewijs. Maar het probleem was, hoe meer hij zich verdiepte in de hele saga- en ringhandel, hoe troebeler alles werd. En hoe meer er op het spel leek te staan voor alle betrokkenen.

Als het erop aankwam, had Tómas Hákonarson de gelegenheid maar vooralsnog niet het motief om de moord te plegen. Isildur en Gimli, zoals ze zichzelf graag noemden, hadden motief in overvloed.

De stoel tegenover Magnus was leeg. Árni zat nog steeds in de lucht. Magnus belde zijn mobieltje en liet een bericht achter op zijn voicemail om hem te vertellen dat Isildur in Reykjavík zat en hij net zo goed terug naar IJsland kon komen.

Arme jongen.

Hij zette zijn computer aan en keek of hij e-mail had ontvangen. Hij had er eentje gekregen van hoofdinspecteur Williams, een hele lap tekst voor zijn doen.

Williams verontschuldigde zich voor het falen van de beveiliging rondom Colby. Hij beweerde dat er de hele nacht een patrouillewagen voor de deur had gestaan, maar ze hadden niets gezien. Van Colby zelf viel geen spoor te bekennen, hoewel ze haar baas en haar ouders had laten weten een tijdje weg te gaan.

Bij Schroeder Plaza, het hoofdkwartier van de afdeling Moordzaken, gonsden er vragen rond, vragen over Magnus verhuld als roddels. Vrienden van Lenahan; vrienden van vrienden van Soto. De bende van Soto zat zonder twijfel achter Magnus aan.

De jongen die Magnus had neergeschoten, was overleden. Het onderzoek naar zijn dood, en die van zijn oudere partner, zou worden uitgesteld tot na het proces tegen Lenahan.

Maar het grote nieuws betrof het proces tegen Lenahan zelf. De rechter had eindelijk genoeg gekregen van de vertragingstactieken van de verdediging, en hun verzoek afgewezen om duizenden e-mails van de politieafdeling op te vragen. Dat – in combinatie met het verrassend door de mand vallen van een ander moordproces, waardoor er ruimte overbleef in de agenda van de rechter – betekende dat de rechtszaak vermoedelijk ergens volgende week zou beginnen. Magnus zou in een zo vroeg mogelijk stadium als getuige worden opgeroepen; de FBI hoopte dat zodra hij getuigde, Lenahan zou praten. De FBI-jongens zouden Magnus de details van zijn vlucht sturen zodra die door hen waren vastgesteld. De luchthaven van bestemming vormde nog onderwerp van discussie, maar Logan Airport in Boston viel sowieso af. De FBI zou hem in groten getale opwachten en naar een onderduikadres brengen.

Als antwoord tikte Magnus blij te zijn terug naar huis te kunnen. Wat ook waar was. Hij kreeg het gevoel dat hij nul komma nul bijdroeg aan de IJslandse politiemacht. Baldur zou de bijdrage van Magnus nog lager inschatten.

Hij dacht aan Colby en glimlachte. Goed gedaan, meisje. Als de politie van Boston haar niet kon vinden, was dat een goed teken. Als ze zich echt wilde verstoppen, was ze daartoe in staat.

Hij schreef Colby snel een e-mail, vroeg haar om hem, als ze de kans kreeg, te laten weten of alles goed met haar ging. Meer kon hij niet verwachten.

Hij dacht aan de moord op Agnar. Hij haatte het idee om de zaak te laten vallen, het oplossen ervan over te laten aan Baldur.

Oké, als hij gelijk had en Baldur ongelijk, betekende dat dat de zaak draaide om de saga en de ring. Vooral de ring. Afgezien van de vraag of het hier echt ging om de ring die was afgepakt van een dwerg, die een aantal millennia geleden viste in de gedaante van een snoek. Dat was niet belangrijk. Wel belangrijk was dat Agnar dacht te weten waar zich een ring bevond, en dat Feldman die ring dolgraag wilde.

Dus waar was de ring?

Zoals hij Árni erop had gewezen, leek het onwaarschijnlijk dat Agnar in een paar dagen tijd een vervalsing van een duizend jaar oude ring tevoorschijn kon toveren. Wat betekende dat ofwel iemand anders de ring had, Ingileif bijvoorbeeld, of dat Agnar erachter was gekomen waar hij hem kon vinden.

Magnus dacht niet dat Ingileif de ring had. Oké, hij wílde niet geloven dat Ingileif de ring had, maar hij wist dat hij rekening moest houden met die mogelijkheid.

Tenzij iemand anders hem had. Magnus had geen idee wie.

Wat als Agnar erachter was gekomen waar de ring verborgen lag? Magnus had Gaukurs Saga gelezen; er stonden niet genoeg aanwijzingen in om iemand naar de ring te leiden. Maar Agnar was een expert in middeleeuwse IJslandse literatuur. Hij kende ongetwijfeld tientallen volksverhalen en legenden die aanwijzingen of verwijzingen konden bevatten.

Toen schoot Magnus te binnen dat Agnar in zijn agenda de naam 'Hruni' had genoteerd. Niet Flúdir, maar Hruni. Vigdís had de pastoor daar ondervraagd, de pastoor over wie Pétur Magnus had verteld, de vriend van dr. Ásgrímur. Magnus herinnerde zich haar verslag: de pastoor had niet veel interessants te melden gehad.

Magnus moest naar Hruni. Maar eerst wilde hij Ingileif spreken. Hij wilde meer te weten komen over de ring, en de pastoor.

En verdorie, hij wilde haar gewoon zien.

Hij wandelde naar de galerie en kwam net voor sluitingstijd aan, maar Ingileif was er niet. Haar partner, een aantrekkelijke donkerharige vrouw, vertelde hem dat ze waarschijnlijk thuis werkte. Hij had bij het eerste vraaggesprek met Ingileif haar thuisadres gekregen, en deed er maar tien minuten over om erheen te lopen.

Toen ze hem op haar stoep zag staan, leek ze eerst aangenaam te zijn verrast. Ze toonde een brede en vriendelijke glimlach, maar het volgende moment werd haar reactie overschaduwd door twijfel. Ze nodigde hem niettemin uit om binnen te komen.

'Hoe vergaat het je in IJsland?' vroeg ze. 'Al leuke meisjes ontmoet?'

'Nog niet.'

'Ik voel me beledigd.'

'Huidig gezelschap uitgezonderd, uiteraard.'

'Uiteraard. Ga zitten.'

Magnus nam plaats op een lage verchroomde stoel en accepteerde het aanbod van een glas wijn. Tegen de muur stond een cello, opvallend groot in het kamertje. In zo'n klein appartement zou een viool een betere instrumentkeuze zijn geweest, dacht Magnus. Of een piccolo.

'Ik wist niet dat je mocht drinken in functie,' zei Ingileif toen ze hem het glas overhandigde.

'Ik weet niet zeker of ik hier in functie zit,' zei Magnus.

'Is dat zo?' zei Ingileif, die haar wenkbrauwen optrok. 'Ik realiseerde me niet dat je voor de gezelligheid langskwam.'

'Nou, ik ben niet gekomen om je officieel te ondervragen,' zei Magnus. 'Ik heb je hulp nodig.'

'Wat heb ik dan al die tijd gedaan?' merkte Ingileif op. 'Ik help de politie toch met hun onderzoek? Al geef ik toe dat ik in het begin niet erg behulpzaam was.'

'Ik wil met je praten over de ring. Ik moet erachter komen waar hij is. Wie hem heeft.'

'Ik heb je toch verteld dat ik geen idee heb,' zei Ingileif. 'Hij ligt verborgen in een piepkleine nis in de rotsen, ergens in de IJslandse wildernis.'

'Agnar dacht hem gevonden te hebben,' zei Magnus. 'Of hij dacht althans te weten waar hij was. Hij probeerde niet alleen de saga te verkopen aan Lawrence Feldman, maar ook de ring.'

Magnus vertelde haar de inhoud van het sms'je dat Steve Jubb naar Feldman had gestuurd op de avond dat Agnar was vermoord, en over Feldmans overtuiging dat Agnar wist waar de ring was.

'Dus iemand heeft hem?' vroeg Ingileif.

'Misschien,' zei Magnus.

'Wie?'

'De meest voor de hand liggende kandidaat ben jij.'

Ingileif ontplofte. 'Hé! Je zei dat je mij om hulp kwam vragen. Ik zou het hebben verteld als ik de ring had. Ik weet dat ik je eerder niet alles heb verteld, maar ik heb mijn handen afgetrokken van de saga, en die vervloekte ring. Dus als je mij niet wilt geloven, neem me dan maar mee voor een verhoor. Of voor een van je marteltechnieken. Je bent toch een Amerikaan? Wil je soms wat *waterboarding* op mij uitproberen?'

Magnus schrok terug door de felheid van haar ontkenning. 'Ja, ik heb een tijdje in Amerika gewoond, maar ik ga je niet martelen. Sterker nog, ik ga het je gewoon vragen. Weet je waar de ring is?'

'Nee,' antwoordde Ingileif. 'Geloof je me?'

'Ja,' zei Magnus. Hij wist dat hij haar als professioneel rechercheur nog altijd moest wantrouwen, maar een professioneel rechercheur zou in haar appartement geen glas wijn zitten drinken. Hij had zich erbij neergelegd dat hij niet te werk kon gaan als een professioneel rechercheur, althans niet zolang hij in IJsland zat. Hij wilde alleen te weten komen wie Agnar had vermoord.

Ze leek te kalmeren. 'Sorry,' verontschuldigde ze zich. 'Van die hatelijke opmerking over *waterboarding*.'

'Wil je me nog steeds helpen?'

'Ja.'

'Je broer vertelde mij dat je vader de lokale pastoor in vertrouwen had genomen. Dat ze met z'n tweeën werkten aan theorieën over waar de ring mogelijk kon zijn verborgen. Kun je mij iets meer vertellen over die pastoor?'

'Ik wist toentertijd niet dat mijn grootvader de ring had gevonden, maar ik wist wel dat pa met de pastoor een aantal trektochten wilde maken in de buurt van Thjórsárdalur om ernaar te zoeken. Tja, wat kan ik je vertellen over de eerwaarde Hákon?'

Ze zweeg, dacht na. 'Hij is vreemd. Ik bedoel, er zijn meer dan genoeg excentrieke plattelandspriesters in IJsland, maar Hákon is een van de vreemdste. Veel van mijn vrienden waren bang voor hem, bang en tegelijkertijd gefascineerd. Hij wist hen altijd in verwarring te brengen.'

'Maar jou niet?'

'Nee, maar hij was tegenover mij altijd recht door zee. Vanwege mijn vader, denk ik. Hij is slim, laat zich er graag op voorstaan intellectueel te zijn. Hij is heel geïnteresseerd in Saemundur de Geleerde, je weet wel, de man die de duivel bleef bedriegen. En hij weet natuurlijk alles over de legende van de Hruni-dans.'

'Heb je hem recentelijk gezien?'

'Eind vorig jaar hield hij de dienst bij mijn moeders begrafenis. Dat deed hij eigenlijk niet slecht. Hij weet absoluut indruk te maken.' Ze dronk haar wijn op. 'Wil je nog een glas?'

Magnus knikte. Ingileif liep naar de koelkast om de fles te pakken en schonk hun glazen opnieuw vol.

'Na wat Agnar is overkomen, heb ik deze week veel zitten nadenken over de dood van mijn vader. Ik weet dat je de moord op Agnar onderzoekt, maar ik vraag me af of mijn vaders dood wel een ongeluk was.'

'Wat is er gebeurd?'

'Pa en de pastoor gingen twee dagen op expeditie, met tenten, hoog in de heuvels ten westen van de rivier de Thjórsá. Het is daar vrij kaal, en er lag nog wat sneeuw op de grond. Ik ben er nooit achter gekomen waar ze precies heen gingen. Vermoedelijk bekeken ze een paar grotten in de buurt of brokken lavasteen in de vorm van honden.'

Ingileif nam een slok van haar wijn. 'Op de tweede dag waren ze op de terugtocht toen er uit het niets een sneeuwstorm opstak. Ik zeg uit het niets, de storm was wel voorspeld, maar het was de vorige dag helder en zonnig weer, dat kan ik me herinneren. Ze verdwaalden op de woeste grond, en pa tuimelde van een steile rots. Hij viel zo'n vijftien meter omlaag, op de stenen. De pastoor klom naar beneden. Hij zegt dat hij dacht dat pa ernstig gewond was maar nog steeds leefde. Hij haastte zich zo snel hij kon om hulp te zoeken, maar hij raakte verdwaald in de sneeuwstorm. Zes uur later vond hij een schapenboerderij en trok de boer met zich mee. Tegen de tijd dat ze terugkwamen bij de rots, was mijn vader dood: schedel verbrijzeld, nek gebroken. Ze denken zelfs dat hij waarschijnlijk al een paar minuten na de val is overleden.'

'Het spijt me dat te horen,' zei Magnus. 'Mijn vader overleed toen ik twintig was. Het valt niet mee.'

Ingileif glimlachte vluchtig. 'Nee, het valt niet mee. En ook al denk je dat je het hebt aanvaard, je leert er nooit echt mee leven. Vooral niet als er zoiets gebeurt.'

'Denk je dat hij is geduwd?' vroeg Magnus.

'Door de eerwaarde Hákon? Je bedoelt, ze vonden beiden de ring en de pastoor duwde mijn vader van de rots om de ring van hem af te pakken?'

Magnus haalde zijn schouders op. 'Jij zegt het. Wat denk je?'

'Ik weet het niet,' zei Ingileif. 'De pastoor en mijn vader waren goede vrienden. Mijn vader had veel vrienden; hij kon goed opschieten met mensen, maar de eerwaarde Hákon niet. Ik denk dat pa waarschijnlijk de enige echte vriend was die hij had. Na de dood van mijn vader raakte de pastoor nogal in zichzelf gekeerd en begon hij zich echt vreemd te gedragen. Zijn vrouw verliet hem een paar jaar later. Niemand in het dorp nam het haar kwalijk.'

'Dat kan ook gewoon de reactie zijn van iemand die net zijn beste vriend heeft vermoord,' zei Magnus. 'Ik denk dat ik morgen eens langs moet gaan bij die eerwaarde Hákon.'

'Mag ik mee?' vroeg Ingileif.

Magnus keek haar verwonderd aan.

'Het is moeilijk uit te leggen,' zei Ingileif. 'Ik moet erachter komen wat er werkelijk met hem is gebeurd. Het was lang geleden en ik heb het allemaal proberen weg te stoppen, maar er zijn zo veel vragen waarop ik nog geen antwoord heb gekregen. Door de moord op Agnar zijn die allemaal weer naar boven gekomen. Als ik verder wil met mijn leven, móét ik gewoon die antwoorden vinden. Kun je dat begrijpen?'

'O, dat begrijp ik maar al te goed,' zei Magnus. 'Geloof me, ik begrijp het. Soms denk ik wel eens dat ik elke dag antwoorden probeer te vinden op dat soort vragen over mijn eigen vader.'

Hij overwoog haar verzoek. Het maakte beslist geen deel uit van de normale onderzoeksprocedure om de ene getuige mee te nemen om de andere te ondervragen, alleen om haar nieuwsgierigheid te bevredigen. 'Ja,' besloot Magnus met een glimlach. 'Ik vind het prima als je meegaat.'

Ingileif glimlachte terug. Er volgde een stilte die tegelijk wel en niet ongemakkelijk aanvoelde.

'Vertel eens wat over je vader,' zei Ingileif.

Magnus zweeg. Dronk wat wijn. Keek naar de vrouw tegenover hem, haar grijze ogen stonden nu vriendelijk. Dit hoorde ook niet bij de standaardprocedure tijdens een onderzoek, maar hij vertelde het haar. Over zijn vroege kinderjaren, de scheiding van zijn ouders, hoe hij zelf verhuisde naar Amerika om bij zijn vader te gaan wonen. Over zijn stiefmoeder, de moord op zijn vader, en zijn mislukte pogingen om die op te lossen. En toen over zijn recente ontdekking van zijn vaders ontrouw.

Ze praatten een uur lang. Misschien wel twee uur. Ze praatten veel over Magnus, en toen praatten ze over Ingileif. Ze dronken de fles wijn leeg en openden er nog een.

Ten slotte stond Magnus op om te vertrekken. 'Dus je wilt nog steeds met mij naar Hruni? Om de eerwaarde Hákon te spreken?'

'Graag,' zei Ingileif met een glimlach.

'Goed,' zei Magnus, terwijl hij zijn jas aantrok. Toen bleef hij als versteend staan. 'Wacht even!'

'Wat?'

'Die pastoor. Die eerwaarde Hákon. Heeft hij een zoon?'

'Ja. Ik heb hem vanochtend zelfs nog gesproken. Hij is een oude vriend van me.'

'En hoe heet hij?'

'Tómas. Tómas Hákonarson. Hij is nu televisiepresentator. Hij is vrij beroemd, je zult hem vast wel kennen.'

'Ja,' zei Magnus. 'En of ik die ken.'

Na de warmte in Ingileifs appartement was het op straat koud en vochtig. Het motregende en een stevige frisse wind blies de druppeltjes tegen Magnus' wangen.

Hij wist dat hij beter naar huis kon gaan, maar Ingileif woonde niet ver van de Grand Rokk.

Eén biertje maar.

Terwijl hij zich een weg zocht door de schots en scheef lopende straatjes, haalde Magnus zijn telefoon tevoorschijn. Hij moest Baldur bellen, hem vertellen dat de man die ze in hechtenis hadden de zoon was van de pastoor die zeventien jaar eerder de dokter had vergezeld bij zijn zoektocht naar de ring.

Hij had Baldurs thuisnummer niet, en ook niet het nummer van zijn mobiel. Maar als hij het bureau belde, konden ze het bericht doorgeven.

Ach, laat ook maar. Magnus stak de telefoon terug in zijn zak. Alsof het Baldur iets kon schelen. Hij zou toch niets met de informatie doen. Magnus zou het hem de volgende dag wel vertellen, nadat hij werkelijk met de eerwaarde Hákon had gesproken.

Zijn telefoon ging. Het was Árni.

'Ik ben net aangekomen in San Francisco,' zei hij. 'Ik heb je bericht ontvangen.' Zelfs duizenden kilometers vanaf Californië klonk zijn teleurstelling onverminderd groot.

'Sorry, Árni. Ik heb Isildur vanochtend gesproken in Hótel Borg.'

'Ben je nog iets wijzer van hem geworden?'

'Ja, zeker. Niet dat je baas het iets kan schelen.'

'Hoezo niet? Wat is er gebeurd?'

'Hij heeft iemand anders gearresteerd. Ene Tómas Hákonarson.'

'Toch niet die van *Punktur*?'

'Die ja.'

Árni floot door de telefoon. 'Wat moet ik nu doen?'

'Ik denk dat je beter terug kunt komen. Je vliegtuig gaat waarschijnlijk regelrecht terug naar New York. Je kunt maar beter vragen of ze plaats voor je hebben op die vlucht.'

'O, shit,' zei Árni. 'Ik heb het gevoel dat ik dagenlang in het vliegtuig heb gezeten. Ik denk niet dat mijn lijf nog zo'n lange vlucht aankan.'

Stel je niet zo aan, dacht Magnus. Maar hij kreeg medelijden met zijn nieuwe partner. 'Of je kunt inchecken bij een hotel en pas morgenochtend naar mijn bericht luisteren.'

'Goed idee. Dat zal ik doen. Bedankt, Magnús.'

'Geen probleem.'

'En Magnús?'

'Ja?'

'Hou vol. Niet opgeven. Je komt er wel.'

'Trusten, Árni.'

Toen Magnus zijn telefoon uitschakelde, dacht hij na over Árni's laatste opmerking. Hij was blij om naar huis te gaan. Maar hij wilde niet graag opgeven. Het idee dat hij IJsland zou verlaten zonder de moord op Agnar op te lossen, stond hem tegen. Om heel eerlijk te zijn, de gedachte dat Baldur de moord zou oplossen stond hem evenzeer tegen. Árni had gelijk, hij moest niet opgeven. Hij keek ernaar uit om de volgende dag met Ingileif naar Hruni te gaan. Ook haar vaders dood moest opgehelderd worden.

Er was zo veel dat opgehelderd moest worden. Vermoeid dwaalden zijn gedachten onvermijdelijk af naar de dood van zijn eigen vader.

Hij bleef stilstaan voor de Grand Rokk en beende naar de poel van licht die uit de bar stroomde. De gloedvolle warmte van het gekeuvel en de alcohol drong door tot op de kleine voorplaats.

Hij ging naar binnen.

Magnus zat in een benarde situatie. Hij had al drie van de criminelen omgelegd, maar er liepen er nog minstens twee rond. Hij had zich bewapend met een Remington-geweer en een .357 Magnum. Het was donker in de haven. Hij hoorde iets ritselen.

Hij draaide zich om, zag een pistool vanachter een container komen en loste twee schoten met de Remington. Een figuur rolde dood op het asfalt. Nog twee figuren besprongen hem van dichtbij; hij schoot er een neer en toen flitste er een mededeling onder in de hoek van het scherm. Schouderwond. Hij moest het geweer laten vallen. Het grijnzende gezicht van een gangster verscheen op het scherm, gevolgd door de loop van een MP5. 'Make my day,' zei de kerel en het scherm werd oranje en toen zwart.

Game over.

Johnny Yeoh vloekte en duwde zijn stoel weg bij het scherm. Hij had vijf uur achter elkaar Magnus' carrière gespeeld. Kopz Life was zijn favoriete spel, en hij noemde zichzelf altijd Magnus. Die vent was gewoon zo cool.

Johnny vroeg zich af of hij de sprong moest wagen om echt te solliciteren bij de politie. Hij was er zeker slim genoeg voor. En hij beschouwde zichzelf als stressbestendig. Tuurlijk, hij was niet bepaald groot, maar als je het juiste wapen bij je droeg, wat maakte dat dan uit?

De zoemer ging. Hij keek op zijn horloge: een halfuur na middernacht. Hij besefte opeens hoeveel honger hij had gekregen. Hij had de pizza drie kwartier geleden besteld, hoewel het, doordat hij volledig was opgegaan in het spel, niet meer dan tien minuten leek.

Hij drukte op de zoemer om de pizzakoerier binnen te laten in zijn gebouw en deed een minuut later de deur van zijn appartement van het slot.

De deur klapte open, en voor hij het wist stond Johnny tegen de muur van zijn woonkamer gedrukt, met achter in zijn keel de loop van een revolver. Een lichtbruin gezicht met koele ogen staarde naar hem, op een paar centimeter afstand. Johnny's ogen deden pijn toen hij scheel keek om het wapen in zijn mond beter te zien.

'Oké, Johnny, ik heb een vraag voor je,' zei de man.

Johnny probeerde te spreken, maar het lukte hem niet. Hij wist niet of het kwam door de angst of het metaal dat neerdrukte op zijn tong.

De man trok het wapen terug, tot pal voor zijn mond.

Johnny probeerde opnieuw te spreken. Geen geluid. Het kwam door de angst.

'Wat zeg je?'

Ditmaal wist Johnny er een paar woorden uit te persen. 'Wat wil je weten?'

'Heb je een klusje gedaan voor een agent die Magnus Jonson heet?'

Johnny knikte heftig.

'Je hebt het adres opgezocht van een kerel in Californië die hij zocht?'

Johnny knikte opnieuw.

'Wat dacht je ervan als je dat eens voor mij zou opschrijven?' De man keek de kamer rond. Hij was lang, slank, met een glad gezicht en harde bruine ogen. Ogen die bleven rusten op wat papier en een pen. 'Daar!'

'Ik moet het nakijken in mijn computer,' zei Johnny.

'Ga je gang. Ik hou je in de smiezen. Dus ga geen berichtjes tikken, aan niemand niet.'

Zich maar al te bewust van het wapen tegen zijn achterhoofd, liep Johnny Yeoh naar het bureau, waar hij achter zijn computer ging zitten. Hij kneep zijn billen bij elkaar, probeerde wanhopig zijn darmen in bedwang te houden. Hij voelde ook aandrang om te piesen.

In minder dan een minuut had hij het adres van Lawrence Feldman gevonden. Hij schreef het op: zijn hand trilde zo vreselijk dat hij het twee keer moest doen, en zelfs toen waren de woorden onleesbaar.

'Heeft Jonson gezegd waar hij zat?' vroeg de man.

'Nee,' zei Johnny, die zich omdraaide om met wijd opengesperde ogen op te kijken naar de man. 'Ik heb hem niet gesproken. Hij stuurde me een e-mail.'

'Waar kwam die vandaan?'

'Weet ik niet.'

'Zweden?'

'Ik weet het niet.'

'Zoek het dan op!' De revolver werd hard tegen zijn schedel gedrukt.

Johnny haalde zijn e-mailmap tevoorschijn op het scherm en vond het berichtje van Magnus. Eerlijk gezegd had hij het adres niet nagekeken. De domeinnaam luidde *lrh.is*. Waar was dat in hemelsnaam? Een land beginnend met 'I, S'. 'IJsland misschien?'

'Hé, ik vraag het jou.'

'Oké, oké. Ik zal het nakijken.' Johnny had niet meer dan een minuut nodig om te bevestigen dat het domein inderdaad toebehoorde aan IJsland. De IJslandse politie om precies te zijn.

'En IJsland ligt niet in Zweden, of wel soms?'

'Nee,' zei Johnny.

'Ligt het bij Zweden?'

'Niet echt,' zei Johnny. 'Ik bedoel, het ligt in Scandinavië, maar midden in de Atlantische Oceaan. Paar duizend kilometer hiervandaan. Drieduizend?'

'Oké, het is al goed.' De man met het wapen greep het stukje papier en liep achterwaarts naar de deur. 'Weet je, er valt aan jou geen lol te beleven, man.'

Toen deed de gewapende man iets heel merkwaardigs. Hij keek Johnny Yeoh recht in de ogen. Zette de revolver tegen zijn eigen slaap. Glimlachte.

En haalde de trekker over.

25

De pastoor nam de krant, die hij zojuist had gekocht bij de winkel in Flúdir, mee naar zijn studeerkamer. Op pagina vijf stond een kort artikel over het onderzoek naar de moord op Agnar. Zo te lezen was er sinds de eerste arrestatie van de Engelsman niet echt veel vooruitgang geboekt. De pastoor glimlachte toen hij zich herinnerde hoezeer hij de zwarte politieagente had verontrust. Maar hij moest niet zelfvoldaan achteroverleunen. De politie riep alle getuigen op om zich te melden wanneer ze op de eerste dag van de zomer iemand naar dat deel van de oever van het meer Thingvellir hadden zien rijden.

Dat baarde hem zorgen.

Hij dacht erover een telefoontje te plegen, maar hij wist dat hij beter kalm kon blijven, zich gedeisd kon houden. Er was geen reden waarom de politie hem nogmaals zou bezoeken, maar het zou verstandig zijn om zich er niettemin op voor te bereiden.

Hij keek naar de stapel boeken op zijn bureau, en het cahier dat openlag op de bladzijde waar hij gisteravond was gestopt met werken. Hij kon beter terugduiken in het leven van Saemundur. Maar hij kon de bezorgdheid die het artikel bij hem had wakker geroepen niet verdrijven. Hij had wat geruststelling nodig.

Hij legde de krant neer en bestudeerde zijn kleine cd-collectie op de onderste plank van een lang boekenrek, en koos er een. *Led Zeppelin IV*. Hij stopte het schijfje in zijn cd-speler en zette het volume harder.

Hij glimlachte toen hij terugdacht aan de tijd toen hij, vijftien jaar eerder, tegen zijn zoon tekeer was gegaan omdat hij luisterde naar duivelaanbidders, en hoe hij vervolgens stiekem zelf naar de muziek had geluisterd terwijl zijn zoon op school zat. De muziek kon hem wel bekoren; ze was ergens toepasselijk. Hij bleef even staan, sloot zijn ogen en liet de muziek over hem heen spoelen.

Na een paar minuten verliet hij het huis en stak de vijftig meter over naar de kerk, genesteld onder de steile rotsmassa. Zware, onophoudelijke akkoorden klonken uit de pastorie achter hem, weerkaatsend van de rotsen erachter, rondwervelend in het dal.

Binnen was de kerk licht en ruim. Het zonlicht stroomde door de doorzichtige glazen vensters. Het plafond was lichtblauw geschilderd en versierd met gouden sterren, de muren bestonden uit roomkleurige houten planken en de kerkbanken waren roze geschilderd. De preekstoel en het kleine elektrische orgel waren vervaardigd van licht grenenhout. Hij liep naar het altaar, gedrapeerd met rood fluweel. Erachter hing een schilderij van het Laatste Avondmaal.

Op dit soort ochtenden beweerde een deel van zijn gemeente dat ze de aanwezigheid van God voelden in de kerk. Maar alleen de pastoor wist wat hier echt verborgen lag.

Onder alle opsmuk was het altaar feitelijk niet meer dan een aftandse grenenhouten kast, met stapels oude exemplaren van het *Lögbirtingablad*, officiële mededelingen die teruggingen tot enkele decennia geleden. De pastoor reikte onder de stapel, rechts in de kast. Op de tast zocht hij de vertrouwde ronde vorm.

De ring.

Hij haalde hem eruit en deed hem om de ringvinger van zijn rechterhand, waar hij precies omheen paste. De pastoor had grote handen, in zijn jeugd was hij een goede handbalspeler geweest, en toch was de ring niet te krap. Hij was gemaakt voor de vingers van krijgers.

En nu behoorde hij toe aan de pastoor van Hruni.

Baldur negeerde Magnus bij de ochtendbespreking.

Hij bereidde een zaak voor tegen Tómas Hákonarson. Niemand had Tómas die avond thuis zien komen, niet rond vijf of zes uur zoals hij had verklaard, en ook niet veel later. Op de sportschoenen die Tómas volgens eigen zeggen die avond had gedragen, waren geen duidelijke sporen van modder gevonden, maar ze waren kletsnat geworden toen hij er vorige zaterdag mee door plassen was gelopen. Het lab werkte aan een grondigere analyse, en pogingen om de vezels van zijn sokken te vergelijken met drie nog niet geïdentificeerde vezels uit het zomerhuis.

Tómas zelf had om een advocaat gevraagd en bleef bij zijn verhaal, weigerde toe te geven hoe ongeloofwaardig het klonk.

Tijdens de hele bespreking maakte Baldur niet één opmerking tegen Magnus; hij vroeg hem ook niet naar zijn mening, en gaf hem ook geen enkele taak in het onderzoek. En dit werd allemaal gadegeslagen door Thorkell Holm.

Baldur kon de pot op.

Magnus' hoofd deed zeer. Hij had gisteravond in de Grand Rokk heel wat meer gedronken dan één biertje, maar zich weten in te houden met de borreltjes. Hij had meer last van een opgezwollen hoofd dan een regelrechte kater. Maar het was voldoende om zich niet erg behulpzaam op te stellen.

Magnus zou Baldur alles vertellen over Tómas' vader als hij eraan toe was. Als hij de pastoor zelf had gesproken.

Lawrence Feldman zat op de achterbank van de zwarte terreinwagen, een Mercedes, en overzag de gevangenisgebouwen voor hem. Hij stond op het parkeerterrein van Litla Hraun. De gebouwen zelf vielen best mee: wit, functioneel, omringd door twee draadhekken. Maar het landschap eromheen bood een naargeestige aanblik: plat, kaal, bruin, zich uitstrekkend over de berghellingen naar het noorden. In het zuiden lag de brede grauwe vlakte van de Atlantische Oceaan. Aan deze kant van de bergpas was er tenminste nog wat zonneschijn.

De tocht vanaf Reykjavík, slechts een uur rijden hiervandaan, was opwindend geweest toen ze door het lavaveld omhoogreden in de wolken. Feldman waande zich bijna in Midden-aarde, misschien aan de rand van Mordor, het land van de Donkere Vorst Sauron. Hier zag je geen gras, geen groen, of althans niet het groen van thuis. Vreemde korstmossen en andere mossoorten, sommige ervan licht limoenkleurig, andere grijs, weer andere oranje, klampten zich vast aan het gesteente. Lappen sneeuw reikten omhoog over de berghellingen, tot in de wolken. Naast de weg stegen pluimen stoom op uit de grond.

Mordor. Waar de schimmen zijn.

Een grote zwarte vogel dook omlaag en streek neer op een hekpaal, op slechts een paar meter van de auto. Hij opende zijn snavel en kraste beschuldigend. Hij hield zijn kop scheef en leek Feldman met één oog recht aan te staren. Een raaf. De vervloekte vogel gaf hem de kriebels.

Feldman had ervoor gekozen in de auto te blijven, terwijl Kristján Gylfason, de advocaat die hij had ingehuurd voor Gimli, naar de gevangenis was gegaan om hem te halen. De verhalen over de gevangenis die de grote roodharige politieman met het vlekkeloos Amerikaans accent aan Feldman had verteld, zaten hem nog steeds niet lekker.

Er verscheen een kerel uit een naburig gebouw. Een kleerkast van ruim één meter tachtig, met lang blond haar, een baard en een ronde borstkas. Hij droeg een blauwe overall en kwam recht op de Mercedes af. Ongetwijfeld een van die ontaarde herders over wie Feldman had gehoord. Feldman reikte naar het portierslot en hoorde tot zijn opluchting het geruststellende elektronische geklik toen hij erop drukte. De kerel in de overall zag hem in de auto zitten, gaf een kort knikje en wuifde naar hem, waarna hij in een Toyota pick-up stapte.

Toen zag hij eindelijk de strak in het pak zittende verschijning van Kristján uit de ingang van de gevangenis komen, vergezeld door een grote man in een blauw trainingspak, met een uitpuilende buik. Feldman haalde het portier van het slot en duwde het open.

'Gimli!'

Gimli plofte met een kreun op de achterbank. 'Hoe gaat ie?' zei hij.

Feldman weifelde. Dit was de allereerste keer dat hij Gimli in levenden lijve ontmoette, maar hij had het gevoel alsof hij hem heel goed kende. Hij werd overmand door emotie. Hij leunde onhandig voorover om hem te omhelzen.

Gimli zat stil. 'Kalm aan, vriend,' zei hij. Hij sprak met een sterk Yorkshire-accent.

Feldman liet hem los.

'Hoe was het?' vroeg Feldman. 'In de gevangenis? Was het er echt slecht?'

'Ging wel. Eten was oké. Maar de tv in dit land is klote.'

'En de andere gevangenen? Hebben ze je goed behandeld?'

'Heb ik niet mee gepraat,' zei Gimli. 'Ik heb mezelf met niemand bemoeid.'

'Dat was verstandig,' zei Feldman. Hij keek aandachtig naar Gimli, probeerde erachter te komen of hij loog. Feldman zou het begrijpen als hij niet al te specifiek wilde uitweiden over zijn ervaringen in de gevangenis.

Gimli verschoof ongemakkelijk onder de starende blik van Feldman. 'Bedankt voor je hulp, Lawrence. Met Kristján en alles.'

'Geen dank. En noem me alsjeblieft Isildur. Ik zal jou Gimli noemen.'

Gimli wendde zich naar Feldman, trok een wenkbrauw op en haalde toen zijn schouders op. 'Mij best. Ik heb ze niets verteld, weet je. Al leken ze een heleboel zelf te hebben uitgeplozen. Ze weten bijvoorbeeld van de saga, en de ring, maar ze hebben het niet van mij.'

'Natuurlijk niet,' zei Feldman. Hij voelde zich meteen schuldig over hoeveel hij de politie had verteld, terwijl hij onder veel minder druk was gezet.

Kristján startte de auto, reed van het gevangenisterrein af en terug naar Reykjavík. Feldman was blij om dit oord achter zich te laten. Hij wierp een zijdelingse blik op zijn metgezel. Jubb was groter dan hij zich had voorgesteld: vanwege diens bijnaam had Feldman een korter iemand verwacht. Maar deze Gimli vertoonde eenzelfde onverzettelijkheid als zijn naamgenoot uit Midden-aarde. Een goede partner.

'Weet je, Gimli, misschien is Gaukurs Saga ons door de vingers geglipt, maar we zouden nog steeds op zoek kunnen gaan naar de ring. Wil je mij helpen?'

'Na alles wat er hier is gebeurd?' vroeg Gimli.

'Ik heb er natuurlijk alle begrip voor als je nee zegt,' zei Feldman. 'Maar als we hem vinden, zouden we hem kunnen delen. Gedeeld beheer. Vijfenzeventig, vijfentwintig.'

'Hoe bedoel je?'

'Ik bedoel dat jij hem vijfentwintig procent van de tijd in bewaring houdt. Drie maanden in het jaar.'

Gimli staarde uit het raam naar de bruine vlakte. Hij knikte. 'Goed, ik heb al zo veel moeten doorstaan, dus kan ik er net zo goed iets aan overhouden.'

'Afgesproken?' Feldman stak zijn hand uit.

Gimli schudde hem de hand. 'Waar beginnen we?'

'Heeft Agnar je ook maar enige aanwijzing gegeven over waar de ring kan zijn?'

'Nee. Maar hij was er vrij zeker van dat hij hem in handen kon krijgen. Alsof hij wist waar hij was.'

'Uitstekend. En toen je werd verhoord door de politie, vroegen ze je toen naar iemand in het bijzonder?'

'Ja, een broer en een zus. Peter en Ingi nog iets Ásgrímsson. Ik ben er vrij zeker dat zij degenen moeten zijn die de saga verkochten.'

'Oké. Dan hoeven we hen alleen nog maar te vinden. Kristján? Kun jij ons daarbij helpen?'

'Ik heb niet geluisterd naar jullie conversatie,' zei de advocaat.

'We moeten een paar mensen opsporen. Kun jij helpen?'

'Ik denk niet dat dat raadzaam is,' zei Kristján. 'Als ik jullie in de toekomst moet verdedigen, is het beter dat ik zo min mogelijk weet.'

'Ik snap het. Kun je ons dan een goede detective aanraden? Iemand die het niet zo nauw neemt met de regels om erachter te komen wat wij willen weten?'

'Het soort detectives dat wij in de arm nemen, zou zoiets nooit doen,' zei Kristján.

Feldman fronste.

'Wie zou je dan níét willen aanraden?' vroeg Steve Jubb. 'Je weet wel, bij wie moeten we uit de buurt blijven?'

'Een man die Axel Bjarnason heet,' zei Kristján. 'Van hem is bekend dat hij wel eens over de schreef gaat. Ik zou bij hem uit de buurt blijven. Je kunt zijn naam vinden in het telefoonboek. Onder de "A". In dit land staan mensen vermeld onder hun voornaam.'

Het duurde even voordat Magnus een auto wist te regelen voor de rit naar Hruni, zodat hij pas na de lunch voor kwam rijden bij de galerie in Skólavördustígur om Ingileif op te pikken. Ze zouden er iets minder dan twee uur over doen om Hruni te bereiken, maar er moest genoeg tijd zijn om daar te komen, met de pastoor te praten, en die avond nog terug te keren in Reykjavík.

Ze droeg een jeans en een parka, en haar blonde haar was bijeengebonden in een paardenstaart. Ze zag er goed uit. Ze leek ook blij om hem te zien.

Ze reden Reykjavík uit onder een brede donkergrijze wolk, terwijl de buitenwijken Grafarvogur en Breidholt zich, minder grijs, aan weerszijden van hen uitstrekten. Naarmate ze hoger klommen op de weg naar het zuidoosten, kwamen lava en wolken bijeen, tot ze ineens de top van de laatste helling bereikten en een weids rivierdal onder hen glinsterde in het zonlicht. De vlakte lag bezaaid met heuveltjes en piepkleine nederzettingen, en werd doorsneden door een brede rivier die naar zee stroomde, dwars door het stadje Selfoss. Dichterbij stegen grote pluimen stoom op uit de boorgaten van een geothermische krachtcentrale. Pal onder hen stonden de groentekassen van Hveragerdi, verwarmd door warm water opspuitend uit de kern van de aarde. Er hing een zwavelgeur in de lucht, zelfs in de auto.

Een dunne witte streep vormde een rand rond de zwarte wolk die boven hen dreef.

Voor hen zagen ze een strakke lichtblauwe hemel.

'Vertel eens iets over Tómas,' zei Magnus.

'Ik ken hem al zo lang ik me kan herinneren,' begon Ingileif. 'We gingen samen naar de basisschool in Flúdir. Zijn ouders gingen scheiden rond z'n veertiende, en hij verhuisde met zijn moeder naar Hella. Hij is totaal anders dan zijn vader. Hij is nogal een grapjas, charmant op zijn manier, hoewel ik hem nooit aantrekkelijk heb gevonden. Heel intelligent. Maar zijn vader was altijd in hem teleurgesteld.'

Ze zweeg even toen Magnus heuvelafwaarts een zeer steile bocht moest nemen, waarbij hij iets uitweek om een vrachtwagen, die vanaf de andere kant naar boven kwam, te vermijden.

'We rijden in dit land rechts,' zei Ingileif.

'Weet ik. Doen we in de VS ook.'

'Het lijkt alleen alsof je het liefst midden op de weg rijdt.'

Magnus ging er niet op in. Hij had de auto perfect onder controle.

'Tómas lummelde wat rond na de universiteit,' vervolgde Ingileif. 'Deed toen iets in de journalistiek en belandde opeens in het programma dat hij nu presenteert: *Punktur*. Hij is ervoor geknipt. De producer die hem heeft opgemerkt, moet een genie zijn.'

'Wanneer was dat?'

'Een paar jaar geleden. Ik denk dat het succes een beetje naar zijn hoofd is gestegen. Tómas hield altijd al van drinken, gebruikte drugs, maar zijn feestjes hebben de reputatie dat het er nogal wild aan toegaat.'

'Ben je er ooit naar een geweest?'

'Eerlijk gezegd niet. Ik heb hem de laatste tijd niet vaak gezien, tot gisteren. Maar hij vroeg me of ik zaterdag naar een feestje kwam.'

'Daar zou ik maar geen jurk voor kopen.'

'Nee,' zei Ingileif. 'Ik hoor dat hij misschien dubbel geboekt is.'

'Je zegt dat je hem gisteren hebt gesproken?'

Ingileif beschreef haar ontmoeting met Tómas in Café Mokka, en zijn cryptische vragen over de zaak Agnar.

'Kan hij goed opschieten met zijn vader?' vroeg Magnus.

'Nou, ik weet niet hoe het nu is. Maar het was altijd de klassieke relatie tussen een veeleisende vader en een zoon die constant probeert hem te plezieren en daar nooit echt in slaagt. Tómas probeerde in opstand te komen, alles de rug toe te keren, met de feestjes enzovoorts, maar dat is hem nooit helemaal gelukt. Hij was zich er altijd diep van bewust dat zijn vader afkeurde wat hij deed. Ik weet zeker dat dat nog zo is.'

'Dus zou hij zijn vader misschien een dienst bewijzen? Een grote dienst?'

'Zoals iemand vermoorden?'

Magnus haalde zijn schouders op.

Ingileif dacht er een moment over na. 'Ik weet het niet,' zei ze uiteindelijk gefrustreerd. 'Ik kan me niet voorstellen dat hij zoiets zou doen. Ik kan me niet voorstellen dat wie dan ook iemand zou vermoorden. Zoiets gebeurt gewoon niet in IJsland.'

'Het gebeurt overal,' zei Magnus. 'En het is hier ook gebeurd. Met Agnar.'

Ze waren aangekomen op de bodem van het dal, en reden over een lange rechte weg door velden met bruine grashalmen. Om de paar kilometer stond er een boerderij of een kleine wit-met-rode kerk op de top van een heuveltje, met daarvoor een groene lap weiland, keurig aangelegd. Schapen graasden, het merendeel nog ruigbehaard door hun wintervacht, maar het meest voorkomende dier was het paard: stevig gebouwde dieren, nauwelijks groter dan pony's, veel ervan goud- en kastanjekleurig.

'Vertel eens, ben je in Amerika ook zo'n stoere agent met een wapen, zoals je die op tv ziet?' vroeg Ingileif. 'Je weet wel, die boeven achtervolgt door de stad in een sportwagen?'

'Agenten ergeren zich mateloos aan die tv-series,' zei Magnus. 'Ze laten nooit zien hoe het er echt aan toegaat. Maar ja, ik draag een wapen. En de stad zit vol boeven, of tenminste in de wijken waar ik uiteindelijk terechtkom.'

'Is dat niet deprimerend? Of krijg je er juist een kick van?'

'Geen idee,' zei Magnus. Het viel burgers altijd moeilijk uit te leggen hoe het was agent te zijn. Ze begrepen het nooit helemaal. Colby had het nooit begrepen.

'Sorry,' zei Ingileif, en ze wendde zich af om naar buiten te kijken.

Ze reden verder. Misschien stelde Magnus zich niet eerlijk op tegenover Ingileif. Ze had de avond ervoor haar best gedaan om hem te begrijpen.

'Ik kende een meisje op de universiteit, Erin. Ze ging regelmatig naar Providence om daar te werken met kinderen. Het ging er toentertijd hard aan toe in die buurt. Ik ging met haar mee, deels omdat ik vond dat ze goed werk deed, maar vooral omdat ik haar het mooiste meisje op de universiteit vond en ik haar in bed wilde krijgen.'

'Hoe romantisch.'

'Ja. Maar ze deed wél heel goed werk. Ze kon geweldig omgaan met kinderen; de jongens waren dol op haar, en de meisjes vonden haar ook cool. En ik hielp een handje.'

'Ik durf te wedden dat alle meisjes jou ook cool vonden,' zei Ingileif met een grijns.

'Ik kon ze amper van mijn lijf houden,' grapte Magnus.

'En lukte je snode plannetje om jezelf bij dat arme meisje in bed te wurmen?'

'Een tijdje.' Magnus glimlachte bij de herinnering. 'Ze had het hart echt op de juiste plek. Ze was een van de beste mensen die ik ooit heb ontmoet. Veel beter dan ik.

'Bij elk ontspoord joch dat drugs dealde of zijn buren neerstak met een mes, zag ze altijd een bang jongetje dat was misbruikt of in de steek gelaten door zijn ouders en de maatschappij.'

'En jij?'

'Ik heb eerlijk waar geprobeerd er net zo tegenaan te kijken als zij. Maar in mijn wereld bestaan er alleen goede en slechte mensen, en ik zag alleen een crimineel. Naar mijn idee werd de buurt verpest door die crimineeltjes en brachten ze ook andere kinderen die er woonden op het slechte pad. Ik wilde alleen voorkomen dat het stuk tuig het leven van andere mensen ruïneerde. Zoals mijn leven was geruïneerd door degene die mijn vader heeft vermoord.'

'Dus werd je politieagent?'

'Inderdaad. En zij werd lerares.' Magnus glimlachte wrang. 'En ergens denk ik dat zij meer heeft bijgedragen aan een betere wereld dan ik.'

'Zie je haar nog wel eens?'

'Nee,' zei Magnus. 'Ik heb haar een paar jaar na ons afstuderen één keer bezocht in Chicago. We waren tegen die tijd al heel verschillende mensen. Maar ze was nog steeds bloedmooi.'

'Ik denk dat ik het met jou eens ben,' zei Ingileif, die zich naar hem omdraaide. 'Wat de criminelen betreft.'

'Werkelijk?'

'Verbaast je dat?'

'Ja, ik geloof van wel.' Erin was het beslist niet met hem eens geweest. En Colby overigens ook niet. Politieagenten voelden zich in dat opzicht altijd eenzaam, alsof ze het vuile werk opknapten dat niemand anders wilde doen, of waarvan men zelfs niet onder ogen wilde zien dat het gedaan moest worden.

'Je hebt toch de nodige saga's gelezen. Dan hoor je te weten dat wij, IJslandse vrouwen, onze mannen constant aan het hoofd zeuren om uit bed te komen en de eer van hun familie te wreken voor het middageten.'

'Dat is waar,' zei Magnus. 'Dat heb ik altijd aantrekkelijk gevonden in een vrouw, vooral op zondagochtend.'

Ze reden zwijgend verder. Over de cantileverbrug bij de rivier de Ölfusá en door het stadje Selfoss.

'Hoe lang blijf je in IJsland?' vroeg Ingileif.

'Ik dacht dat het een paar maanden zou worden. Maar het ziet er nu naar uit dat ik volgende week terug moet naar de VS om te getuigen bij een proces.'

'Kom je daarna terug?'

'Als het aan mij ligt niet,' zei Magnus.

'O? Vind je IJsland niet leuk soms?' Ingileif klonk beledigd. Wat niet echt verwonderlijk was, want je kon een IJslander niet sneller beledigen dan door je geringschattend uit te laten over hun land.

'Zeker wel, maar het brengt alleen moeilijke herinneringen naar boven. En mijn samenwerking met de Reykjavíkse politie verloopt niet zo goed. Ik kan niet echt overweg met de baas.'

'Zit er in Boston een vriendinnetje op je te wachten?' vroeg Ingileif.

'Nee,' zei Magnus, denkend aan Colby. Als er ooit een ex-vriendin was geweest, was zij het wel. Hij wilde Ingileif vragen waarom ze dat van hem wilde weten, maar dat zou bot klinken. Misschien was ze alleen nieuwsgierig. IJslanders stelden directe vragen wanneer ze ergens antwoord op wilden krijgen.

'Kijk, daar heb je de Hekla!'

Ingileif wees recht vooruit naar de forse rug van de brede, witte berg die IJslands beroemdste vulkaan vormde. Hij had niet de kegelvorm van een klassieke vulkaan, maar was veel gewelddadiger dan, bijvoorbeeld, de meer sierlijke Mount Fuji. In de afgelopen veertig jaar was de Hekla vier keer uitgebarsten, door een spleet die horizontaal langs de bergrug liep. En zo om de paar eeuwen kwam het tot een grote uitbarsting. Zoals de eruptie in 1104, die Gaukurs boerderij bij Stöng had bedolven.

'Wist je dat ze in Boston kaneelbroodjes verkopen die ze Hekla noemen?' zei Magnus. 'Eigenlijk zijn het meer grote, omgekeerde gebakjes met suiker erop. Zien er net zo uit als de berg.'

'Maar ontploffen ze ook af en toe in je gezicht?'

'Niet dat ik weet.'

'Dan zijn het geen echte Hekla-broodjes. Daar hoort wat meer pit in te zitten.' Ingileif glimlachte. 'Ik weet nog goed dat ik de Hekla in 1991 heb zien uitbarsten. Ik moet tien of elf zijn geweest. Vanaf Flúdir kun je de vulkaan niet goed zien, maar een vriendin van mij woonde op een boerderij, een paar kilometer meer naar het zuiden, en vanaf daar had je een geweldig uitzicht.

'Het was heel bijzonder. Op een nacht in januari. De vulkaan gloeide vuurrood en oranje, en tegelijkertijd kon je een groene veeg van de aurora erboven zien hangen. Ik zal het nooit vergeten.'

Ze slikte. 'Dat was in het jaar voordat mijn vader stierf.'

'Toen je leven normaal was?' vroeg Magnus.

'Precies,' zei Ingileif. 'Toen mijn leven normaal was.'

De vulkaan doemde steeds hoger op terwijl ze erheen reden, en toen bogen ze af naar het noorden en verdween hij achter de heuvels die het dal omsloten. Met nog twee kilometer te gaan naar Flúdir, kwamen ze rechts een afslag tegen naar Hruni. Magnus nam de afslag, en de weg slingerde zich een paar kilometer door de heuvels, alvorens uit te komen in een dal. Het witte kerkje van Hruni was zichtbaar onder een steile rotsmassa, omringd door een huis en wat boerderijgebouwen.

Ze stopten op het grind van de lege parkeerplaats voor de kerk. Magnus stapte uit de auto. Je had vanaf hier een spectaculair uitzicht op het noorden, met gletsjers in de verte. Plevieren maakten duik-vluchten en wervelden rond boven de velden, waarbij ze naar elkaar riepen. Verder heerste er stilte. En rust.

Ze liepen naar de pastorie, een groot huis naar IJslandse maatstaven, wit met een rood dak, en belden aan. Er werd niet opengedaan. Er stond wel een rode Suzuki in de garage.

'Zullen we in de kerk kijken?' stelde Ingileif voor. 'Hij is immers pastoor.'

Terwijl ze over het oude kerkhof wandelden, knikte Ingileif naar een rij met nieuwere stenen. 'Daar ligt mijn moeder.'

'Wil je even kijken?' vroeg Magnus. 'Ik wacht wel.'

'Nee,' zei Ingileif. 'Nee, het voelt niet goed.' Ze glimlachte schaap-achtig tegen Magnus. 'Je zult het vast raar vinden, maar ik wil haar hier niet bij betrekken.'

'Zo raar vind ik dat niet,' zei Magnus.

Dus vervolgden ze hun weg naar het kerkgebouw en gingen naar binnen. Het was er warm en eigenlijk best mooi. Het was ook leeg.

Toen ze teruggingen naar de auto, zag Magnus een jongen van onge-veer zestien rond de boerderijgebouwen lopen. Hij riep naar hem. 'Heb je de pastoor gezien?'

'Ik heb hem vanochtend gezien.' De jongen leek nerveus. Magnus besloot niet te vertellen dat hij van de politie was. Dat zou de jongen alleen nog maar nerveuzer maken.

'Weet je waar hij kan zijn gebleven? Heeft hij nog een auto?'

De jongen zag de Suzuki die geparkeerd stond in de garage. 'Nee. Misschien is hij een wandeling gaan maken. Dat doet hij soms. Hij kan wel heel de dag wegblijven.'

'Bedankt,' zei Magnus. Hij keek op zijn horloge. Halfvier. Toen wendde hij zich tot Ingileif met de woorden: 'Wat nu?'

'Je zou mee kunnen gaan naar ons huis in het dorp,' zei ze. 'Ik kan je de brieven laten zien die Tolkien aan mijn grootvader heeft geschre-ven. En mijn vaders aantekeningen over waar de ring kan zijn. Hoewel ik betwijfel of je daar veel aan zult hebben.'

'Goed idee,' zei Magnus. 'We komen hier later terug.'

26

De Austurstraeti was maar een straat verwijderd van Hótel Borg. Isildur werd gerustgesteld door de twee mannen naast hem, de grote vrachtwagenchauffeur uit Yorkshire en de gerimpelde IJslandse ex-politieagent. Toen Gimli een bedrag had voorgesteld aan Axel Bjarnason, toonde die zich graag bereid alles uit handen te laten vallen om hen te helpen, hoewel Gimli vermoedde dat de privédetective niet veel had om te laten vallen. Hij had kort grijs haar, scherpe blauwe ogen en een verweerd gezicht. Hij zag er meer uit als een visser dan een privédetective – niet dat Isildur ooit eerder een privédetective had ingehuurd.

Bjarnason kende de stad echter van haver tot gort. Hij had de naam van Pétur Ásgrímsson meteen herkend, en slechts een paar tellen nodig gehad om na te gaan of Ingileifs galerie zich bevond op de door hem vermoede locatie. Nog geen kwartier later meldde hij zich bij Hótel Borg.

Isildur was zenuwachtig, bang zelfs. Hij was in een vreemd land, en IJsland was een héél vreemd land. Er was iemand vermoord, en de kans bestond dat de moordenaar dezelfde man was die naast hem liep. Isildur wilde daar niet te veel over nadenken; hij had besloten Gimli niet op de man af te vragen of hij de professor om zeep had geholpen.

Maar het gevaar maakte alles nog opwindender. Het was een gok: misschien zou de politie de ring eerst vinden. Misschien bleek de ring toch nep te zijn. Misschien zou niemand hem ooit vinden. Maar er bestond een kans, een reële kans, dat Isildur mogelijk de eigenaar zou worden van de feitelijke ring die als inspiratie had gediend voor *The Lord of the Rings*, die duizend jaar geleden door zijn naamgenoot was meegenomen naar IJsland.

Dat was cool. Dat was echt cool.

De hoofdingang van de Neon was gewoon een smalle deur aan de straatkant, maar Bjarnason leidde hen achterom. Daar zagen ze nog een deur, die werd opengehouden met een paar kratjes bier. Een jongeman droeg wat dozen wodka naar binnen.

Bjarnason hield hem tegen en ratelde iets in het IJslands. Wat een eigenaardig taaltje, dacht Isildur. Hij vroeg zich af welke taal uit Midden-aarde net zo zou klinken. Mogelijk geen van de talen: Quenya vertoonde Finse invloeden en het Sindarijns was afgeleid van het Welsh. Misschien vond Tolkien IJslands te veel voor de hand liggen – geen lol aan te beleven.

De jongen leidde hen de trap af, langs een enorme dansvloer, en naar een kantoortje. Daar was een lange man met een geschoren hoofd serieus in gesprek met een roodharige vrouw in een spijkerbroek en een T-shirt van 'Severed Crotch', een IJslandse metalband.

'Ga je gang,' zei Bjarnason tegen Isildur. 'Hij spreekt vast Engels.'

'Meneer Ásgrímsson?' begon Isildur.

De man met het geschoren hoofd keek op. 'Ja?' Geen glimlachje te bekennen. Zijn gladde schedel bolde schrikbarend op.

'Mijn naam is Lawrence Feldman en dit is mijn collega Steve Jubb.'

'Wat willen jullie? Ik dacht dat jullie in de gevangenis zaten,' zei Ásgrímsson.

'Steve was de hele tijd onschuldig,' zei Isildur. 'Ik denk dat de politie daar eindelijk achter is gekomen.'

'Nou, als je de saga wilt, die ligt bij de politie. En als zij er klaar mee zijn, verkopen we hem zeker niet aan jou.'

Ásgrímsson stelde zich agressief op, maar Isildur liet zich niet door hem intimideren. Hij was eraan gewend dat mensen hem probeerden te commanderen, mensen die neerkeken op de programmeur wiens talenten ze niettemin nodig hadden om hun bedrijf te laten draaien.

'Daar kunnen we het later nog eens over hebben. Wij willen u spreken over een ring. De ring van Isildur, of misschien noemt u hem liever de ring van Gaukur.'

'Uit mijn club! Nu!' Ásgrímssons stem klonk ferm.

'We zullen u goed betalen. Heel goed,' drong Isildur aan.

'Luister,' zei Ásgrímsson, zijn ogen schoten vuur. 'Er is een man gestorven vanwege die stomme saga. Twee mannen, als je mijn vader meerekent. Mijn familie hield de saga eeuwenlang geheim om een reden, een goede reden naar nu blijkt. Hij had geheim moeten blijven, en als het aan mij had gelegen zou dat ook zijn gebeurd. Maar de reden waarom het anders is gelopen, ben jij. Jij steekt je neus in zaken die je niet aangaan, wappert overal rond met je dollars.'

Hij deed een stap in de richting van Isildur. 'Je hebt gezien wat het heeft opgeleverd. Professor Agnar Haraldsson is dood! Voel je je daar niet schuldig over? Denk je niet dat je gewoon als de sodemieter uit IJsland zou moeten vertrekken om weer op te rotten naar dat Amerika van je?'

'Meneer Ásgrímsson...'

'Eruit!' schreeuwde Pétur nu, wijzend naar de uitgang. 'Eruit, zei ik!'

De pastoor zweette in de zon, die ongewoon warm was voor het seizoen. Het was een prachtige dag, en hij had al zo'n zeven kilometer gewandeld. Hij bevond zich in een hoog dal, waar zo vroeg in het jaar zelfs geen schapen rondliepen. Vanaf de besneeuwde heide, boven in het dal, stroomde een beekje omlaag. Overal om hem heen zag hij de sneeuw smelten, druppelsgewijs over de stenen wegsijpelen in de aarde. Het gras dat de afgelopen paar dagen tevoorschijn was gekomen, zag merendeels geel, maar naast het beekje schoten hier en daar felgroene scheuten omhoog. Lente. Nieuwe voeding voor dit dorre landschap.

Overal tjilpten en zongen vogels in de zonneschijn.

Hij haalde diep adem. Hij herinnerde zich de eerste keer dat hij naar dit dal was gekomen, als de kersverse pastoor van Hruni, hoe hij het gevoel had gekregen dat God hier verbleef.

En op dat moment geloofde hij dat opnieuw.

Links van hem, langs de rand van het dal, staken enkele rotspunten omhoog. Hij verliet het pad, of althans het weinige dat ervoor door moest gaan, en stapte met een zompig geluid door het gele gras naar de rotsen. Hij pakte zijn notitieboekje.

Hij moest een goede schuilplaats vinden.

De arrestatie van Tómas als verdachte van de moord op Agnar Haraldsson was tussen de middag op het radiojournaal geweest. Ze hadden het nieuws groot gebracht, niet echt verwonderlijk gezien Tómas' status als beroemdheid. Zodra de pastoor het hoorde, wist hij dat hij de ring op een andere plaats moest verstoppen.

Hij bleef stilstaan en bestudeerde de ring aan de ringvinger van zijn rechterhand. Je zou niet zeggen dat hij duizend jaar oud was. Dat had je met goud – het maakte niet uit hoe oud het was, als je het goed poetste zag het er nieuw uit. Of nieuwer.

Er zaten wat krasjes en slijtplekken op. Maar de inscriptie in runentekens, gegraveerd aan de binnenzijde, was nog net leesbaar.

Hij dacht terug aan het moment waarop hij en Ásgrímur de ring hadden gevonden in die grot. Nou ja, je kon het nauwelijks een grot noemen, meer een gat in de rotsen. Dat was het meest geweldige, het meest ingrijpende moment van zijn leven geweest. En dat van Ásgrímur natuurlijk. Ook al was het zo ongeveer zijn laatste.

Het mocht een wonder heten dat het gat niet onder puin was begraven bij een van de vulkaanuitbarstingen in het vorige millennium, vooral de grote die Gaukurs boerderij had bedolven. Maar wonderen waren dan ook het handelsmerk van de ring.

Hij had hem nu bijna twintig jaar af en toe gedragen. Hij was er dol op, hij aanbad de ring. Soms zat hij er alleen maar naar te staren, terwijl de muziek van Led Zeppelin of Deep Purple om hem heen wervelde, zich verwonderend over de geschiedenis, het mysterie, en de kracht van de ring. Andvari, Odin, Hreidmar, Fafnir, Sigurd, Brynhild, Gunnar, Ulf Leg Lopper, Trandill, Ísildur en Gaukur; ze hadden hem allemaal in hun bezit gehad. En nu was hij van hem. De pastoor van Hruni.

Ongelofelijk.

Maar hoewel de ring hem, telkens wanneer hij hem omdeed, een ontzagwekkend gevoel van vreugde en macht verleende, was zijn teleurstelling in de loop der tijd toegenomen. De pastoor beschouwde zichzelf als een vrij uitzonderlijk man, en hij had verondersteld dat de ring hem had gekozen vanwege zijn kennis van de Duivel en Saemundur. Hij had zich op zijn studie gestort, maar er was niets gebeurd. Er was hem niets geopenbaard. Het pad naar macht en heerschappij was niet aan hem verschenen.

Maar hoe kon dat ook, als hij zichzelf opsloot in de heuvels bij Hruni? Hij had verondersteld dat het zijn taak was om de ring te bewaren in de schaduw van de Hekla, die hemelsbreed immers maar veertig kilometer verderop lag. Maar bewaren voor wie? Hij had zijn zoon altijd onwaardig gevonden, veel te lichtzinnig en oppervlakkig om gebruik te maken van de ring. Maar misschien zou hij alsnog iets van zijn leven maken. Hij was al een beroemdheid in IJsland. Een IJslander die de wijde wereld in trok om naam voor zichzelf te maken, had weinig kans van slagen, maar wie weet zou het Tómas lukken.

Met de hulp van de ring.

De pastoor scharrelde rond in de rotsen, op zoek naar eenzelfde nis als waarin ze de ring, zeventien jaar eerder, oorspronkelijk hadden gevonden. Hij moest niet vergeten heel zorgvuldig te noteren waar hij hem had verstopt, anders zou hij wellicht nog eens tien eeuwen verloren gaan.

Maar misschien moest hij hem niet verstoppen? De ring had zich niet aan hem en dr. Ásgrímur geopenbaard om weer uit de wereld te worden weggenomen. Hij wilde toegang krijgen tot het reilen en zeilen van de mens. Hij wilde ontdekt worden.

Het altaar van de kerk bij Hruni was niet de beste plaats om hem te verbergen. Daar kon hij gevonden worden door een vastberaden politieteam, of wie dan ook. Maar het was wel de juiste plaats om hem te bewaren.

De pastoor deed de ring af en hield hem in zijn vuist. Hij sloot zijn ogen en probeerde te voelen wat de ring hem vertelde.

Het wás de juiste plaats.

Hij maakte rechtsomkeert en begon met kwieke tred aan de wandeling terug naar Hruni. Hij keek op zijn horloge. Met een beetje geluk zou hij tegen het vallen van de avond thuis zijn.

Ingileifs huis, of beter gezegd het huis van haar familie, stond op een aarden wal, met uitzicht op de rivier die door Flúdir stroomde. Flúdir zelf was een welvarend dorp met een buurtwinkel, een hotel, twee scholen, een paar openbare gebouwen, en een aantal geothermisch verwarmde groente- en fruitkassen. Ingileif zei dat ze hier de beste landbouwgrond in IJsland hadden. Maar er was geen kerk; de parochiekerk stond bij Hruni, drie kilometer verderop.

Het dorp zelf was niet veel bijzonders, maar het uitzicht was spectaculair. In het westen lag het stroomgebied van de gletsjerrivier Hvítá, met de oude nederzetting bij Skálholt, waar de eerste kathedraal van IJsland was verrezen; en in het noorden lagen de gletsjers zelf, dikke witte platen die een loodrechte horizon vormden tussen bergpieken.

De Hekla werd aan het zicht onttrokken door de heuvels in het zuidoosten.

Het huis was zo'n gelijkvloers geval, maar groot genoeg voor een gezin van vijf. Magnus en Ingileif verspreidden de inhoud van enkele kartonnen dozen op de vloer van de slaapkamer van Ingileifs moeder. Er waren inderdaad tientallen brieven van Tolkien aan Högni, Ingileifs grootvader, die pas na de dood van Högni in het bezit van haar vader waren gekomen. Ingileif toonde Magnus een eerste editie van *The Fellowship of the Ring*, het eerste deel van *The Lord of the Rings*. Magnus herkende het handschrift van de opdracht in het boek: *Voor Högni Ísildarson, het ene goede verhaal is het andere waard, met dank en de allerbeste wensen, J.R.R. Tolkien, september 1954.*

Ze bekeken een map met kaarten en notities, de meeste in het handschrift van dr. Ásgrímur, met gissingen over waar de ring verborgen kon liggen. Er waren ook aantekeningen en brieven van Hákon, de pastoor. Ze gingen over diverse volksverhalen die hij had bestudeerd. Enkele bladzijden beschreven het verhaal van Gissur en de trollenzusters van Búrfell, een berg niet ver van Gaukurs boerderij bij Stöng. Er werd ook een verhaal vermeld over de schapenhoedster Thorgerd die er met een elf vandoor ging.

'Hebben jullie elfen in Amerika?' vroeg Ingileif.

'Niet als zodanig,' zei Magnus. 'We hebben drugsdealers, we hebben pooiers, we hebben gangsters, we hebben corrupte advocaten, we hebben beleggingsbankiers. Geen elfen. Maar mochten we in de South End ooit problemen krijgen met elfen, dan weet ik bij wie ik om hulp moet vragen. We zouden een uitwisselingsprogramma kunnen opzetten met de Reykjavíkse politie.'

'Je hebt dus als kind nooit verhalen over elfen gehoord?'

'O, jawel, vooral toen ik bij mijn grootouders in IJsland woonde. Mijn vader was meer geïnteresseerd in saga's dan elfen en trollen. Maar ik weet nog dat ik hem ernaar vroeg.' Magnus glimlachte bij de herinnering. 'Ik was veertien, geloof ik. We maakten een wandeltocht in de Adirondacks. Dat deed ik het liefst, wandelen met mijn vader. Mijn broer wilde niet mee, dus trok ik er alleen met mijn vader op uit. We spraken een hele week niets anders dan IJslands tegen elkaar. We praatten over alles.

'Ik kan mij precies herinneren waar het was: aan de oever van

Raquette Lake. We zaten op een rots een sandwich te eten, en die rots leek op een trol. Mijn vader vertelde dat de IJslanders een lang ingewikkeld verhaal over zo'n steen zouden hebben verzonnen. Toen vroeg ik hem of hij in elfen geloofde.'

'En wat zei hij?'

'Hij ontweek de vraag enigszins. Dus drong ik bij hem aan. Hij was wiskundige, zijn hele leven stond in het teken van bewijzen, en er was geen bewijs voor het bestaan van elfen.

'Dus hield hij een heel verhaal over dat er weliswaar geen bewijs is dat elfen bestaan, maar ook geen onweerlegbaar bewijs dat ze niet bestaan. De wetenschap kan dus geen antwoord geven op de vraag. Hij zei dat hijzelf niet in elfen geloofde, maar te veel IJslander was om hun bestaan te ontkennen, en dat ik dat zou begrijpen als ik ooit in IJsland ging wonen.'

'En geloof je in elfen nu je in IJsland woont?'

Magnus lachte. 'Nee. En jij?'

'Mijn grootmoeder zag voortdurend verborgen mensen,' zei Ingileif. 'Achter een rots bij de boerderij waar mijn moeder is geboren. Sterker nog, op de avond vóór mijn moeders geboorte werd ze bezocht door een verborgen vrouw. Mijn grootouders wilden mijn moeder Boghildur noemen, maar de verborgen vrouw zei dat als mijn grootmoeder haar geen Líney noemde, het kind vroeg zou sterven. Daarom heet mijn moeder nu Líney.'

'Beter dan Boghildur,' merkte Magnus op. 'De verborgen vrouw had smaak.'

'Hier, kijk,' zei Ingileif, die wees naar een kaart waarop notities en pijlen stonden gekrabbeld. 'Hier gingen ze heen in het weekend dat mijn vader om het leven kwam.' Er was een grot gemarkeerd bij een beekje, op zo'n tien kilometer van de verlaten Vikingboerderij bij Stöng.

Ingileifs mobieltje ging. Toen ze opnam kon Magnus een geïrriteerde mannenstem horen, zij het niet goed genoeg om de stem te herkennen.

'Dat was mijn broer,' zei Ingileif na afloop van het gesprek. 'De twee buitenlanders die de saga wilden kopen, kwamen blijkbaar opdagen in de Neon. Een Amerikaan en een Engelsman. Ze vroegen naar de ring. Pétur heeft ze weggestuurd.'

'Je zou denken dat ze zo verstandig zouden zijn om het te laten rusten.'

'Zo denkt Pétur er beslist over,' zei Ingileif. 'Hij waarschuwde me dat ze ook op zoek zullen gaan naar mij. Hij wil niet dat ik ze iets vertel.'

'Was je dat dan van plan?'

'Nee. En de saga is voor hen tegen geen enkele prijs te koop, als we ooit al de kans krijgen om hem te verkopen. Pétur is daar heel stellig in, en ik ben het met hem eens.' Ze keek op haar horloge. 'Het is bijna zeven uur. De pastoor zal nu wel terug zijn. Zullen we gaan kijken?'

Ze reden terug naar Hruni, maar er werd niet opengedaan toen ze aanbelden. De auto van de pastoor stond nog in de garage. Ze keken om zich heen in het dal en naar de heuvels, om te zien of ze een eenzame wandelaar konden ontdekken. De zon, die nu lager stond, verspreidde een zacht helder licht dat elk detail van het landschap leek te accentueren, en zette de sneeuw op de afgelegen bergen in een rozeachtige gloed. In de verte vlogen een paar raven, hun gekras werd door de wind meegevoerd over het grasland. Maar er viel nergens een mens te bekennen.

'Hoe laat wordt het donker?' vroeg Magnus. 'Halftien?'

'Zoiets, ja,' zei Ingileif. 'Ik weet het niet precies. Het wordt in deze tijd van het jaar steeds later donker.'

'Heb je honger?'

Ingileif knikte. 'Ik weet wel iets in het dorp waar we wat kunnen eten.'

'Dan doen we dat. We kunnen daarna terugkomen.'

'En dan terugrijden naar Reykjavík?'

Magnus knikte.

'Kunnen we doen,' zei Ingileif. 'Of...' Ze glimlachte. Haar grijze ogen dansten onder haar blonde pony. Ze zag er verrukkelijk uit.

'Of wat?'

'Of we kunnen morgen bij hem langsgaan.'

Magnus schrok wakker. Hij zweette. Even wist hij niet waar hij was. Hij keek door de kamer naar een onbekend raam, naar blauwgrijs maanlicht achter de dunne gordijnen.

Hij voelde een hand op zijn onderarm.

Hij draaide zich om en zag een vrouw naast hem in bed liggen. Ingileif.

'Wat is er, Magnús?'

'Een droom, meer niet.'

'Een nare droom?'

'Hmm, ja.'

'Vertel eens.'

'Nee, het is niets.'

'Magnús, ik wil weten wat je allemaal voor naars droomt.' Ze kwam overeind op een elleboog, haar borsten beschaduwd in het zwakke licht dat door de gordijnen naar binnen drong. Hij kon een halve glimlach van bezorgdheid ontwaren. Ze raakte zijn wang aan.

Dus vertelde hij het haar. Over de droom, de avondwinkel, O'Malley, de junk. En over de steeg, de vuilnisbakken, de dikke kale man, en de jongen. De jongen van wie Williams had gezegd dat hij zojuist was overleden.

Ze luisterde. 'Heb je die dromen vaak?'

'Nee,' zei Magnus. 'Pas sinds heel kort. Sinds de tweede schietpartij.'

'Maar ze probeerden je toch te vermoorden, die twee mannen?'

'O, zeker. Ik voel me er totaal niet schuldig over,' zei Magnus. 'Althans niet zolang ik wakker ben.' Hij sloeg met zijn vuist op de matras. 'Ik begrijp er niets van. Ik weet niet waarom ik het mij zo aantrek.'

'Hé, je hebt wel iemand doodgeschoten,' zei Ingileif. 'Je hebt absoluut juist gehandeld, je kon niet anders, maar je hebt er een slecht gevoel over. Je zou niet menselijk zijn als dat niet zo was, en je bént menselijk, ook al vind je jezelf een grote stoere agent. Ik zou je niet leuk vinden als je niet menselijk zou zijn.'

En ze nestelde zich tegen zijn borst. Hij trok haar dicht tegen zich aan.

Ze kusten.

Hij raakte opgewonden.

Nadien viel ze meteen weer in slaap. Maar Magnus kon de slaap niet vatten. Hij lag stil, op zijn rug, starend naar het plafond.

Ze had natuurlijk gelijk over de dromen. Hij kon dat soort dromen verwachten, moest ze accepteren. Die gedachte kalmeerde hem.

Maar toen dacht hij aan Colby, die zich ergens schuilhield, God mocht weten waar, vrezend voor haar leven. Moest hij zich niet schuldig voelen over wat hij haar had aangedaan?

Hij keek opzij naar Ingileif, haar ogen gesloten, zacht in- en uitademend door half geopende lippen. Zelfs in het schemerlicht kon hij het kerfje bij haar wenkbrauw zien.

Colby had heel duidelijk gemaakt dat er weinig kans bestond om hun relatie te redden. Een onenightstand met een mooi IJslands meisje was eigenlijk een uiterst verstandige manier om haar te vergeten. Veel beter dan stomdronken worden en in de cel belanden. Alleen, als hij Ingileif zo naast hem zag liggen, voelde het helemaal niet als een onenightstand. Hij vond haar leuk. Echt leuk.

En om een of andere dwaze reden voelde dat als een veel groter verraad van Colby.

Na te zijn teruggereden uit Hruni, waren ze gestopt bij het enige hotel in Flúdir. Het bleek te beschikken over een heel goed restaurant. Ze hadden er genoten van een lang en ontspannen diner, terwijl voor hen het dal van de Hvíta in de duisternis verzonk. Ze waren teruggelopen naar Ingileifs huis, langs de smallere rivier die door het dorp stroomde, en toen waren ze beland in de oude slaapkamer van Ingileif.

Hij glimlachte bij de herinnering.

Hij stelde zich aan. Hij was nog geen week in IJsland, en nu al begon hij te begrijpen dat de IJslanders veel losser omgingen met seks dan hij was gewend. Hij stelde voor haar niet meer voor dan, hoe heette hij ook alweer, de schilder, Ingileifs alibi. Ja, natuurlijk hield ze van hem, zoals ze hield van *skyr* of aardbeienijs. En misschien zelfs niet in die mate.

Hij moest op zijn hoede blijven. In Amerika was het absoluut taboe om met een getuige het bed in te duiken, en ergens betwijfelde hij of Baldur onder de indruk zou zijn als hij er ooit achter kwam. En kon hij er wel geheel zeker van zijn dat ze onschuldig was?

Natuurlijk wel.

Maar de rechercheur in hem, de professional, fluisterde iets anders.

27

Ditmaal was de pastoor van Hruni thuis.

Hij opende de deur, een imposante man met een grote borstelige baard en dikke zwarte wenkbrauwen. Hij fronste bij het zien van Magnus, maar zijn uitdrukking veranderde toen hij zag wie de rechercheur vergezelde.

'Ingileif? Mijn hemel, ik heb je niet meer gezien sinds de begrafenis van je arme moeder. Hoe gaat het met je, mijn kind?' De pastoor had een aangenaam diepe baritonstem.

'Met mij heel goed,' zei Ingileif.

'En waaraan heb ik dit genoegen te danken?'

Magnus nam het woord. 'Mijn naam is Magnús Ragnarsson en ik hoor bij de Reykjavíkse politie. Ik zou u graag een paar vragen willen stellen, als dat mag. Mogen we binnenkomen?'

De pastoor trok zijn reusachtige wenkbrauwen samen. 'Ik had jullie al verwacht,' zei hij. 'Kom maar verder.'

Magnus en Ingileif trokken hun schoenen uit en volgden de pastoor door een gang, waar ze de geur van vers gezette koffie roken. Hij leidde hen naar een studeerkamer, volgepakt met boeken. Naast een bureau stonden er ook een bank en een leunstoel, bekleed met versleten chintzstof. Ingileif en Magnus gingen naast elkaar zitten op de bank, terwijl Hákon plaatsnam op de stoel. Magnus was verrast toen hij tussen alle boeken een kleine cd-collectie opmerkte, met onder meer Pink Floyd, Black Sabbath en Led Zeppelin.

De koffie viel nergens te bekennen. Wat vrij onbeleefd was in IJsland. Je bood je gasten altijd koffie en cakejes aan, zeker als je net verse had gezet.

Hákon richtte zich tot Ingileif. 'Ik moet bekennen dat ik een tweede bezoek van de politie had verwacht. Maar ik begrijp niet waarom jij bent meegekomen.'

'Ingileif zit met wat vragen over de dood van haar vader,' zei Magnus.

'Aha, op die manier,' zei de pastoor. 'Het is begrijpelijk dat je met vragen zit, vooral omdat je zo jong was toen de tragedie zich voltrok. Al snap ik nog steeds niet waarom je er nu mee komt. En nog wel met de politie erbij.'

'U weet dat we uw zoon hebben aangehouden?' vroeg Magnus.

'Ja, ik hoorde het op de radio. Je hebt daar een vergissing begaan, jongeman. Een vreselijke vergissing.' Diep verzonken ogen keken Magnus dreigend aan. Hoewel de eerwaarde Hákon een imposante man was, leek hij jonger dan Magnus zich had voorgesteld. Bij zijn slapen was er iets van grijs te zien, en hij had wat rimpels op zijn voorhoofd, maar hij leek meer rond de veertig dan de zestig.

'Hij wordt op dit moment verhoord op het hoofdbureau in Reykjavík,' zei Magnus. 'En ik weet zeker dat mijn collega's met u willen praten zodra ze hem hebben gesproken. Maar in de tussentijd mag u mij vertellen wat er is gebeurd op de tocht die u en dr. Ásgrímur maakten in het weekend dat hij stierf.'

De pastoor haalde diep adem. 'Nou, er was natuurlijk een politie-onderzoek en ik heb uitvoerig met hen gesproken. Ik weet zeker dat je dat in de dossiers zult kunnen vinden. Maar om je vraag te beantwoorden... Het was begin mei. Je vader en ik hadden heel de winter gewerkt aan een project.' Hij keek Ingileif vragend aan.

'Magnús heeft Gaukurs Saga gelezen,' zei Ingileif. 'En hij weet dat mijn grootvader beweert de ring te hebben gevonden en weer te hebben verstopt.'

Toen de pastoor dit hoorde, deed hij er even het zwijgen toe, terwijl hij zijn gedachten op een rijtje zette. 'Nou, in dat geval weet je net zo veel als ik. Met mijn kennis van de folklore, en de aanwijzingen in de saga, ook al stellen die weinig voor, maakten we een lijst van drie, vier plaatsen waar de ring van Gaukur mogelijk kon zijn verstopt. Het was onze tweede tocht in het seizoen, en het was een prachtige dag. We keken niet naar de weersvoorspelling, al hadden we dat natuurlijk wel moeten doen.

'Een paar jaar eerder had ik een oude negentiende-eeuwse geschiedenis over IJslandse folklore gelezen, waarin ik stuitte op een tamelijk onbekende lokale legende over een ring die lag verborgen in een grot, bewaakt door een trol. Het was een variatie op het oude verhaal over een schapenhoedster die een verborgen man ontmoet, of een elf, en ondanks het verzet van haar familie met hem meegaat. Dat thema komt vrij vaak voor in dat soort verhalen, maar de ring was ongebruikelijk. De locatie van de grot wordt in het verhaal vermeld, dus pakten we een tent en trokken erheen.'

Magnus herkende het verhaal van Thorgerd uit de oude aantekeningen van de pastoor, die ze in Ingileifs huis hadden gevonden tussen de papieren van de dokter.

De pastoor zuchtte. 'Het was eigenlijk meer een gat in de rotsen. En er lag niets in. We waren teleurgesteld en kampeerden zo'n kilometer verderop, bij een beekje. Het sneeuwde 's nachts – je weet wel, zo'n storm die in mei plotseling uit het niets komt – en toen we opstonden, sneeuwde het nog steeds. We braken onze tent af en keerden huiswaarts. Het begon harder te sneeuwen, het werd moeilijk om iets te zien. Je vader liep een paar meter voor me. We waren allebei moe, en ik staarde alleen naar de grond voor me, één stap tegelijk, toen ik een schreeuw hoorde. Ik keek op en hij was verdwenen.

'Ik realiseerde me dat we boven op een steile rots stonden, en dat hij over de rand was gegleden. Ik kon hem zo'n twintig meter lager zien liggen, in een merkwaardige houding. Ik moest een behoorlijke afstand afleggen over de top van de rots om een route omlaag te vinden, en zelfs toen bleef het erg lastig in de sneeuw. Ik gleed zelf uit en viel, maar mijn val werd gebroken door de sneeuw.'

De pastoor zweeg en fixeerde Ingileif met zijn diepliggende donkere ogen. 'Toen ik je vader vond, was hij nog in leven, maar bewusteloos. Hij was met zijn hoofd tegen de stenen geslagen. Ik legde mijn jas over hem heen om hem warm te houden, en toen rende ik weg om hulp te zoeken. Al kon je het in de sneeuwstorm nauwelijks "rennen" noemen. Ik had me beter minder kunnen haasten; ik raakte verdwaald. Pas toen de sneeuwstorm ophield, zag ik in de verte een boerderij. Ik was inmiddels totaal verkleumd, ik had mijn jas immers aan je vader gegeven.'

'En die boerderij was Álfabrekka?'

'Dat klopt. Ik trof daar twee boeren aan, vader en zoon, die allebei met mij teruggingen om Ásgrímur te zoeken, terwijl de vrouw van de boer het bergreddingsteam belde. Tegen de tijd dat we bij je vader kwamen, was hij dood.' De pastoor schudde zijn hoofd. 'Toen het reddingsteam uiteindelijk arriveerde, zeiden ze dat hij al enige tijd dood was, maar ik zou toch willen dat ik niet was verdwaald in de storm.'

'Heeft de politie bewijs gevonden dat de dood van de dokter geen ongeluk was?' vroeg Magnus.

'Natuurlijk niet!' protesteerde de pastoor met bulderende stem. 'Dat kun je nakijken in de onderzoeksdossiers. Daar is nooit een moment aan getwijfeld.' De pastoor wierp Magnus een dreigende blik toe; een blik die Magnus gebood hem op zijn woord te geloven. Magnus vertrok geen spier. Dat zou hij zelf wel uitmaken.

Hij begon te begrijpen wat Ingileif had bedoeld toen ze zei dat mensen bang waren voor de pastoor. De man werd omgeven door een aura van macht, die zich uitstrekte naar Magnus, hem dwong zich aan Hákons wil te onderwerpen.

Magnus was vastbesloten die macht te weerstaan.

'En bleef je na mijn vaders dood zoeken naar de ring?' vroeg Ingileif.

De pastoor wendde zich tot haar en ontspande iets. 'Nee. Ik heb het allemaal laten rusten. Ik moet bekennen dat het leuk was om alles met je vader uit te puzzelen, maar na zijn dood verloor ik elke interesse in de ring. En de saga.'

Magnus keek naar de muren. Er hingen drie verschillende prenten van een uitbarstende vulkaan. De Hekla. 'Hoe verklaart u die dan?'

'Ik heb de nodige studie gedaan naar de rol van de duivel in de IJslandse kerkgeschiedenis,' zei Hákon. 'De Hekla stond overal in Europa bekend als de toegang tot de hel. Zoals je je kunt voorstellen, is dat iets wat mij intrigeert.'

Hij zweeg. 'Ik moet toegeven dat Gaukurs Saga in dat opzicht heel interessant is. Voor zover ik weet, krijgt de Hekla daar voor het eerst die rol toegedicht. En de saga bevat ook de eerste op schrift gestelde beklimming van de berg. Tot nu toe dachten we dat niemand het voor 1750 had aangedurfd om de Hekla te beklimmen. Maar Isildur en Gaukur beklommen hem natuurlijk vóór de grote uitbarsting in 1104, dus wie weet was de vulkaan toen niet zo afschrikwekkend.'

'Een paar dagen terug hebt u mijn collega verteld dat professor Agnar Haraldsson u hier heeft bezocht,' zei Magnus.

'Dat is waar.'

'En hebt u haar verteld waarover Agnar u wilde spreken?'

De pastoor glimlachte, rond zijn ogen verschenen een heleboel rimpels. 'Ah, ik was niet helemaal eerlijk tegenover je collega. Ik neem de vertrouwelijke ontboezemingen van mijn parochianen heel serieus.' Hij keek Ingileif doordringend aan.

'Waarover heeft Agnar dan wel met u gesproken?'

'Gaukurs Saga, natuurlijk. En de ring.' De pastoor plukte aan zijn baard. 'Hij vertelde mij dat Ingileif hem had gevraagd op te treden namens de familie bij de verkoop van de saga.' Hij fronste naar Ingileif. 'Ik moet toegeven dat ik nogal geschokt was toen ik dat hoorde. Na al de jaren dat de familie erin was geslaagd om de saga geheim te houden. Zelfs eeuwenlang.'

Ingileif liep rood aan bij de vermaning van de pastoor.

'Ik denk niet dat het aan u is om daarover te oordelen,' merkte Magnus op. 'Sterker nog, u had mijn collega meteen de waarheid moeten vertellen. Dat zou veel mensen veel tijd hebben bespaard.'

'Ásgrímur was een heel goede vriend van me,' zei Hákon streng. 'Ik heb gedaan wat hij zou hebben gewild.'

'Wat u hebt gedaan, is een moordonderzoek belemmeren,' zei Magnus. 'Vertel eens. Had Agnar u iets specifieks te vragen?'

'Ingileif had net de brief ontdekt van Tolkien aan haar grootvader, waarin werd gerefereerd aan de ontdekking van de ring. Agnar kwam regelrecht hierheen en stelde mij zo ongeveer dezelfde vragen als jij net hebt gesteld. Ik kreeg heel sterk de indruk dat hij wilde proberen de ring zelf te vinden. Ik kon hem natuurlijk niet helpen.'

'Hoe gedroeg hij zich?' vroeg Magnus.

'Geïrriteerd. Opgewonden. Agressief in de manier waarop hij vragen stelde.'

'Hebt u hem iets verteld wat u ons niet hebt verteld?' vroeg Magnus.

'Absoluut niet.'

Magnus zweeg, nam de pastoor aandachtig in zich op. De man zou niets meer loslaten. 'Want de dag nadat hij u had gesproken, stuurde Agnar namelijk een bericht waaruit min of meer bleek dat hij wist waar de ring was.'

'Nou, toen ik hem zag, leek hij het beslist niet te weten.'

'Hebt u hem verteld waar jullie de ring zochten op die dag in 1992?'

'Nee. Hij vroeg dat, maar ik zei tegen hem dat ik het me niet kon herinneren. Al kan ik dat uiteraard wel.'

Ingileif toonde de pastoor de kaart die ze hadden gevonden tussen haar vaders papieren. 'Is dit de plek?'

Hákon tuurde ernaar. 'Ja. En daar ligt de boerderij, Álfabrekka. Wie weet had ik het Agnar wel moeten vertellen, dan had hij daar zijn tijd kunnen verdoen. Ik weet zeker dat de ring er niet ligt. Zeventien jaar geleden lag hij er in elk geval niet, en ik betwijfel of hij er sindsdien is opgedoken.'

'Weet u zeker dat hij er niet lag?' vroeg Magnus. 'Ik vraag me af of Agnar ergens anders aanwijzingen vond voor de locatie en iets ontdekte wat jullie over het hoofd hebben gezien.'

'Ik ben er absoluut zeker van,' zei Hákon. 'Geloof me, Ásgrímur en ik hebben elke millimeter van die grot afgeschraapt, en zo groot was die niet.'

'Wist uw zoon hier iets van?' vroeg Magnus.

'Tómas? Ik denk het niet. Die was toen, wat zal het zijn, een jaar of dertien? Ik heb hem niets verteld over de saga of de ring, toen niet en later niet. Jij wel, Ingileif?'

'Nee,' antwoordde Ingileif.

'Waarom sprak hij dan met Agnar op de dag dat die stierf?' vroeg Magnus.

Hákon schudde zijn hoofd. 'Geen idee. Ik wist niet eens dat ze elkaar kenden.'

'Wel heel toevallig allemaal, vindt u ook niet?'

Hákon haalde zijn schouders op. 'Misschien. Kan zijn.' Toen leunde hij voorover, en zijn diepliggende ogen boorden zich in die van Magnus. 'Mijn zoon is geen moordenaar, jongeman. Onthoud dat.'

'God, ik krijg de kriebels van die man,' zei Ingileif toen ze terugreden naar Reykjavík.

'Was hij altijd zo?'

'Hij was altijd vreemd. We gingen niet vaak naar de kerk, maar als we gingen, maakte hij me altijd doodsbang met zijn preken. Veel hel en verdoemenis, achter elke steen zat de duivel verscholen. Zoals je je kunt voorstellen, is dat vrij beangstigend als je zoiets hoort als kind terwijl je in de kerk van Hruni zit.'

Ze lachte bij zichzelf. 'Ik weet nog dat ik op een maandagochtend, na een van zijn diensten, het haarklemmetje teruggaf dat ik had "geleend" van het meisje naast mij in de klas. Ik was zo bang dat ik zou worden opgeslokt door de aarde of getroffen door de bliksem.'

'Dat kan ik me voorstellen.'

'En wat denk je, meneer de detective? Vertelde hij de waarheid?'

'Ik denk het niet. We weten dat hij tegen Vigdís heeft gelogen over Agnar. Ik ben er vrij zeker van dat hij over Tómas loog. Hij moet hem hebben verteld over de saga en de ring; waarom zou Tómas anders met Agnar praten? Het is goed dat ik hem dat heb laten ontkennen. Dat was niet zo slim van hem.'

'Hoezo niet?'

'Als ik Tómas kan laten bekennen dat zijn vader hem over de saga heeft verteld, hebben we Hákon betrapt op nog een leugen. Daarna krijgt hij de grootste moeite om zijn verhaal overeind te houden. Wat vond jij van hem?'

'Ik denk dat hij mijn vader heeft vermoord. En ik denk dat hij de ring heeft. Kun je zijn huis niet laten doorzoeken?'

'Niet zonder een bevel tot huiszoeking.'

'Ga je er een aanvragen?'

'Misschien.' Magnus zou niets liever willen. Maar hij moest eerst Baldur zien te overtuigen, en dat zou niet meevallen. Niet tot hij had aangetoond dat Tómas' verhaal niet deugde. Hij keek ernaar uit om hem te ondervragen op het hoofdbureau.

'Kunnen we langsgaan bij de boerderij waar eerwaarde Hákon hulp ging vragen?' vroeg Ingileif. 'Misschien kan iemand zich daar iets herinneren.'

'Ik wil zo snel mogelijk terug om Tómas te ondervragen.'

'Dat snap ik. Maar misschien kunnen we meer duidelijkheid krijgen over de dood van mijn vader.'

Magnus aarzelde.

'Alsjeblieft, Magnús. Je weet hoe belangrijk het voor me is.'

'Hoe heette die boerderij? Álfabrekka? Hij liet het ons zien op die kaart.'

'Dat klopt. We moeten dan wel omhoog door Thjórsárdalur.'

'Maar dat is vijftig kilometer omrijden, heen en terug.'

'Minstens.'

Magnus wist dat hij Baldur zo snel mogelijk op de hoogte moest brengen van zijn gesprek met Hákon. En hij wilde dat liever persoonlijk doen dan via de telefoon, zodat hij zelf de confrontatie met Tómas kon aangaan.

Hij keek naar Ingileif. Ja, hij wist hoeveel haar vaders dood voor haar betekende.

'Oké,' verzuchtte hij. 'Haal de kaart tevoorschijn en zeg me hoe ik moet rijden.'

28

Toen het vliegtuig begon af te dalen naar luchthaven Keflavík, likte Diego zijn lippen. Hij was nerveus. Niet vanwege de moord, daar keek hij naar uit. Ook niet vanwege het vliegen, want hij had al in veel toestellen gezeten. Maar hij was nooit eerder in Europa geweest. Spanje zou hij wel hebben aangekund, Italië misschien, maar IJsland?

Van het weinige dat hij erover te weten was gekomen, leek het hem een vreemd land.

Hij verwachtte sneeuw en ijs, Eskimo's en iglo's. De kou zou hem waarschijnlijk niet deren. Hij had vanaf zijn vijftiende in de stad Lawrence gewoond, ruim dertig kilometer ten noorden van Boston. 's Winters kon het daar vrij koud worden.

Toen hij op zevenjarige leeftijd voor het eerst in de Verenigde Staten arriveerde, was de kou als een enorme schok gekomen. Zijn familie kwam uit het stadje San Francisco de Macorís in de Dominicaanse Republiek. Ze waren met een boot de Mona Passage, een zeestraat van honderdtwintig kilometer, overgestoken naar Puerto Rico, en daar hadden ze valse identiteitsbewijzen gekocht om mee naar New York te vliegen. Ze brachten een paar jaar door in Washington Heights in Upper Manhattan, waar zijn vader had gewerkt als drugskoerier. Hij werd gepakt, ging naar de gevangenis, en stierf daar tien jaar later. Zijn moeder had Diego en zijn twee zussen meegenomen naar de woning van haar neef in Lawrence.

Daar was Diego zijn carrière in de narcoticahandel begonnen als logistiek medewerker, alvorens de taak van handhaver op zich te nemen, wat hem heel goed afging. Hij gebruikte niet zo veel nodeloos geweld als sommige van Soto's andere handhavers, maar hij was slim, en dat legde vaak meer gewicht in de schaal. Hij was zonder twijfel de juiste man om een agent uit Boston op te sporen te midden van een stel Eskimo's, en hem om te leggen.

Na de landing waren ze in een mum van tijd uit het vliegtuig. De douanecontrole leverde geen probleem op; de beambte keek vluchtig naar Diego's valse Amerikaanse paspoort en zette er een stempel op. In de aankomsthal zocht en vond hij een bordje met 'Mr Roberts'. De kerel die het vasthield, was gedrongen en had gemillimeterd bruin haar en een, zo te horen, Russisch accent, hoewel hij feitelijk uit Litouwen kwam. Hij leidde Diego over het parkeerterrein naar een Nissan SUV.

Er was heel weinig tijd geweest om Diego's trip voor te bereiden. Maar Soto was er via zijn grootleveranciers achter gekomen wie de grote drugsjongens waren op IJsland, en had een introductie weten te regelen. Het waren Litouwers, uit een of andere streek in Rusland, en ze zouden hem helpen.

Hij keek uit over de zwarte woestenij. Geen sneeuw. Zeker geen iglo's. Niet eens een godvergeten boom. Hij kreeg de koude rillingen van dit oord.

Na zo'n halfuur rijden stopten ze op de parkeerplaats van een Taco Bell. Mooi. Diego stond erop een burrito te halen, ook al was het nog vroeg. Toen hij terugkwam bij de auto, zat er op de achterbank een andere man op hem te wachten. In de dertig, ook gemillimeterd haar, kleine blauwe ogen.

'Ik heet Lukas,' zei hij, bij wijze van introductie, met een sterk accent dat niet echt klonk als het Russisch dat Diego kende uit Boston.

'Joe,' zei Diego, die de uitgestoken hand schudde.

'Welkom in IJsland.'

'Heb je het wapen bij je?'

Lukas aarzelde en haalde toen een Walther PPK uit een zwarte schoudertas. Diego bestudeerde het wapen. Het zag eruit als een PPK/S maar met een staalblauwe afwerking. Misschien een of ander Europees model. Het verkeerde in goede staat. Serienummer afgevijld. Geen revolver, maar deze klus werd alleen pang-pang en wegwezen.

'Wees er voorzichtig mee,' zei de Litouwer. 'We hebben deze gekocht in Amsterdam en binnengesmokkeld. Ze hebben in IJsland geen handwapens.'

'Behalve agenten. Die dragen toch zeker wapens?'

'Ook agenten niet. Alleen die op het vliegveld.'

Diego glimlachte. 'Man, dat is cool. En de munitie?'

Lukas gaf hem de munitie.

'Hoe zit het met de vlucht terug?'

Lukas reikte in zijn tas en haalde er een mobiele telefoon uit. 'Hier. De eerste naam op de adressenlijst is "Karl". Bel dat nummer als je het land uit wilt. Als je het serieus meent, zeg je "Mag ik Óskar spreken?". Begrepen? Anders denken we dat de politie je heeft gepakt en sta je er alleen voor.'

'En wat gaat er dan gebeuren?'

'We halen je op bij je auto. Zorgen ervoor dat je wegkomt uit IJsland.'

'Gaat dat snel?'

'Heel snel. Geloof me, we willen niet dat je wordt gepakt. En als je toch wordt gepakt, zeg niet dat wij je helpen. We willen geen oorlog beginnen met de politie.'

'Begrepen,' zei Diego. 'Oké, waar kan ik Magnus Jonson vinden?'

'Je weet hoe hij eruitziet?'

'Ja.'

'Dan stel ik voor dat je rondhangt bij het politiebureau tot je hem ziet.'

'O, geweldig. Kun je niet wat gaan rondvragen, man? Uitzoeken waar hij woont?'

'Nee,' zei Lukas. 'Als je in Reykjavík een agent neerschiet op straat heeft dat grote gevolgen. Zeer grote gevolgen. Als ze erachter komen dat wij hebben rondgevraagd naar een agent, komen we diep in de problemen. Begrijp je?'

'Ik geloof van wel,' zei Diego.

'Goed. We brengen je nu naar het hotel, en dan ga je naar het vliegveldje in het centrum van de stad om een auto te huren. Het politiebureau ligt tegenover een busstation. Ik stel voor dat je daar op de uitkijk gaat staan.'

Árni was uitgeput. Wonderlijk hoe je van zo lang zitten op dezelfde plaats zo moe kon worden. Hij was heel blij terug te zijn in IJsland, maar zijn biologische klok was compleet van slag.

Hij had zich echt verheugd op het ondervragen van Isildur. Hij had allerlei slimme strategietjes bedacht om hem ertoe te verleiden Steve Jubb als de moordenaar aan te wijzen. En hij had gehoopt iets van Californië te zien – de rit naar Trinity County beloofde spectaculair te worden. Misschien had hij dan zelfs een paar reuzensequoia's gezien. Nu had hij niet eens voet gezet in San Francisco, want hij had de nacht doorgebracht in een Holiday Inn op het vliegveld en de volgende ochtend alweer de terugvlucht geregeld, die via Toronto ging.

Hij was nooit eerder in Canada geweest. Al maakte dat geen indruk.

Het enige goede was dat hij door *The Lord of the Rings* heen schoot. Hij zat op bladzijde 657 en wist niet van ophouden. Het was een fantastisch boek. En nog interessanter als je Gaukurs Saga had gelezen.

Het was druk op de luchthaven Keflavík – alle vluchten uit Noord-Amerika arriveerden tegelijkertijd in IJsland. Árni negeerde zijn landgenoten die voorraden insloegen bij de taxfreeshops en liep meteen door naar de douanecontrole. Toen hij door de deur in de hoofdhal kwam, zag hij iemand die hij herkende: Andrius Juska, een gedrongen kerel met kort haar, een voetsoldaat bij een van de Litouwse bendes die amfetaminen verkochten in Reykjavík. Árni herkende hem alleen omdat hij hem een paar maanden eerder drie dagen had gevolgd, toen hij de narcoticabrigade assisteerde.

De 'rioolpers', zoals IJsland zijn populaire kranten noemde, had zich nogal opgewonden over Litouwse drugsdealers die op elke hoek van de straat zouden staan. In werkelijkheid werd het merendeel van de drugs in IJsland verkocht door IJslanders. Maar met name de politiecommissaris toonde zich bezorgd over de mogelijke toekomstige verspreiding van buitenlandse drugsbendes, met als hoofdkandidaten Scandinavische motorbendes en Litouwers. Er waren vooralsnog geen bendes met Latino's gesignaleerd, of met Russen, maar het hele politiekorps bleef op zijn hoede.

Juska hield een welkomstbord omhoog voor ene meneer Roberts. Árni hield zijn pas in en terwijl hij zo slenterde, werd de Litouwer benaderd door een slanke man met een lichtbruine huid. Uit de terughoudendheid waarmee ze elkaar begroetten, viel op te maken dat ze elkaar nooit eerder hadden ontmoet.

Árni liet zijn tas uit zijn vingers glippen, knielde toen om hem op te rapen. De twee mannen spraken Engels: de Litouwer met een zwaar accent, en dat van de andere man klonk Amerikaans. Geen beschaafd

Amerikaans, Amerikaans van de straat. Árni nam hem goed in zich op. De man was rond de dertig, droeg een zwarte leren jas, en hij zag eruit als iemand die zich niets liet aanleunen. Hij zag er beslist niet uit als de gemiddelde Amerikaanse toerist in IJsland.

Interessant.

Battle of Evermore galmde door de studeerkamer, terwijl Hákon in zijn stoel zat, met de ogen gesloten. De ring zat om zijn vinger, en hij liet de muziek van Led Zeppelin over zich heen spoelen.

Hij was opgewonden. Hoe meer hij erover nadacht, hoe duidelijker hij de rol begreep die hij speelde bij de plannen van de ring. Helaas was hij niet de uitverkorene die de macht van de ring zou loslaten op de wereld. Maar hij was wel gekozen als de katalysator, waardoor de ring na duizend jaar kon ontsnappen aan de IJslandse wildernis om zijn weg terug te vinden naar het hart van de wereld der mensen.

Voorwaar een belangrijke rol.

De moord op Agnar, de arrestatie van Tómas; dit waren geen alledaagse gebeurtenissen. De politie kwam dichter in de buurt, maar de pastoor maakte zich daar nu geen onnodige zorgen over. Het was voorbestemd.

Hij luisterde naar de spookachtige mandoline: '*Waiting for the angels of Avalon.*' Hij vroeg zich af wie er na hem zou worden gekozen om de ring te dragen. Tómas misschien? Hoe meer hij daaraan dacht, hoe onwaarschijnlijker het leek. Ingileif? Nee. Hoewel ze altijd een wilskrachtig meisje was geweest, was Ingileif wel de laatste persoon van wie hij zich kon voorstellen dat ze gecorrumpeerd raakte. De grote roodharige rechercheur? Mogelijk. Hij had een Amerikaans accent, en hij straalde kracht en potentie uit.

Even vroeg Hákon zich af of hij de ring niet gewoon aan de rechercheur moest geven. Maar nee, daar kon hij zichzelf niet toe brengen.

De telefoon ging. De pastoor zette de muziek zachter en nam op. Het gesprek duurde niet lang.

Toen hij had opgehangen, keek hij opnieuw naar de ring. Moest hij hem terugleggen in het altaar, of moest hij hem meenemen?

De gebeurtenissen volgden elkaar nu snel op.

Hij zette de stereo-installatie uit, greep zijn jas en liep naar de garage, met de ring nog altijd stevig om zijn vinger.

Een paar kilometer ten zuiden van Flúdir kwamen Magnus en Ingileif bij de machtige Thjórsá. Dit was de langste rivier in IJsland, een woeste stroom die koud witgroen water vanaf de gletsjers in het midden van het land zuidwaarts meevoerde naar de Atlantische Oceaan. Ze sloegen linksaf en volgden de weg door het dal, in de richting van Gaukurs oude boerderij bij Stöng.

De rivier glinsterde in het zonlicht. Links stonden nu en dan boerderijen en een enkele kerk, half verscholen in de luwte van de rotsen, vele ervan nog bedekt met sneeuw. Rechts voor hen doemde de Hekla op. Die ochtend werd de top omhuld door wolken, donkerder dan de witte plukken die hier en daar ronddreven in de rest van de bleke hemel.

Op aanwijzing van Ingileif nam Magnus de afslag naar een onverharde weg, die zich omhoogslingerde door de heuvels en uitkwam in een kleine vallei. De Skoda waarmee de politie hem had uitgerust, had moeite om zijn grip te behouden; de weg verkeerde in slechte staat en was op sommige plaatsen erg steil. Na acht kilometer door elkaar gerammeld te zijn, bereikten ze eindelijk een kleine witte boerderij met een rood dak, gelegen tegen de heuvelhelling aan het begin van het bijbehorend dalletje. Onder de boerderij strekte het obligate weiland zich sappig groen uit tot aan een snelstromend beekje. In de rest van het dal lag het gras er dofbruin bij, daar waar het niet langer werd bedekt door sneeuw.

Álfabrekka.

'"Hoe schoon zijn de heuvels",' zei Ingileif.

Magnus glimlachte omdat hij het citaat uit de Njálssaga herkende. Hij maakte het af: '"Schoner dan ze mij ooit hebben toegeschenen."'

Toen ze het boerenerf op reden, stapte een dunne, opgewekte man op hen af. Hij was half in de vijftig en droeg een blauwe overall.

'Goedemorgen!' zei hij met een brede glimlach. Zijn lichaam trilde haast van opwinding bij het zien van bezoekers. 'Waarmee kan ik jullie helpen?'

Zijn helderblauwe ogen glommen in een bleek en gerimpeld gelaat. Plukjes grijs haar staken vanonder zijn wollen pet.

Ingileif nam het woord en stelde zichzelf en Magnus voor. 'Mijn vader was dr. Ásgrímur Högnason. Misschien kun je je hem herinneren. In 1992 viel hij hier in de omgeving van een rots af en kwam daarbij om het leven.'

'O ja, dat kan ik mij heel goed herinneren,' zei de boer. 'Mijn innige deelneming, ook al is het zo veel jaar geleden. Maar laten we hier niet blijven staan. Kom binnen en drink wat koffie!'

Binnen werden ze begroet door de vader en moeder van de boer. De vader, een onwaarschijnlijk verschrompelde man, kwam overeind in een comfortabele leunstoel, terwijl de moeder in de weer ging met koffie en cakejes. Een kachel verwarmde de woonkamer, die tjokvol stond met IJslandse snuisterijen, waaronder minstens vier miniatuurvlaggetjes van IJsland.

En een gigantische HD-televisie, alleen om hen eraan te herinneren dat ze werkelijk in IJsland waren.

De jongere boer die hen had begroet, was het meest aan het woord. Hij heette Adalsteinn. En voordat ze hem iets konden vragen, vertelde hij hun over zijn ouders, het feit dat hijzelf vrijgezel was, het feit dat de boerderij al generaties lang in familiebezit was, en vooral het feit dat het boerenleven tegenwoordig zwaar was, heel zwaar zelfs.

De koffie was heerlijk, net als de cakejes.

'Adalsteinn, misschien zou je mij kunnen vertellen wat er gebeurde op de dag dat je mijn vader vond?' onderbrak Ingileif hem.

Adalsteinn begon aan een lange beschrijving van hoe een verkleumde pastoor aan de deur was gekomen, en hoe hij en zijn vader de pastoor hadden gevolgd naar de plaats waar Ásgrímur was gevallen. De dokter was zonder enige twijfel dood en heel koud. Er waren geen sporen van een worsteling of kwade opzet, het was heel duidelijk waar hij was gevallen. De politie had geen specifieke vragen gesteld waaruit bleek dat ze iets anders vermoedden dan een ongeluk.

Tijdens dit hele relaas kwam de moeder van de boer met enkele nuttige uitweidingen en corrigeerde ze wat details, maar de oude man bleef stil in zijn stoel zitten kijken en luisteren.

Magnus en Ingileif stonden op, en namen al afscheid toen de oude man voor het eerst sprak. 'Vertel ze over de verborgen man, Steini.'

'De verborgen man?' Magnus keek scherp naar de oude man, en toen naar de jongere boer.

'Zal ik doen, vader. Ik zal het ze buiten vertellen.'

Adalsteinn ging Magnus en Ingileif voor naar het erf.

'Welke verborgen man?' vroeg Magnus.

'Vader ziet al heel zijn leven het *huldufólk*,' zei Adalsteinn. 'Volgens hem leven er hier een paar in de buurt. Al generaties lang. Je weet toch hoe het gaat?' Zijn vriendelijke gezicht bestudeerde dat van Magnus, op zoek naar tekenen van minachting.

'Ja, dat weet ik,' zei Magnus. Álfabrekka betekende immers 'Elfen-helling'. In IJsland bestond er enige discussie over de vraag wat nu pre-cies de verschillen waren tussen elfen en verborgen mensen, maar in dit oord wemelde het waarschijnlijk van beide rassen. Wat had hij an-ders verwacht? 'Vertel.'

'Nou, hij zegt dat hij een verborgen man voorbij zag rennen aan de overkant van het dal, een uur voordat de pastoor arriveerde.'

'Een verborgen man? Hoe weet hij dat het geen mens was?'

'Nou, hij en mijn moeder besloten dat het een verborgen man moest zijn, want de pastoor droeg een oude gouden ring.'

'Een ring?'

'Ja. Ik heb hem niet gezien, maar zij deden zijn handschoenen uit om zijn handen te verwarmen, en hij droeg een ring.'

'En wat heeft dat te maken met het verborgen volk?'

Adalsteinn haalde diep adem. 'Er is een oude lokale legende over een trouwring. Thorgerd, de boerendochter van Álfabrekka, hoedde haar schapen op de hooggelegen weilanden, toen ze werd benaderd door een knappe jonge verborgen man. Hij nam haar mee en trouwde met haar. De boer was kwaad, spoorde Thorgerd op en doodde haar. Toen ging hij achter de verborgen man aan. De verborgen man verstopte de trouwring in een grot, bewaakt door de hond van een trol. De boer ging op zoek naar de ring, maar de trol doodde hem en at hem op. Toen volgde er een enorme uitbarsting van de Hekla en werd de boer-derij bedolven onder de as.'

Magnus stond ervan te kijken hoezeer Gaukurs Saga in de loop van vele generaties door de mangel was gehaald. Al waren de basiselemen-ten bewaard gebleven: de ring, de grot, de hond van de trol. 'Dus denkt je vader dat de verborgen man de pastoor zocht?'

'Zoiets.'

'En wat denk jij?'

De boer haalde zijn schouders op. 'Ik weet het niet. Hij vertelde het aan de politie, maar die nam er geen enkele notitie van. Niemand had een jonge man in de heuvels gezien. En waarom zou een jonge man eropuit gaan in een sneeuwstorm? Ik weet het niet.'

'Vind je het goed als we teruggaan om je vader naar die verborgen man te vragen?'

'Ga je gang,' zei de boer.

De oude man zat nog steeds in zijn leunstoel, terwijl zijn vrouw de koffiekopjes opruimde.

'Je zoon vertelt me dat de pastoor een ring droeg?'

'O ja, dat is zo,' zei de vrouw van de oude man.

'Wat voor ring?'

'Hij zag er donker uit, vuil, maar je kon onder het vuil toch zien dat hij van goud was. Hij moet heel oud zijn geweest.'

'Het was de trouwring van de verborgen man,' zei de oude man. 'Daarom is zijn vriend vermoord. Hij stal de trouwring van de verborgen man. Dwaas! Wat had hij dan verwacht? Het verbaast me dat de pastoor het er levend vanaf heeft gebracht, hoewel hij halfdood was toen hij bij ons voor de deur stond.'

'Heb je de verborgen man duidelijk kunnen zien?' vroeg Magnus.

'Nee, het sneeuwde. Eerlijk gezegd heb ik niet meer dan een glimp van hem opgevangen.'

'Maar je kon zien dat hij jong was?'

'Ja. Door de manier waarop hij bewoog.'

Magnus wierp een blik naar Ingileif. 'Kan hij dertien zijn geweest?'

'Nee,' antwoordde de oude man. 'Hij was langer. En bovendien, vergeet niet dat hij was getrouwd. Dertien is veel te jong voor een verborgen man om te trouwen, zelfs in die tijd.' Hij staarde naar Magnus met ogen vol overtuiging.

'Tómas was lang op dertienjarige leeftijd, een van de langste in onze klas,' zei Ingileif. 'Waarschijnlijk één meter vijfenzeventig, of daaromtrent.'

Ze reden snel omlaag door het Thjórsádalur, terug naar Reykjavík.

'Hij kan er die dag dus bij zijn geweest,' merkte Magnus op.

'Je zou toch denken dat de politie daar wel achter zou zijn gekomen, niet?'

'Misschien niet,' zei Magnus. 'Regiopolitie. Geen enkele reden om aan te nemen dat er een moord was gepleegd. Ik zal de dossiers opdiepen. Ze liggen waarschijnlijk op het politiebureau in Selfoss.'

'Ik wíst dat Hákon de ring had!' zei Ingileif.

'Daar lijkt het wel op. Hoewel ik nog steeds moeilijk kan geloven dat de ring echt bestaat.'

'Maar de boeren zagen hem om zijn vinger zitten!'

'Ja, net voordat ze een elf zagen.'

'Nou, het kan mij niet schelen wat jij gelooft. Ik geloof dat Hákon mijn vader heeft vermoord en de ring meenam! Dat moet haast wel.'

'Tenzij Tómas hem heeft vermoord?'

'Hij was nog maar dertien,' zei Ingileif. 'En zo'n soort jongen was hij niet. Hákon daarentegen...'

'Goed, als Tómas je vader niet heeft vermoord, was hij er wel getuige van. Zo te horen heb ik heel wat met hem te bespreken.'

'Kunnen we niet gewoon terugrijden naar Hruni en het huis van Hákon doorzoeken?'

'We hebben een bevel tot huiszoeking nodig. Vooral als we bewijs gaan vinden dat we willen gebruiken in de rechtszaal, en zo te horen zou dat wel eens kunnen. Daarom moet ik eerst terug naar Reykjavík.'

Ze reden vrij snel. Het oppervlak van de weg langs de rand van de rivier was uitstekend, maar er zaten een paar bochten en kronkels in. Magnus schoot over de top van een heuveltje, en botste bijna tegen een witte BMW-terreinwagen die hem vanaf de andere kant tegemoetkwam.

'Dat scheelde niet veel.' Hij keek opzij om Ingileifs reactie op zijn rijstijl te zien.

Ze zat kaarsrecht in haar stoel, licht fronsend.

Haar telefoon ging. Ze nam snel op, keek naar Magnus, mompelde twee tot drie keer '*Já*' en verbrak de verbinding.

'Wie was dat?' vroeg Magnus.

'De galerie,' antwoordde Ingileif.

Magnus bracht Ingileif meteen naar haar appartement in 101.

'Zie ik je vanavond nog?' vroeg ze toen ze uit de auto stapte. 'Ik zou voor je kunnen koken.' Ze glimlachte.

'Ik weet het niet,' zei Magnus. 'Ik moet vast tot 's avonds laat werken aan de zaak.'

'Dat vind ik niet erg,' zei Ingileif. 'We kunnen laat eten. Ik wil graag horen wat er allemaal gebeurt. En nou ja...' Ze aarzelde, bloosde. 'Het zou leuk zijn om je weer te zien.'

'Ik weet het niet, Ingileif.'

'Magnús? Magnús, wat is er?'

'Ik zit met een vriendin. Colby. In Boston.'

'Maar ik heb je gevraagd of je een vriendin had! Jij zei van niet.'

'Heb ik ook niet.' Magnus probeerde zijn gedachten op een rijtje te krijgen. 'Ze is een ex-vriendin. Zonder enige twijfel een ex-vriendin.'

'Nou dan?'

'Nou…' Magnus kon niet de juiste woorden vinden. Ingileif stond op de stoep te kijken hoe hij naar woorden zocht. Haar glimlach was al lang verdwenen.

'Ja?'

'Ben ik net als Lárus?'

'Wat!'

'Ik bedoel, ben ik alleen, je weet wel, iemand die je af en toe ziet, als je zin hebt om…'

'Als ik zin heb om te neuken? Wil je dat soms zeggen?'

Magnus zuchtte. 'Ik weet niet wat ik wil zeggen.'

'Luister, Magnús. Je gaat over een paar dagen terug naar de VS. Ik wil voordat je vertrekt zo veel mogelijk tijd met je doorbrengen. Simpel. Heb je daar problemen mee?'

'Ik…'

'Doe geen moeite antwoord te geven, want nu ik erover nadenk, misschien heb ik er zelf wel problemen mee.' Ze draaide zich resoluut om.

'Ingileif!'

'Mannen zijn zulke klootzakken,' foeterde ze, terwijl ze met grote passen terugliep naar haar appartement.

29

'Niet weer een verdomde elf!'

Baldur staarde Magnus ongelovig aan. Magnus had hem uit de ver-hoorkamer gehaald, waar hij nog altijd Tómas bewerkte. Hij was er niet blij mee gestoord te worden, maar leidde Magnus met tegenzin naar zijn kantoor. Hij luisterde aandachtig terwijl Magnus zijn gesprek met de eerwaarde Hákon beschreef, en dat met de schapenboeren, maar begon zijn geduld te verliezen zodra Magnus het verhaal van de oude man vertelde, over trollen en ringen en de verborgen man die hij had gezien.

'Ik hoor hier degene te zijn met ouderwetse opvattingen, en nu moet ik steeds die elfen- en trollenonzin aanhoren!'

'Natuurlijk was het geen elf,' zei Magnus. 'Het was Tómas. Hij was lang op z'n dertiende.'

'En de ring? Wil je me soms vertellen dat de pastoor een eeuwen-oude ring droeg die toebehoort aan Odin of Thor of wie ook?'

'Ik weet niet of de ring echt is,' bekende Magnus. 'En eerlijk gezegd kan me dat ook niet schelen. Het punt is dat zeventien jaar terug een klein groepje mensen wél dacht dat de ring belangrijk was. Belangrijk genoeg om er een moord voor te plegen.'

'O, dus nu lossen we ook al een ander misdrijf op? Een sterfgeval in 1992. Alleen was dat geen misdrijf, het was een ongeluk. Er is onder-zoek naar gedaan: we weten dat het een ongeluk was.'

Magnus leunde achterover in zijn stoel. 'Laat mij met Tómas praten.'

'Nee.'

'Ik heb zijn vader gesproken.'

Baldur schudde zijn hoofd. 'Vigdís had moeten weten dat ze vader en zoon zijn.'

'Hákon is niet zo'n ongebruikelijke naam,' zei Magnus. 'We hebben misschien wel tientallen getuigen ondervraagd; ik durf te wedden dat minstens vijf ervan dezelfde voornaam hebben als de achternaam van iemand anders. Ze wist niet dat Tómas zijn jeugd heeft doorgebracht in Flúdir, dus bestond er geen duidelijk verband.'

'Ze had het moeten natrekken,' hield Baldur vol.

Baldur had op dat punt misschien gelijk, maar Magnus wilde er niet op doorgaan. 'Ik kan Tómas vertellen dat de boeren hem in de sneeuwstorm hebben gezien. Ik kan hem ervan overtuigen dat wij weten dat hij daar was.'

'Ik zei: nee.'

Ze zaten elkaar zwijgend aan te kijken. Toen glimlachte Magnus. 'Ik weet dat jij en ik niet op al te goede voet zijn begonnen.'

'Dat mag je wel zeggen.'

'Maar geef me twintig minuten. Je kunt erbij komen zitten. Je ziet vanzelf of we vorderingen maken, of er een opening ontstaat. Als ik er niets mee bereik, hebben we twintig minuten verloren, meer niet.'

Baldur had zijn mondhoeken omlaaggetrokken, zijn scepticisme stond op zijn lange gezicht te lezen. Maar hij luisterde.

Hij haalde diep adem. 'Oké,' zei hij. 'Twintig minuten. Kom mee.'

Tómas Hákonarson zag er uitgeput uit, net als zijn advocate, een timide vrouw van een jaar of dertig.

Baldur introduceerde Magnus. Tómas' vermoeide ogen schatten hem in.

'Maak je geen zorgen, ik wil het niet met je over Agnar hebben,' begon Magnus.

'Mooi,' zei Tómas.

'Ik wil een andere moord met je bespreken. Eentje van zeventien jaar geleden.'

Tómas was opeens wakker, zijn ogen richtten zich op Magnus.

'Weet je wiens moord ik bedoel?'

Tómas verroerde zich niet. Magnus kreeg de indruk dat hij te bang was om zijn mond voorbij te praten. Een goed teken.

'Goed geraden,' zei hij. 'Dr. Ásgrímur. Zeventien jaar geleden duwde je vader dr. Ásgrímur van een rots. En jij was er getuige van.'

Tómas slikte. 'Ik weet niet waar je het over hebt.'

'Ik kom net terug uit Hruni, waar ik je vader heb ondervraagd. En ik ben naar Álfabrekka gereden en heb gesproken met de boeren die hem hielpen dr. Ásgrímur terug te vinden. Ze hebben jou gezien.'

'Dat bestaat niet.'

'Ze zagen een dertienjarige jongen langs hun boerderij sluipen in de sneeuw.'

Tómas fronste. 'Dat was ik niet.'

'Nee?'

'Hoe dan ook. Waarom zou mijn vader de dokter vermoorden? Ze waren vrienden.'

Magnus glimlachte. 'De ring.'

'Welke ring?'

'De ring waarover je met professor Agnar ging praten.'

'Ik heb geen idee waar je het over hebt.'

Magnus leunde voorover. Hij sprak met een lage, indringende stem, niet veel harder dan gefluister. 'De boeren zagen namelijk dat je vader een zeer oude ring droeg. We wéten dat je vader dr. Ásgrímur van een rots heeft geduwd en de ring meenam. Jij was er getuige van en rende weg.'

'Heeft hij het bekend?' vroeg Tómas.

Magnus kon zien dat Tómas al spijt had van de vraag op het moment dat hij hem stelde, wat impliceerde dat er iets te bekennen viel.

'Dat komt nog. We gaan hem binnenkort arresteren.'

Hij zweeg, keek naar Tómas die speelde met het lege koffiebekertje voor hem. 'Vertel ons de waarheid, Tómas. Je hoeft je vader niet langer te beschermen. Daar is het te laat voor.'

Tómas wierp een blik naar zijn advocate, die ingespannen luisterde. 'Oké.'

'Praat tegen me,' zei Magnus.

Tómas haalde diep adem. 'Ik was er niet bij,' zei hij. 'Ik weet niet wie je boerengetuige heeft gezien, maar ik was het niet.'

Magnus wilde hem graag tegenspreken, maar hield zijn mond. Het was beter om Tómas eerst zijn verhaal te laten afmaken, en het dan in twijfel te trekken.

'Ik weet niet eens zeker of mijn vader hem heeft vermoord, echt niet. Maar ik weet wel dat hij de ring heeft. De ring van Gaukur.'

'Hoe weet je dat?' vroeg Magnus.

'Dat heeft hij me verteld. Zo'n vijf jaar later, rond mijn achttiende. Hij zei dat hij hem voor mij bewaarde. Hij vertelde me het hele verhaal van de ring, dat het precies dezelfde ring was als die van Andvari uit de Völsungensaga, dat Isildur hem had meegebracht naar IJsland, en dat Gaukur er zijn broer voor had gedood en hem toen had verstopt. Hij heeft hem mij één keer laten zien.'

'Je hebt hem dus echt gezíen?'

'Ja.'

'Heeft hij je verteld hoe hij eraan kwam?'

Tómas aarzelde. 'Ja. Dat heeft hij verteld. Hij zei dat hij en dr. Ásgrímur dat weekend de ring vonden, en dat dr. Ásgrímur hem droeg toen hij van de rots viel. Hij zei dat hij hem van dr. Ásgrímurs vinger had gehaald.'

'Terwijl hij lag te sterven aan de voet van de rots?'

Tómas haalde zijn schouders op. 'Ik denk het. Weet ik niet. Hetzij op dat moment, of toen hij later met de boeren terugkwam en hem dood aantrof. Al vermoed ik dat het later nogal lastig zou zijn geweest om de ring te pakken.'

'Vond je dat niet schokkend?'

'Ja, zeker.' Tómas slikte. 'Mijn vader was altijd al een beetje vreemd. Maar hij werd veel vreemder nadat de dokter stierf. Ik was bang voor hem, had ontzag voor hem. Dat is nog steeds zo, als ik eerlijk ben. En, nou ja...'

'Ja?'

'Nou, het zou mij niet verbazen als hij zoiets vreselijks heeft gedaan als een ring van de vinger halen bij een man die ligt te sterven.'

'Zou hij in staat zijn die man te vermoorden?'

Tómas aarzelde. Magnus keek naar de advocate van Tómas. Ze luisterde aandachtig, maar liet hem praten. Wat haar betrof, was haar cliënt behoorlijk op weg om zichzelf vrij te pleiten.

Baldur legde ook zijn oor goed te luisteren, liet Magnus zijn gang gaan.

Tómas haalde diep adem. 'Ja. Zoals de dokter is vermoord.'

'Heeft hij bekend dat hij dat heeft gedaan?'

'Nee, in het geheel niet. Nooit.'

'Maar je vermoedt dat het wel zo is?'

'Eerst niet,' zei Tómas. 'Het kwam niet in me op. Ik had mijn vader altijd in alles geloofd. Maar toen begon het vermoeden aan me te kna-gen. Ik hoopte dat het niet waar was, maar ik stelde mezelf toch de vraag: wat als mijn vader de dokter een duw heeft gegeven?'

'Heb je hem ermee geconfronteerd?'

'Nee, zeker niet.' Het was duidelijk dat een confrontatie met zijn vader wel het laatste was wat Tómas wilde. 'Maar op een dag ving ik iets op. Mijn vader praatte met mijn moeder; ze waren toen al een paar jaar gescheiden. Het ging over het huwelijk van Birna Ásgrímsdóttir. Mijn vader leidde de kerkdienst. Ze hadden het erover hoe slecht Birna eraan toe was. Vader zei zoiets als: "Dat is niet zo raar als je vader is vermoord."

'Ik weet niet of het moeder opviel. Ze zei niets. Ik kon zien dat vader zich realiseerde dat hij zich had versproken door de manier waarop hij on-middellijk naar haar keek. Volgens mij wist hij niet dat ik meeluisterde.'

'Dat is niet echt hard bewijs,' zei Magnus.

'Nee,' gaf Tómas toe.

Wat ongetwijfeld de reden was waarom Tómas het hun had verteld. Magnus was er nog altijd niet van overtuigd dat Tómas er niet bij was ge-weest en dus niets had gezien. Maar daar zou hij later op terugkomen.

'Goed. Waarom ging je langs bij Agnar?'

'Mag ik wat water?' vroeg Tómas.

Magnus knikte. Tot Magnus' verbazing liep Baldur zelf naar de deur om wat water te vragen. Een minuut later kwam een politieagent terug met een plastic bekertje en een kan.

Tómas dronk dankbaar. Verzamelde zijn gedachten.

'Agnar benaderde mij. We kenden elkaar vaag. We waren elkaar tegen-gekomen op feestjes, hadden een paar gezamenlijke vrienden. Je weet toch hoe dat gaat in deze stad?'

Magnus knikte.

'We spraken af in een café.'

'Café Paris,' zei Magnus, die zich zijn gesprek met Katrín herinner-de, waarin ze had verteld dat ze hen samen had gezien.

Tómas keek verwonderd.

'Ga door,' zei Magnus.

'Agnar zei dat hij was benaderd door een rijke Amerikaan die de ring van Gaukur wilde kopen. Ik hield mezelf van de domme, maar Agnar ging verder. Hij zei net terug te zijn gekomen uit Hruni, waar hij met vader had gesproken. Agnar zei dat hoewel vader ontkende de ring te hebben, hij zeker wist dat dat een leugen was.'

'Zei hij ook waarom hij dat dacht?'

'Ja, dat was zo belachelijk.' Tómas glimlachte bij zichzelf. 'Hij zei dat te weten omdat vader er veel jonger uitzag dan zijn leeftijd. In Gaukurs Saga is de krijger die de ring draagt, Ulf nog iets, in werkelijkheid negentig, maar hij ziet er veel jonger uit, en Agnar had als theorie dat hetzelfde gebeurde met mijn vader, dat hij niet ouder werd.'

'Op die manier,' zei Magnus. 'Dat is een tikje vreemd.'

'Weet ik. Ik maakte alleen de fout om hem uit te lachen, want toen had Agnar meteen door dat ik wist waar hij het over had.'

'Maar dat heb je niet echt toegegeven?'

'Nee. Vervolgens beweerde hij dat vader dr. Ásgrímur moest hebben vermoord. Ik zei natuurlijk dat hij het bij het verkeerde eind had. Maar Agnar hield vol. Hij leek erg zeker van zichzelf. Het kwam er eigenlijk op neer dat hij mij, of ons, probeerde te chanteren.'

'Hoe?'

'Hij zei dat als mijn vader hem niet de ring verkocht – en Agnar beloofde er heel goed voor te betalen – hij naar de politie zou stappen om hen, ik bedoel jullie, te vertellen over de ring en over de moord op dr. Ásgrímur.'

'En wat deed jij toen?'

'Ik belde mijn vader. Ik vertelde hem wat Agnar had gezegd.'

'Hoe reageerde hij?'

'Hij wilde er niets van horen. We waren het erover eens hoe absurd het was dat Agnar vader ervan verdacht dr. Ásgrímur te hebben vermoord. Maar vader wist natuurlijk dat ik wist dat hij de ring had. Hij zei dat we Agnar moesten uitdagen om dan maar eens te bewijzen wat hij beweerde. Dus ging ik naar hem op zoek. Ik reed eerst naar de universiteit, en een student vertelde dat hij in een zomerhuis zat aan het meer Thingvellir. Ik kende dat huis, want een paar jaar eerder had ik daar Agnars vader geïnterviewd. Wist je dat zijn vader lid was van het kabinet?'

Magnus knikte.

'Ik reed dus naar het meer Thingvellir. Ik vertelde Agnar dat mijn vader geen idee had waar hij het over had. Ik verzocht hem dringend ons niet meer te chanteren.'

'Was het een verzoek?' zei Magnus. 'Of een dreigement?'

'Een dringend verzoek. Ik wees Agnar erop dat als hij ermee doorging, zijn klanten de ring vrijwel zeker niet zouden krijgen. Ik gaf min of meer toe dat vader hem had.'

'Wat zei Agnar?'

'Hij keek me even aan, dacht na. Toen stelde hij voor dat als vader te koppig was om de ring uit zichzelf te geven, ik hem moest stelen. Om vader uit de gevangenis te houden.'

'Wat zei je toen?'

'Ik zei dat ik erover zou nadenken.'

Magnus trok zijn wenkbrauwen op.

'Agnar had een punt. Ik wist dat vader nooit afstand zou doen van de ring, maar ik wilde niet dat hij in de gevangenis belandde. Ik wist waar vader de ring bewaarde, en het zou niet moeilijk zijn om hem te pakken en aan Agnar te verkopen.'

'En heb je dat gedaan?'

'De ring gestolen? Nee. Ik reed direct naar huis, ging zitten en dacht erover na. Uiteindelijk besloot ik vader te vertellen wat Agnar had voorgesteld. Ik belde hem die avond.'

'En wat zei je vader?'

'Hij was kwaad. Heel kwaad.'

'Op jou?'

'Op Agnar en op mij. Hij was boos omdat ik zo goed als toegegeven had dat hij de ring bezat. Hij toonde geen greintje dankbaarheid dat ik hem niet was afgevallen, dat ik hem had gebeld in plaats van zelf de ring te pakken.' Er klonk woede door in Tómas' stem. 'Hij ging door het lint, om het zo te zeggen.'

'En wat deed jij?'

'Ik was gespannen. Ik nam een of twee drankjes om mezelf te kalmeren.' Tómas vertrok zijn gezicht. 'Ik dronk ten slotte bijna een fles whisky leeg. Ik werd de volgende ochtend laat wakker, en wist nog steeds niet goed wat ik moest doen. Toen hoorde ik op de radio dat Agnar dood was aangetroffen.'

Tómas slikte.

'Hoe laat gebeurde dit allemaal?' vroeg Magnus. 'Wanneer kwam je thuis vanaf het meer bij Thingvellir?'

'Rond halfzes, om en nabij. Zoals ik je collega heb verteld.' Tómas' ogen schoten naar Baldur.

'En hoe laat belde je je vader?'

'Zo'n halfuur later, misschien een uur.'

'Dus zo rond zes uur, halfzeven.' De voor de hand liggende vraag drong zich op aan Magnus. 'Je vader kan dus later die avond naar het meer Thingvellir zijn gereden? Om Agnar het zwijgen op te leggen?'

Tómas gaf geen antwoord.

'Nou?'

'Ik heb geen idee,' zei hij. Maar het was overduidelijk dat die gedachte ook bij hem was opgekomen.

'Nog een ander vraagje,' zei Magnus. 'Waar houdt je vader de ring verborgen?'

30

'Goed gedaan,' zei Baldur, toen ze de verhoorkamer verlieten en snel naar zijn kantoor liepen. Hij glimlachte niet, keek Magnus niet eens aan, maar Magnus wist dat hij het meende.

'Gaan we Hákon arresteren?' vroeg Magnus.

'We laten hem arresteren door de politie in Selfoss en hierheen brengen voor een verhoor,' zei Baldur. 'Ze kunnen sneller ter plaatse zijn. En ik zal ze vragen om naar die verdomde ring te zoeken.' Hij zweeg even toen ze bij de deur van zijn kantoor kwamen. 'Ik wil je er graag bij hebben als ze Hákon binnenbrengen.'

'Als je de politie van Selfoss toch spreekt, kun je ze dan vragen om hun rapporten over de dood van dr. Ásgrímur in 1992 na te kijken?' vroeg Magnus.

Baldur aarzelde, en gaf toen een kort knikje.

Toen Magnus terugkwam bij zijn eigen bureau, zag hij Árni zitten, die uitgeput leek.

'Alles goed met de Governator?' vroeg Magnus.

'Erg leuk. Ik hoor dat er hier het een en ander is gebeurd.'

'Baldur stuurt de politie in Selfoss er nu op uit om de pastoor van Hruni te arresteren.'

'Denk je dat hij Agnar heeft vermoord?'

'Hij of Tómas,' zei Magnus. 'We zullen het snel genoeg weten.'

'Isildur en Steve Jubb zijn dus onschuldig?'

'Daar lijkt het wel op,' zei Magnus. En hij legde uit wat er allemaal was gebeurd terwijl Árni ruim tienduizend meter hoog in de lucht had gezeten.

Magnus verwachtte dat hij zo'n drie uur moest wachten voordat Hákon werd opgebracht, maar nog geen uur later beende Baldur de kamer binnen, met een gezicht als een donderwolk.

'Hij is verdwenen,' zei hij.

'Heeft hij zijn auto meegenomen?' vroeg Magnus.

'Natuurlijk.'

'En de ring?'

'Ook verdwenen. Als die ooit al bestond.'

Isildur had een frustrerende vierentwintig uur achter de rug. Hij begon zijn twijfels te krijgen over Axel, de privédetective die hij had ingehuurd. Pétur Ásgrímsson had hen geen steek verder willen helpen, zijn zus Ingileif leek van de aardbodem te zijn verdwenen, en het was Axel niet gelukt veel te weten te komen van zijn zogenaamde contacten bij de politie. Tómas Hákonarson was aangehouden voor de moord op Agnar; er was bewijs dat hij op de desbetreffende avond bij het meer Thingvellir was geweest, maar de politie wees geruchten over magische ringen van de hand als mythologische verzinsels.

Idioten!

Hij en Gimli zaten in Hótel Borg te wachten op een telefoontje van Axel. In aparte kamers. Ondanks het feit dat ze in de virtuele wereld zo'n hechte band met elkaar hadden gesmeed, hadden ze in de echte wereld weinig met elkaar gemeen. Isildur herlas de Völsungensaga en Gimli keek naar herhalingen van een handbalwedstrijd. Hij had verklaard dat hij in het buitenland altijd graag naar de lokale sporten op tv keek.

Isildurs mobieltje ging. Hij keek naar het nummer dat op het beeldschermpje verscheen. Het was Axel.

'Ik heb haar gevonden,' zei de privédetective.

'Waar is ze?'

'In haar appartement.'

'Geweldig! Laten we met haar gaan praten.'

'Ik pik jullie over vijf minuten op.'

Isildur riep Gimli en ze wachtten voor het hotel. Het plein was leeg, op de duiven na. Het parlementsgebouw lag er plomp bij aan de zuidzijde, een krachtig gebouw van donker geworden steen. Het was iets kleiner dan het filiaal van Isildurs lokale bank in Trinity County, en stond naast wat wel het allerkleinste kathedraaltje ter wereld moest zijn.

Axel kwam aanrijden in zijn oude brik. Ze propten zichzelf erin en stonden binnen korte tijd voor het gebouw van Ingileif. Opnieuw nam Isildur het voortouw, en hij belde aan.

Een mooie blonde vrouw deed open, met een halve glimlach.

'Hi,' zei Isildur, er inmiddels van overtuigd dat je als jonge IJslander Engels hoorde te spreken. 'Mijn naam is Lawrence Feldman. Ik ben de man die op het punt stond je saga te kopen. Mogen we binnenkomen?'

De halve glimlach verdween. 'Nee, dat mag je niet,' zei Ingileif. 'Ga weg. Ik wil niets met je te maken hebben.'

'Ik ben bereid een zeer goede prijs te betalen voor de saga, mevrouw Ásgrímsdóttir.'

'Ik ga er niet met je over in discussie.'

Isildur drong aan. 'En als u toevallig ook weet waar de ring zelf is, zal ik u voor die informatie betalen. Of voor de ring, als u die hebt.'

'Rot op,' zei Ingileif in niet mis te verstaan Engels, en ze sloeg de deur voor zijn gezicht dicht.

'Grappig. Dat is precies wat haar broer ook zei,' merkte Gimli op met een lachje.

Maar Isildur kon er de humor niet van inzien. Hij had gehoopt op een doorbraak bij Ingileif. In zijn ervaring kon je meestal krijgen wat je wilde als je maar met genoeg geld wapperde.

Maar dat leek niet noodzakelijkerwijs op te gaan in IJsland.

Ze staken de straat over, terug naar de auto.

'Wat nu?' vroeg Gimli.

'Weet je iets van elektronische surveillance, Axel?' vroeg Isildur.

'Hoe bedoel je?'

'Afluisterapparatuur. Telefoontaps, dat soort dingen.'

'Dat is strafbaar,' zei Axel.

'Net als oversteken naast een zebrapad, en dat hebben we net gedaan. Het enige wat telt, is dat je niet wordt gepakt.'

'Het is in IJsland niet strafbaar om over te steken naast een zebrapad,' zei Axel.

'Doet er niet toe,' zei Isildur. 'Ik wil weten wat die vrouw weet. En als ze het ons niet gaat vertellen, zullen we er zelf achter moeten komen.'

'Vooruit dan maar,' zei Axel.

'Het is uiteraard niet zonder risico. Wat betekent dat je extra betaald krijgt. Noem het maar gevarengeld.'

'Ik zal zien wat ik kan doen.'

Árni reed terug naar zijn appartement. Hij was hondsmoe, eigenlijk te moe om te rijden. Hij botste bijna achterop een busje dat plotseling remde voor een stoplicht.

Hij liet zijn gedachten gaan over de zaak en wat Magnus hem had verteld. Ergens was er iets wat niet helemaal klopte, iets wat aan zijn hersens knaagde. Pas toen hij echt in zijn appartement stond en een kop koffie zette, realiseerde hij zich wat het was.

O, god. Hij had weer een fout gemaakt.

Hij kwam sterk in de verleiding om het gewoon te vergeten, in bed te kruipen, het aan Magnus en Baldur over te laten om er zelf achter te komen.

Maar dat kon hij niet. Hij moest met een aantal mensen gaan praten. En wel nu meteen. Met een beetje geluk zou hij ongelijk hebben. Waarschijnlijk had hij ook ongelijk, zoals gebruikelijk. Maar hij moest het zeker weten.

Hij had eerst cafeïne nodig. Zodra hij zijn koffie had opgedronken, greep hij zijn jas en liep terug naar zijn auto.

Diego was niet blij.

Hij had het merendeel van de dag rondgehangen op het busstation Hlemmur, recht tegenover het hoofdbureau van politie. Hij had Magnus niet in of uit het gebouw zien gaan. Maar hij kon niet met zekerheid zeggen of Magnus binnenzat, want naast de twee ingangen aan de voorkant was hij er vrij zeker van dat er zich aan de achterkant, bij het parkeerterrein, nog een ingang bevond.

Plus hij viel lelijk uit de toon. Dit land was zo godverdomde wít. Niet blank, niet crèmebruin, maar geheel en al wit. De mensen waren zo blond dat ook hun haar bijna wit zag. Nergens een bruin tintje te bekennen, en zeker geen donkere huid.

Diego was het gewend op te gaan in de massa. Als je erover nadacht, zou je vermoedelijk zeggen dat hij eruitzag als een latino, maar hij had ook kunnen doorgaan voor een Arabier, of een Turk, of zelfs een zongebruinde Italiaan, of een combinatie van al het bovengenoemde. Hij viel in geen enkele Amerikaanse stad op. Zelfs toen hij in dat schattige kleine stadje op Cape Cod die effectenmakelaar koud had gemaakt, hadden mensen op straat niet echt omgekeken. In de VS liepen er in elke gemeenschap mensen rond die op hem leken.

Maar hier niet.

Waar waren de godverdomde Eskimo's? Die hadden zwart haar en een bruin gezicht. Maar in dit land woonden ze beslist niet.

Dit was zinloos. Hij overwoog zijn opties. Hij had het politiebureau gebeld om te vragen of er een Magnus Jonson werkte. Ja, die werkte bij de verkeerspolitie. Maar Diego was er vrij zeker van dat dat niet de Jonson was die hij zocht.

Wat was nu de volgende stap? Hij zou gewoon naar binnen kunnen lopen om te vragen of er een Amerikaanse agent op het bureau werkte. Hij vermoedde dat zoiets wel de ronde zou hebben gedaan. En als de agent die hij aansprak het niet wist, kon hij er waarschijnlijk snel genoeg achter komen. Probleem was alleen dat Jonson te horen zou krijgen dat er iemand naar hem had gevraagd. Diego wilde het doelwit niet van tevoren waarschuwen.

Hij kon teruggaan naar de Litouwers. Hij wist dat ze goed waren betaald door Soto om hem te helpen. Hij begreep dat ze in zo'n kleine plaats zeker niet in verband gebracht wilden worden met de moord, maar ze konden hem toch zeker wel in contact brengen met een derde partij die hem kon helpen? Een privédetective, of een corrupte advocaat. Iemand die IJslands sprak. Iemand die witter dan wit was.

Hij had niet veel tijd. Jonson kon elk moment op een vliegtuig terug naar de VS worden gezet. Eenmaal daar zou het niet moeilijk zijn voor de FBI om hem de paar dagen voor het proces te beschermen.

Hij zat in het koffiebarretje in het station, aan zijn vijfde of zesde kop, terwijl hij de twee ingangen aan de voorkant afwisselend in de gaten hield.

Er kwam een grote kerel naar buiten. Een grote kerel met rood haar. Daar had je hem!

Diego liet de halflege kop koffie achter en huppelde bijna het busstation uit.

Aan het werk.

Magnus liep de heuvel op naar de Grand Rokk. Het was halfnegen en hij had de indruk gekregen dat hij die avond niet meer nodig was op het bureau.

Baldur was woedend geweest. Alle positieve gedachten die hij eerder over Magnus mocht hebben gehad, waren verdreven. Waarom had

Magnus Baldur niet gebeld zodra hij besefte dat Hákon de vader was van Tómas? Waarom was hij niet bij Hákon in Hruni gebleven en had hij niet gewacht op versterking om de pastoor te arresteren?

Waarom had hij Hákon laten ontsnappen?

Terwijl de rest van de afdeling geweldsmisdrijven als een krankzinnige in het rond rende, had Magnus werkeloos moeten toekijken. Dus vertrok hij.

De barman herkende hem en schonk een grote Thule voor hem in. Een aantal van de stamgasten zei hallo. Maar hij was niet in de stemming om een praatje te maken, hoe vriendelijk bedoeld ook. Hij nam zijn biertje mee naar een kruk in de hoek van de bar en dronk het daar op.

Baldur had uiteraard gelijk. De reden waarom Magnus had gewacht tot hij terugkeerde in Reykjavík alvorens Baldur te vertellen wat Hákon had gezegd, was niet bepaald nobel. Hij deed het zodat hij, en niet Baldur, het verhaal van Tómas zou ontrafelen.

Wat hem was gelukt. Hij had de zaak opgelost. Niet alleen ontdekt wie Agnar had vermoord, maar ook wat er was gebeurd met Ingileifs vader. Het moment van triomf had zoet gesmaakt, maar slechts een uur geduurd.

Er bestond een kans dat Hákon er alleen met de auto op uit was om een boodschap te doen en over een uurtje zou terugkomen. Of dat hij door de politie zou worden aangehouden. Hij was een kerel die direct opviel, en het land was klein, of althans de bewoonde delen ervan. Magnus vroeg zich af of Hákon zich in de wildernis zou verschuilen, net als de vogelvrijverklaarden in de saga's, levend op bessen terwijl hij de wet ontweek.

Een mogelijkheid.

Het leed geen enkele twijfel, Magnus had het verknald.

Dat betekende in elk geval dat de nationale politiecommissaris niet zou eisen dat hij in IJsland bleef voor de volle twee jaar die hij oorspronkelijk had verwacht. Ze zouden blij zijn om volgende week van hem af te zijn.

En hij zou blij zijn om te vertrekken.

Of toch niet?

Het was waar wat hij tegen Ingileif had gezegd: de herinneringen aan zijn vroegere leven in IJsland waren pijnlijk, nog pijnlijker door de toevallige ontmoeting met zijn nicht. En het wilde duidelijk niet boteren met Baldur. Maar zijn korte verblijf in IJsland kende ook leuke aspecten. Hij voelde wel degelijk een affiniteit met het land. Meer dan dat, het was loyaliteit, een plichtsgevoel. De trots die IJslanders voelden voor hun thuisland, hun vastberadenheid om hun stinkende best te doen het te laten functioneren, werkte aanstekelijk.

Iemand als Magnus rekruteren was geen slecht idee geweest van de commissaris. De politieagenten die hij had ontmoet, waren slim, eerlijk, hardwerkend. Het waren goede jongens, zelfs Baldur. Ze misten alleen de ervaring met grootstedelijke criminaliteit en hij wist dat hij hen daarbij kon helpen.

En dan was er nog Ingileif.

Hij voelde niet het verlangen om terug te gaan naar Colby, en hij was er vrij zeker dat zij er niet op zat te wachten om bij hem terug te komen.

Maar Ingileif.

Hij had dat echt verpest. Ze had gelijk, hun relatie was meer dan een vluchtig avontuurtje. Hoeveel meer wist Magnus niet, en zij ook niet, maar dat maakte niet uit. Hij had er geen punt van moeten maken.

Hij bestelde nog een biertje.

Hij zou een nieuwe poging wagen. Zeggen dat het hem speet. Hij wilde haar nog een keer zien voordat hij huiswaarts keerde. Misschien zou ze hem doodleuk zeggen op te hoepelen, maar het was het risico waard. Hij had niets te verliezen.

Hij sloeg de helft van zijn bier achterover en verliet de bar.

Diego had een goede plek voor zichzelf gevonden, in de rokerstent op de voorplaats van de Grand Rokk. Hij was naar binnen gewandeld om bij de bar een biertje te halen, en had de grote agent alleen zien zitten met zijn drankje, in gedachten verzonken.

Perfect.

Er was één probleem: Diego's auto stond nog een paar straten vanaf het busstation geparkeerd. Hij was Jonson te voet gevolgd. Hij peinsde er niet over om hem op klaarlichte dag om te leggen. Om te kunnen ontsnappen, moest hij wachten tot het donker werd.

Maar het was nog steeds licht. Hij keek op zijn horloge. Bijna halftien. Wat was dat toch met dit land? Het was nog maar april;

in de Verenigde Staten zou het al uren geleden donker zijn geworden.

Er zat niets anders op dan Jonson te blijven volgen. Als hij zich nog op straat bevond bij het vallen van de duisternis, zou Diego toeslaan. Anders zou hij hem naar huis volgen en in de kleine uurtjes van de ochtend inbreken.

Toen zag hij de grote agent doelbewust uit de bar lopen, voorbij de tent en naar de straat. Diego volgde hem.

Eindelijk begon het donker te worden, of althans schemerig. Nog niet donker genoeg. Maar als Jonson een lange wandeling moest maken om thuis te komen, deed zich misschien een kans voor om iets te doen. Diego schoot liever in een stille straat een paar kogels door Jonsons hoofd dan dat hij rondstommelde in een vreemd huis, met god weet wie nog meer.

Magnus kwam bij het huis van Ingileif. Er brandde licht boven in haar appartement. Hij aarzelde. Zou ze naar hem luisteren?

Er was maar één manier om daarachter te komen.

Hij drukte op de bel aan de zijingang van het huis, bij de trap die omhoogleidde naar haar appartement.

Ze deed de deur open. 'O, ben jij het.'

'Ik kom je zeggen dat het me spijt,' begon Magnus. 'Ik heb me schofterig gedragen.'

'Zeg dat wel.' Ingileifs gezicht stond koel, bijna uitdrukkingsloos. Niet vijandig, maar zeker niet blij om hem te zien.

'Mag ik binnenkomen?' vroeg hij.

'Nee,' zei Ingileif. 'Je hebt je schofterig gedragen. Maar je had in wezen gelijk. Je verlaat IJsland over een paar dagen. Het heeft geen zin om emotioneel meer met elkaar betrokken te raken.'

Magnus keek verwonderd. 'Dat begrijp ik. Dat heb ik je immers verteld, zij het dan veel minder tactvol. Maar...?'

Ingileif trok haar wenkbrauwen op. 'Maar?'

Magnus wilde haar vertellen dat hij haar echt graag mocht, dat hij haar beter wilde leren kennen, dat het wellicht zinloos was maar wel het juiste om te doen, hij wist dat dat zo was. Maar haar grijze ogen stonden kil. Nee, zeiden ze. Nee.

Hij zuchtte. 'Ik ben heel blij je te hebben ontmoet, Ingileif,' zei hij.

Hij boog zich voorover, kuste haar vluchtig op de wang, en draaide zich om in de toenemende duisternis.

Árni zat in zijn auto, illegaal geparkeerd voor de boekwinkel Eymundsson in de Austurstraeti, en belde het bureau. Hij kreeg te horen dat Magnus weg was en die avond niet meer zou terugkomen. Toen belde hij Magnus' mobiele nummer. Geen antwoord, de telefoon stond uit. Dus belde hij het huis van zijn zus.

'O, hoi, Árni,' zei Katrín.

'Heb je Magnús gezien?'

'Vanavond niet. Maar misschien zit hij op zijn kamer. Ik zal even kijken.' Árni roffelde met zijn vingers op het dashboard, terwijl zijn zus in Magnus' kamer keek. 'Nee, hij is er niet.'

'Enig idee waar hij kan zijn?'

'Hoe zou ik dat moeten weten?' protesteerde Katrín.

'Alsjeblieft, Katrín. Waar gaat hij 's avonds naartoe, weet je dat?'

'Niet echt. Wacht, volgens mij gaat hij soms naar de Grand Rokk.'

'Bedankt.' Árni beëindigde het gesprek en reed snel door naar de Grand Rokk. Hij was er binnen twee minuten.

Hij moest Magnus spreken. Hij had het nagetrokken. Hij had inderdaad een fout gemaakt. Hij wist wie Agnar had vermoord.

Hij stopte in de straat recht voor de bar en rende naar binnen. Hij toonde kort zijn legitimatiebewijs aan de barman en vroeg of hij Magnus had gezien. Ja, die had hij gezien. De grote kerel was een kwartier geleden vertrokken.

Árni sprong terug in zijn auto en reed de heuvel op, in de richting van de Hallgrímskirkja. Hij stopte bij een kruispunt. Voor hem stak een man over, die een flodderig sweatshirt droeg met een capuchon. De man was vrij lang, slank, donker van huidskleur, en liep met vastberaden tred. Árni kende hem ergens van.

Het was de vent die hij in de aankomsthal op vliegveld Keflavík had gezien. De Amerikaan die was opgewacht door de Litouwse drugsdealer.

Het was een rustige straat. De Latino had zijn tempo versneld tot een stevige looppas. Hij deed zijn capuchon omhoog.

Toen Árni het kruispunt overstak en de heuvel op reed, zag hij verderop in de straat Magnus langzaam voortslenteren, het hoofd omlaag, diep in gedachten. Árni was moe. Hij had een paar tellen nodig om te beseffen wat er stond te gebeuren. Hij remde, schakelde meteen in zijn achteruit, en reed snel achteruit de heuvel af. Hij botste tegen een geparkeerde auto, gooide zijn portier open en sprong eruit.

'Magnús!' riep hij.

Magnus bleef stilstaan. Keerde zich om. Net als de Latino.

De man stond op nog geen twintig meter, maximaal. Hij greep iets in de voorzak van zijn sweatshirt.

Árni stormde op hem af.

Hij zag hoe de ogen van de Latino zich opensperden. Hij zag hem het wapen uit zijn zak halen. In de lucht heffen.

Árni wierp zich in volle vaart op hem, net toen het wapen afging.

Magnus draaide zich snel om bij het horen van een klap van metaal op metaal. Hij zag Árni uit zijn voertuig springen, hoorde hem roepen, zag hem naar de lange gestalte in de grijze hoody rennen.

Magnus haastte zich naar hen toe, net toen Árni de man tegen de grond kegelde. Hij hoorde het geluid van een pistoolschot, gedempt door Árni's lichaam. De man rolde weg bij Árni, en wendde zich naar Magnus. Hief zijn wapen vanuit een liggende positie.

Magnus was hem op zo'n zes meter genaderd. Hij maakte geen schijn van kans om de man te bereiken voordat die de trekker overhaalde.

Links zag hij een opening tussen twee huizen. Hij maakte een ontwijkende beweging en dook erdoorheen. Hij hoorde nog een schot en een kogel die afketste op gevelbeplating.

Magnus bevond zich in een achtertuin, met voor en aan de ene kant nog meer achtertuinen. Hij keerde naar rechts en sprong tegen een bijna twee meter hoge schutting. Slingerde zijn lichaam erover op het moment dat er weer een schot klonk.

Maar Magnus wilde niet vluchten voor deze kerel.

Hij wilde hem te pakken krijgen.

Er flitste een schijnwerper aan, die Magnus verblindde. Deze tuin grensde aan een meer welvarend uitziende woning. Magnus keek of hij zich ergens kon verschuilen.

Vóór de explosie van licht had Magnus de schijnwerper opgemerkt, op nog geen metertje voor de schutting van de ernaast gelegen tuin.

Hij rende er meteen op af, bereikte de schutting en hurkte neer. Hij zat diep in de schaduw. In het verblindende licht zou de man hem met geen mogelijkheid kunnen zien.

De man verscheen boven op de schutting en liet zich in de tuin zakken. Hij bleef stilstaan om te luisteren. Stilte.

Magnus ademde zwaar. Hij slikte, probeerde zijn ademhaling in bedwang te houden, ervoor te zorgen dat hij geen geluid maakte.

De man stond doodstil, tuurde rond in de tuin. Magnus besefte dat hij een fout had gemaakt. De kerel had de stilte gehoord. Het uitblijven van voetstappen.

Hij wist dat Magnus zich in de tuin bevond.

Magnus was van plan geweest om de kerel te grijpen terwijl die door de tuin rende, om hem van achteren te tackelen. Dat plan ging niet werken.

Heel even keek de man recht naar Magnus. Magnus verroerde zich niet, bad dat zijn theorie over het licht zou kloppen. Dat bleek zo te zijn.

Voorzichtig onderzocht de man een struik. En nog een. Toen bleef hij weer stilstaan, luisterde.

De schijnwerper werkte met een bewegingssensor. Geen beweging, geen licht. Hij ging uit.

Magnus wist dat hij maar een paar tellen had voordat de ogen van de man aan het donker gewend raakten. Hij wist ook dat als hij recht op hem af rende, de man zou schieten in de richting vanwaar het geluid kwam en hij geraakt zou worden door een kogel. Dus rende hij een paar stappen naar voren en dook toen naar links, als een fullback bij American football die door de verdediging schoot.

Er klonk een schot; het vuur uit de loop verlichtte een fractie van een seconde het gezicht van de man.

De man bewoog zijn wapen naar rechts, richtte het recht op Magnus, mikte hoog.

Dus dook Magnus laag, een tackle op de knieën van de man. Nog een schot, iets te hoog, en de man ging neer.

Magnus worstelde en greep de hand die het wapen vasthield. Hij pakte de loop en wrong die omhoog, naar de man toe. Nog een schot, en vanaf het huis het geluid van brekend glas. Er volgde een bevredigende knak en een schreeuw toen een duim brak, die bekneld zat in de

trekkerbeugel. Met zijn vrije hand klauwde de man naar Magnus' gezicht en ogen. Magnus verzette zich en wist het wapen los te wrikken,
rolde naar achter en half overeind.

Hij richtte het wapen op het gezicht van de man.

Hij wilde de trekker overhalen; hij wilde zo graag de trekker overhalen. Maar hij wist dat dat tot allerlei problemen zou leiden.

'Sta op!' riep hij in het Engels. 'Sta op, of ik schiet de kop van je
romp!'

Ze gingen allebei langzaam staan, de ogen op elkaar gericht, zwaar
ademhalend.

'Handen omhoog! Kom hierheen!'

Magnus hoorde geroep in het huis. 'Bel de politie,' schreeuwde hij
in het IJslands.

Hij duwde de man langs de zijkant van het huis naar de straat, waar
hij hem tegen de muur drukte, met zijn gezicht tegen de golfplaten.
Nu had hij een probleem. Hij wilde kijken hoe Árni eraan toe was,
maar hij kon niet het risico nemen om de man onbewaakt achter te
laten.

Hij overwoog nogmaals om de kerel gewoon door het hoofd te
schieten. Hij kwam in de verleiding.

Slecht idee.

'Draai je om,' beval hij, en terwijl de man zich naar hem omkeerde,
bracht hij het wapen naar zijn linkerhand en gaf de man met zijn rechter een kaakslag.

Magnus voelde de pijn door zijn hand schieten, maar de man zakte
in elkaar. Bewusteloos.

Magnus knielde naast Árni. Hij leefde nog; zijn oogleden trilden en
zijn ademhaling verliep met korte stoten. Er zat een gat in zijn borst,
er was bloed. Maar je hoorde niet dat vreselijk piepende geluid als bij
een zuigende borstwond.

'Rustig maar, Árni. Het komt goed. Hou vol, maatje. Je bent niet al
te zwaar gewond.'

Árni's lippen begonnen te bewegen.

'Sst,' zei Magnus. 'Niet praten. Er komt zo een ambulance.'

Iemand had de politie gebeld, hij hoorde de sirenes naderen.

Maar Árni's lippen bleven bewegen. 'Magnus. Luister,' fluisterde hij,
in het Engels.

Magnus bracht zijn hoofd dicht bij Árni's gezicht, maar hij kon niet echt goed horen wat Árni probeerde te zeggen. Hij ving alleen het laatste woord op, dat klonk als 'bye'.

'Hé, je hoeft nu geen afscheid te nemen, Árni, je gaat het redden, je bent de Terminator, weet je nog?'

Árni bewoog zijn hoofd heen en weer en probeerde opnieuw te spreken. Het werd hem te veel. De ogen sloten. De lippen stopten met bewegen.

31

Magnus sprong in de politiewagen die de ambulance naar het nationale ziekenhuis escorteerde, met flitsend zwaailicht en blèrende sirene. De rit duurde minder dan vijf minuten. Hij werd met de ellebogen aan de kant gewerkt door ambulancepersoneel dat Árni door de gangen en dubbele deuren van het hospitaal duwde. Het laatste wat hij van zijn partner zag, waren zijn voeten die op het uiteinde van de brancard in hoge snelheid richting de operatiekamer gingen.

Hij werd naar een kleine wachtkamer geleid, waar hij begon te ijsberen, met een televisie murmelend op de achtergrond. Agenten in uniform liepen gehaast heen en weer.

Een vrouw met een klembord vroeg hem naar naaste familieleden. Hij schreef Katríns naam en adres op. Toen belde hij haar.

'O, hoi, Magnus, heeft Árni je gevonden?' vroeg ze in het Engels.

'Ja, hij heeft me gevonden.'

Katrín kon aan de toon van zijn stem horen dat er iets mis was. 'Wat is er?'

'Ik ben in het ziekenhuis. Árni is neergeschoten.'

'Neergeschoten? Hij kan niet zijn neergeschoten. Dit is IJsland.'

'Nou, het is toch gebeurd. In de borst.'

'Is alles goed met hem?'

'Nee, dat is het niet. Maar hij leeft. Ik weet nog niet hoe erg het is. Hij ligt nu in de operatiekamer.'

'Had het iets met jou te maken?'

'Ja,' zei Magnus. 'Ja, het had iets met mij te maken.'

Terwijl hij het gesprek beëindigde, bedacht hij wat het precies met hem van doen had gehad. Het was zíjn fout dat Árni bijna om het leven was gekomen. Hij was degene die een Dominicaanse huurmoordenaar naar IJsland had geleid, een gangster met een wapen, klaar om te schieten.

Hij had daarbinnen op de operatietafel moeten liggen.

'Verdomme, Árni!' Hij sloeg met zijn vuist tegen de muur. Een pijnscheut trok door zijn hand, nog altijd gevoelig door de klap tegen de kaak van die ploert. Oké, Árni was geen gewapende criminelen gewend, maar een agent in Boston zou nooit hebben gedaan wat hij had gedaan. Er waren tal van opties. Recht inrijden op de kerel. Doorrijden naar Magnus om de auto tussen hem en de schoft te plaatsen. Gewoon toeteren, het raampje omlaag doen en roepen. Al die opties hadden beter gewerkt dan in volle vaart op een gewapende man af sprinten.

En natuurlijk, als dit een normaal land was geweest, en Árni een wapen bij zich had gedragen, had hij dat simpelweg kunnen trekken om de man staande te houden.

Maar zelfs al was Árni niet slim, moedig was hij wel. En als de huurmoordenaar ook maar een fractie van een seconde trager was geweest, had Árni's roekeloze actie misschien gewerkt. Maar de Dominicaan was rap geweest, en Árni had een kogel opgevangen voor Magnus.

De politiecommissaris had Magnus aangesteld om de verspreiding van grootstedelijk geweld naar Reykjavík de baas te blijven. Maar het enige wat hij had gedaan, was dat geweld regelrecht naar het hart van de stad lokken, naar het hart van het politiedepartement.

Ook al was hij in IJsland reeds op heel wat ongewone sterfgevallen gestuit. Dr. Ásgrímur, Agnar, Ingileifs stiefvader.

Katrín stormde binnen. 'Hoe is het met hem?' vroeg ze.

'Ik weet het niet. Ze hebben nog niets gezegd.'

'Ik heb pa en ma gebeld. Ze zijn onderweg.'

'Het spijt me,' zei Magnus.

Katrín was een lange vrouw. Ze keek hem recht in de ogen. 'Heb jij hem neergeschoten?'

'Nee.'

'Dan hoef je je ook nergens voor te verontschuldigen.'

Magnus wierp haar een flauw glimlachje toe en haalde zijn schouders op. Hij wilde dit moment niet aangrijpen om in discussie te gaan met een IJslandse.

Er verscheen een vrouwelijke arts, midden in de veertig, zelfverzekerd, deskundig maar verontrust. 'Ben jij familie?' vroeg ze Katrín.

'Ja, ik ben de zus van Árni.'

'Hij heeft veel bloed verloren. De kogel zit er nog, recht naast het hart. We gaan opereren om hem eruit te halen. Dat kan even duren.'

'Komt alles goed met hem?'

De arts keek Katrín in de ogen, op vrijwel dezelfde wijze waarop zij zojuist naar Magnus had gekeken. 'Dat weet ik niet,' zei ze. 'Hij maakt een kans. Een goede kans. Verder is het afwachten.'

'Oké, blijf dan hier niet rondhangen,' reageerde Katrín. 'Schiet op.'

Magnus wist zeker dat IJsland over competente artsen beschikte. Maar hij was bezorgd dat ze weinig ervaring hadden met schotwonden. In de Verenigde Staten, bij het Boston Medical Center, deden ze op vrijdag- en zaterdagavond bijna niets anders dan kogelgaten dichten.

Hij besloot dit niet te vertellen tegen Katrín.

Er klonk rumoer buiten de wachtkamer en Baldur beende naar binnen. Magnus had Baldur eerder kwaad gezien, maar nog nooit zo kwaad.

'Hoe is het met hem?' wilde hij weten.

'Ze gaan hem nu opereren,' zei Magnus. 'De kogel zit nog ergens in zijn lichaam, en die proberen ze eruit te vissen.'

'Gaat hij het redden?'

'Ze hopen van wel,' zei Magnus.

'Het is hem geraden,' zei Baldur. 'En ik wil jou wat vragen stellen.' Hij wendde zich tot Katrín, met een gezicht waarop afkeuring stond te lezen. Hoewel Katrín niet in vol ornaat was, stak er hier en daar metaal uit haar gezicht. 'Kun je ons even alleen laten?'

Katrín fronste. Magnus zag dat ze direct een hekel had gekregen aan de politieman, en niet in de stemming was om zich te laten commanderen.

'Ze kan hier blijven,' zei Magnus. 'Ze heeft evenveel recht om hier te zijn als wij. Meer zelfs. We kunnen dit buiten bespreken.'

Baldur keek kwaad naar Katrín. Katrín keek kwaad terug. Ze liepen de gang op.

'Weet je waarom een van mijn agenten is neergeschoten?' vroeg Baldur, met zijn gezicht vlak voor dat van Magnus.

'Ja.'

'Nou?'

'Ik ben getuige bij een groot proces over politiecorruptie in Boston. Sommige mensen daar willen mij uit de weg ruimen. Dominicaanse drugshandelaren. Daarom ben ik naar hier gekomen. Het lijkt erop dat ze mij hebben gevonden.'

'En waarom heb je mij hier niets over verteld?'

'De politiecommissaris was van mening dat hoe minder mensen het wisten, hoe minder kans er bestond dat het zou uitlekken.'

'Dus híj wist ervan?'

'Natuurlijk.'

'Als Árni doodgaat, god bewaar me, dan…' Baldur aarzelde terwijl hij een overtuigend dreigement probeerde te bedenken.

'Ik heb tegen Árni's zus gezegd dat het me spijt, en ik zal me ook tegenover jou verontschuldigen,' zei Magnus. 'Het spijt me dat ik de huurmoordenaar hierheen heb geleid. Ik zorg alleen voor problemen. Ik kan beter gaan.'

'Ja, zeker. En wel nu meteen. Ik wil dat je dit ziekenhuis verlaat, je kunt hier niets meer doen. Ga terug naar het bureau en leg een verklaring af. Ze wachten op je.'

Magnus had niet de kracht om hem tegen te spreken. Hij wilde heel graag blijven om te zien hoe Árni het ervan afbracht, maar in zekere zin had Baldur gelijk. Hij was een storend element. Hij kon beter vertrekken.

Hij stak zijn hoofd in de wachtkamer. 'Ik moet nu gaan,' zei hij tegen Katrín. 'Laat me weten als je iets meer hoort, hoe dan ook.'

'De kale Gestapo-officier heeft je zeker naar huis gestuurd?'

Magnus knikte. 'Hij is een beetje over zijn toeren. Begrijpelijk.'

'Ha.' Katrín leek niet onder de indruk. 'Ik zal je bellen als ik meer weet.'

Magnus sliep slecht. Geen dromen, godzijdank, maar hij verwachtte constant dat de telefoon zou rinkelen. Wat niet gebeurde.

Hij stond om zes uur op en belde het ziekenhuis. Hij wilde Katríns mobieltje niet bellen voor het geval ze wat slaap had weten te pakken en hij haar wakker maakte. Ze hadden de operatie uitgevoerd en de kogel verwijderd. Árni had veel bloed verloren, maar hij leefde. Ze waren voorzichtig optimistisch, met de nadruk op 'voorzichtig'. Maar Árni was nog niet bij kennis gekomen.

Magnus liep van de heuvel naar het politiebureau. Het was een grijze, winderige, saaie dag in Reykjavík. Koud, maar niet heel koud.

Er zaten twee, drie rechercheurs op de afdeling geweldsmisdrijven.

Hij knikte naar hen en ze glimlachten en knikten terug. Hoewel hij bereid was om vijandigheid van zich af te schudden, was hij blij dat die leek uit te blijven.

Vigdís kwam naar hem toe, met een kop koffie. 'Ik vermoed dat je dit wel kunt gebruiken.'

'Bedankt,' zei Magnus met een glimlach. En toen: 'Sorry van Árni.'

'Het was niet jouw schuld,' zei Vigdís.

'Weten we wie de schutter is?'

'Nee. Hij heeft een Amerikaans paspoort, maar we zijn er vrij zeker van dat het vals is. Hij wil niets zeggen.'

'Hij is professioneel. Hij gaat niets loslaten.' Magnus had de rechercheur die gisteravond zijn verklaring had afgenomen zoveel mogelijk informatie gegeven, inclusief met wie hij contact moest opnemen bij de politie van Boston. Hem was duidelijk te verstaan gegeven dat Baldur niet wilde dat hij de Dominicaan verhoorde.

'Misschien sturen ze er nog een,' merkte Vigdís op. 'Nog een huurmoordenaar.'

'Het duurt wel een dag of twee voordat ze beseffen dat er iets fout is gelopen en iemand anders hierheen sturen. En ik ben binnenkort verdwenen.'

'Hou je ogen open,' zei Vigdís. 'Nu je Árni niet meer hebt om op je te letten.'

Magnus glimlachte. 'Zal ik doen.' Vigdís had gelijk. Hij hoefde zich de komende vierentwintig uur waarschijnlijk geen zorgen te maken, maar hij moest een plek bedenken waar hij zich schuil kon houden totdat hij terugvloog naar de Verenigde Staten.

'Als je ergens hulp bij nodig hebt, vraag het gerust, oké?'

'Oké. Bedankt.'

Toen Vigdís vertrok, zette Magnus zijn computer aan. Hij moest zelf de FBI en Williams laten weten wat er was gebeurd. Maar voordat hij begon te typen, zag hij een binnengekomen e-mail, direct verzonden, niet via de FBI.

Hoi Magnus,

Er is iets wat ik je echt moet vertellen. Een paar avonden geleden drong een kerel mijn appartement binnen en stak een

282

wapen in mijn mond. Hij wilde weten waar je was. Ik heb hem min of meer verteld over de domeinnaam van de Reykjavíkse politie in je e-mailadres.

Ik zit er echt mee in mijn maag. Ik heb het de politie niet verteld, maar ik dacht dat je het moest weten zodat je op je hoede kunt zijn.

Johnny Yeoh

Woede laaide op in Magnus. Hij klikte op 'beantwoorden' en begon te typen, maar na een paar woorden stopte hij. Hij kon het Johnny niet echt kwalijk nemen. Het wapen was echt, het dreigement was echt; als Johnny de man niet had verteld wat hij wilde weten, liep hij het risico om door het hoofd te worden geschoten.

Al had hij Magnus eerder kunnen waarschuwen.

Magnus was eigenlijk vooral boos op zichzelf. Hij had het veiligheidsprotocol van de FBI niet moeten doorbreken. Er was een reden waarom ze niet wilden dat hij rechtstreeks e-mails verzond naar iemand in de Verenigde Staten. Een goede reden, naar nu bleek.

Hij wiste de half geschreven e-mail en verving hem met een simpel 'bedankt dat je het mij hebt laten weten'. Johnny Yeoh zou hoe dan ook in grote problemen komen, niet omdat hij iets had gezegd tegen de gangster, wel omdat hij dat feit niet onmiddellijk had gemeld. Na verloop van tijd zou dat allemaal aan het licht komen.

Magnus stelde een e-mail op voor Williams, waarin hij beschreef wat er de avond daarvoor was gebeurd, maar liet voorlopig achterwege dat Johnny Yeoh de Dominicanen erop had gewezen dat Magnus in IJsland zat.

Hij werd zich bewust van een gedaante die in Árni's stoel tegenover hem zat. Snorri Gudmundsson, de nationale politiecommissaris van IJsland. De Grote Zalm zelf.

Hij had op zeker moment verwacht te worden ontboden op het kantoor van de commissaris. Hij had echter geen persoonlijk bezoek verwacht.

'Hoe gaat het met je, Magnús?' vroeg de commissaris.

'Moeilijk onder woorden te brengen,' zei Magnus. 'Ik vind het erg wat Árni is overkomen.'

'Maak jezelf geen verwijten,' zei de commissaris. 'Ik wist dat je leven gevaar liep. Ik wist dat de kans bestond dat ze je hier zouden komen zoeken. Ik dacht niet dat een van mijn agenten zou worden neergeschoten, maar ik had ongelijk, en dat is mijn verantwoordelijkheid, niet de jouwe.' De commissaris zuchtte. 'Godzijdank blijft hij in leven.'

'Weet je dat zeker?' vroeg Magnus.

'Geen honderd procent, maar het begint er met het uur beter uit te zien.'

'Árni is een dappere man,' zei Magnus. 'Heel dapper.'

'Zeker.'

'Luister, Snorri, ik wilde je dit eerder vertellen. Mijn baas heeft een paar dagen geleden van zich laten horen. Het proces in Boston is verschoven naar volgende week. Ik zal erheen moeten vliegen om te getuigen.'

'Dat is goed nieuws.'

'Ik zal dan wel niet meer terugkomen.'

'Ik denk van wel.' De helderblauwe ogen van de commissaris sprankelden.

Magnus trok verbaasd zijn wenkbrauwen op.

'We hebben dit besproken toen je aankwam. Ik wil dat je hier twee jaar blijft.'

'Ja, maar na alles wat er is gebeurd...'

'We hebben een resultaat in de zaak Agnar. We weten wie de moordenaar is, we moeten hem nu alleen nog vinden. Naar ik heb vernomen heb je een belangrijke rol gespeeld bij het oplossen van de zaak.'

'Naar je hebt vernomen? Dat heb je dan zeker niet van Baldur?'

'Nee. Van Thorkell.'

'Hij is er vast niet zo blij mee dat zijn neef overhoop is geschoten.'

'Is hij ook niet. Maar hij geeft jou niet de schuld. En als hij mij de schuld geeft, laat hij dat niet merken.'

'En Baldur? Ik weet zeker dat hij het liefst wil dat ik naar de vs terugvlieg en nooit meer terugkom.'

'Laat Baldur maar aan mij over.'

'Ik weet het niet,' zei Magnus. Hij was ervan uitgegaan dat hij over een paar dagen niets meer te maken zou hebben met IJsland. En hij was ervan uitgegaan heel blij te zullen zijn met die stand van zaken.

'Je komt terug,' zei de commissaris, die opstond. 'Je hebt een morele verplichting. Dat is voor mij belangrijk, en ik denk dat jij daar ook waarde aan hecht.'

Terwijl Magnus de commissaris de kamer zag verlaten, drongen zich twee gedachten aan hem op.

De eerste, de meest indringende, was of hij inderdaad in IJsland moest blijven.

De tweede, meer knagend onder de oppervlakte, was dat hij er, in tegenstelling tot de commissaris, niet zo zeker van was dat de zaak was opgelost.

Tien minuten later nam Baldur een kijkje in de kamer.

'Wat doe jij hier?' gromde hij toen hij Magnus zag.

'Ik werk hier. Althans, voorlopig.'

'We hebben hier geen pottenkijkers nodig. Heb je je verklaring afgelegd?'

'Gisteravond.'

'Ga dan naar huis, en blijf thuis waar we je kunnen bereiken voor als we je nodig hebben om er iets aan toe te voegen.'

'Heb je de eerwaarde Hákon gevonden?' vroeg Magnus.

'Nog niet. Maar dat komt wel. Hij kan het land niet uit.'

'Hebben jullie gekeken bij Stöng? Of Álfabrekka?'

'Waarom zouden we dat doen?'

'We weten dat de ring een enorme invloed uitoefent op Hákon. Hij is een vreemde man, een romanticus op zijn manier. Dus waar gaat hij heen? Jullie houden ongetwijfeld alles in de gaten wat voor de hand ligt: de vliegvelden, zijn familieleden, mocht hij die hebben. Maar hij gaat misschien naar een plaats die belangrijk is voor de ring. Zoals Stöng. Of de grot waar de ring oorspronkelijk is gevonden. Volgens mij ligt de kaart die dr. Ásgrímur heeft getekend nog in mijn auto.'

Baldur schudde alleen het hoofd. 'Als je denkt dat ik de weinige mankracht waarover we beschikken naar zo'n uithoek ga sturen, alleen vanwege jouw idiote ideeën over wat een ring "denkt", dan...' Zijn stem stierf weg in gefrustreerd gemompel. 'Vergeet het. Ga naar huis.'

32

Maar Magnus ging niet naar huis. Hij tekende voor een auto en reed naar Gaukurs verlaten boerderij bij Stöng. Hoe verder hij naar het oosten reed, hoe slechter het weer werd. Een grijze nevelwolk was neergedaald over IJsland, en hij reed er dwars doorheen. Zelfs toen hij eenmaal van de lavavelden omlaag was gereden naar de brede vlakte rond Selfoss, bleef het zicht slecht. Paarden keken vanuit drassige velden mistroostig naar de weg. Nu en dan doemde er in de nevel een heuveltje op, met daarop een kerk of een boerderij.

De Hekla was absoluut nergens te bekennen, zelfs niet toen hij de weg insloeg die langs de oever van de rivier de Thjórsá liep.

Hij had geen idee of hij werkelijk iets zou aantreffen bij Stöng of Álfabrekka. Maar hij verdomde het om nutteloos te blijven rondhangen in Reykjavík. Hij had geprobeerd zich te verplaatsen in de vreemde geest van de pastoor. Iets wat niet meeviel. Hij maakte zich geen illusies dat hij de man kon begrijpen, maar als intuïtieve ingeving vond hij zijn vermoeden zo gek nog niet.

Hij dacht aan het verzoek van de politiecommissaris om in IJsland te blijven. Al was het eigenlijk meer een bevel.

Hij wist zeker dat hij, eenmaal terug in de Verenigde Staten, Williams zou kunnen overhalen hem in Boston te laten blijven. Maar de commissaris was zo slim geweest een beroep te doen op Magnus' eergevoel. De IJslandse politie had hem bescherming geboden. Een van hen had bijna zijn leven gegeven om dat van Magnus te redden. De commissaris had een punt: hij stond bij hen in het krijt.

Toen hij voor het eerst aankwam in IJsland had hij onmiddellijk de behoefte gevoeld terug te keren naar de gewelddadige straten van Boston. Maar misschien had Colby gelijk: wat voor soort leven was dat eigenlijk? Hij loste de ene moord op en ging op zoek naar de volgende. Een verwoede, nooit eindigende zoektocht om te ontdekken wie hij was, om inzicht te krijgen in zijn verleden, in de moord op zijn vader, in zichzelf.

Het was goed mogelijk dat de antwoorden op die vragen niet in Boston waren te vinden, maar hier, in IJsland. Als hij wilde, kon hij proberen te blijven vluchten voor zijn IJslandse verleden, voor zijn familie. Maar dan zou hij vluchten voor zichzelf. Hij zou heel zijn leven blijven rondrennen, van het ene lijk naar het andere lijk in de South End. Als hij een paar jaar in IJsland bleef, kon hij misschien een begin maken met het beantwoorden van die vragen, erachter komen wie hij werkelijk was.

En zelfs wie zijn vader was. De afgelopen paar dagen was het hem gelukt om Sigurbjörgs onthulling dat zijn vader zijn moeder had bedrogen, terug te stoppen in een laatje van zijn hersenen. Maar daar zou het niet de rest van zijn leven rustig blijven liggen. Die kennis maakte nu deel van hem uit. En zou hem, net als de moord op zijn vader, blijven achtervolgen.

Hoewel hij over een kort recht stuk van de weg reed, remde Magnus. De moord op zijn vader.

Dat raadsel had hem overal en altijd gekweld. De politie had de moordenaar niet gevonden, en hij evenmin, hoezeer hij het ook had geprobeerd. Maar misschien hadden ze allemaal op de verkeerde plek gezocht. Misschien moest hij in IJsland zoeken.

Zodra het idee bij hem opkwam, probeerde Magnus het van de hand te wijzen. Hij wist hoeveel hartzeer het hem zou bezorgen als hij die denktrant voortzette, dat hij opnieuw kon worden opgeslokt door nog meer vergeefs speurwerk. Maar toen het idee eenmaal in hem was opgekomen, kon hij het niet meer uit zijn hoofd krijgen.

Zijn moeders familie haatte zijn vader en hij wist nu waarom, Sigurbjörg had hem dat verteld. Ze gaven hem er de schuld van dat haar leven was verwoest. Ze wilden wraak.

Het antwoord lag in IJsland. Het antwoord op alles lag in IJsland.

Pétur keek toe terwijl het groepje Polen aan zijn auto begon, schrobbend, wassend, boenend. Hij had de verleiding weerstaan hun het dubbele te betalen om goed werk af te leveren; hij wilde niet dat ze hem herinnerden. Het hielp dat zijn BMW-terreinwagen wit was. Zo kon hij gemakkelijker elk spatje vuil zien dat ze hadden overgeslagen. Hij besloot de wagen zelf nog een keer onder handen te nemen zodra ze klaar waren.

Meestal hield Pétur het hoofd koel, maar het vuil was hem bijna ontgaan. Als de politie de avond ervoor was langsgekomen bij zijn appartement en zijn auto in beslag had genomen, zou hun forensisch team in staat zijn geweest te achterhalen waar hij de vorige middag was geweest.

En het probleem met een witte BMW was dat hij opviel, zelfs in het land van dure terreinwagens. Hij was Inga beslist opgevallen: ze hadden elkaar een fractie van een seconde in de ogen gekeken toen hij de dag ervoor op hoge snelheid langs haar was gereden.

Daarom had hij onmiddellijk haar mobiel gebeld en haar gevraagd er niets over te zeggen.

Hij hoopte dat ze niets had gezegd. Hij hoopte in godsnaam dat ze haar mond had gehouden.

Om zichzelf gerust te stellen, sloot hij zijn hand om het voorwerp, diep in zijn warme jaszak.

Een ring.

De ring.

Maar Ingileif had het aan niemand verteld. Ze was verbaasd geweest toen ze Pési door het Thjórsádalur had zien rijden, en ze kon met geen mogelijkheid bedenken wat hij daar te zoeken had. Maar haar instinct vertelde haar niets tegen Magnus te zeggen. Ze wist niet waarom.

Ze hield zichzelf voor dat het niet belangrijk was, en ja, inderdaad, waarom zou het belangrijk moeten zijn? Maar vervolgens had ze zichzelf niet afgevraagd waarom ze, als het dan toch niet belangrijk was, niets had gezegd.

Ze was gefrustreerd door Magnus' gedrag. Ze vond van zichzelf dat ze een vrij nuchtere kijk had op seks en relaties. Ondanks wat Magnus impliceerde, dook ze niet in bed met elke man die ze leuk vond. Ze mocht dan wel wat nachtjes met Lárus hebben doorgebracht, maar iedereen wist dat een paar nachtjes met Lárus niets te betekenen had. Of beter gezegd, iedereen in Reykjavík wist dat.

Ze had Magnus aardig gevonden. En ze had hem vertrouwd. Toen had hij plotseling een vriendin uit het niets tevoorschijn gehaald en haar min of meer een slet genoemd.

Klootzak.

Het probleem met de plotse verslechtering in hun verhouding, was dat het voor haar moeilijker werd om van Magnus te weten te komen of Hákon werkelijk haar vader had vermoord, of dat het toch Tómas was geweest. Ze achtte het onwaarschijnlijk dat Tómas het had gedaan, maar ze wist het niet zeker.

Ze kende iemand die het wel zou weten. De moeder van Tómas.

Zijn moeder heette Erna, en Ingileif vertrouwde haar. Ze was een kleine vrouw met blond krullend haar, die oorspronkelijk uit een dorp kwam in de Westfjorden, waar ze Hákon had ontmoet toen hij daar als priester had gediend. Ingileif herinnerde zich de wijze waarop Erna altijd opkeek naar haar echtgenoot, niet alleen letterlijk, want Hákon was bijna een halve meter langer dan zijn vrouw, maar ook hoe zij zich leek te onderwerpen aan zijn wil. Maar Erna was in de grond een eerlijke, vriendelijke, verstandige vrouw, die ervoor had gezorgd dat Tómas niet als een emotioneel wrak was opgegroeid. Het moest veel moed hebben gevergd om haar echtgenoot uiteindelijk te verlaten, maar het was zonder twijfel een wijs besluit.

Zij zou wel weten wie van de twee, haar zoon of haar echtgenoot, de dokter om het leven had gebracht. Als iemand het kon weten, was zij het.

Dus reed Ingileif in haar oude Polo naar Hella, een stadje op zo'n vijftig kilometer ten noorden van Flúdir. Ze wist dat Erna daar woonde met haar tweede echtgenoot.

Het was niet prettig om door de mist te rijden, maar er was ten minste niet veel verkeer op de weg. Ze luisterde naar het nieuws op de radio, hoopte op meer informatie over Tómas, of misschien iets over de arrestatie van de eerwaarde Hákon. Er werd niets over gemeld. Maar wel iets over schoten die waren afgevuurd in 101, een agent was gewond geraakt en overgebracht naar het ziekenhuis, en de politie had een Amerikaanse burger opgepakt.

Een moment lang, een afschuwelijk moment, dacht Ingileif dat de agent Magnus was. Maar toen ze de naam van rechercheur Árni Holm noemden, haalde ze opgelucht adem.

Ook al wist ze zeker dat Magnus er op de een of andere manier bij betrokken was. Misschien was hij wel de Amerikaanse burger die ze hadden opgesloten.

Hella was een moderne nederzetting aan de oever van de Ytri-Rangá, de eerstvolgende rivier na de Thjórsá. Ingileif had Erna's adres opgezocht in de IJslandse telefoongids op internet. Haar huis was een gebouw met één verdieping, op slechts dertig meter van de rivier, omringd door een groene tuin. Ingileif had geen idee of Erna thuis of op haar werk was, de meeste IJslandse vrouwen hadden immers een baan, maar toen ze aanbelde, deed Erna open.

Ze herkende Ingileif meteen en gebaarde haar binnen te komen. Erna's blonde haar zag nog altijd blond, zij het nu geverfd, en ze was iets dikker geworden. Maar haar blauwe ogen fonkelden als vanouds toen ze Ingileif zag, hoewel ze weer snel vertroebeld raakten door bezorgdheid. 'Heb je het vreselijke nieuws over Tómas gehoord?' vroeg ze, terwijl ze in de keuken in de weer ging om voor koffie te zorgen.

'Ja,' zei Ingileif. 'Je kunt er nauwelijks omheen. Het staat in alle kranten. Heb je hem gesproken?'

'Nee. Dat mag niet van de politie. Ik heb zijn advocate gesproken aan de telefoon. Zij zegt dat de politie niet genoeg bewijs heeft om iets aan te tonen. Ik wist niet eens dat hij die Agnar kende. Waarom zou hij de man in hemelsnaam vermoorden? Volgens de advocate had het allemaal iets te maken met een manuscript dat de professor probeerde te verkopen. Hier, Ingileif, kom verder en ga zitten.'

De zitkamer had een groot venster met een weids uitzicht op de rivier, nauwelijks zichtbaar door de nevel. Ingileif herinnerde zich dat Erna's echtgenoot werkte als manager bij een van de lokale bankfilialen. Hij had duidelijk goed geboerd. Ingileif vroeg zich af, zoals IJslanders dat sinds de *kreppa* plachten te doen, of de man zichzelf in de tijd van grote welvaart een honderd procent hypotheek had verleend.

'Het heeft te maken met onze familie, Erna. En met je ex-man.'

'O. Daar was ik al bang voor.'

'Het manuscript is een oude saga die generaties lang in het bezit is geweest van mijn familie. Gaukurs Saga. Heeft Hákon je daar ooit over verteld?'

'Niet direct. Maar was dat niet waar hij het de hele tijd over had met je vader?'

'Dat klopt. En toen mijn moeder eind vorig jaar overleed –'

'O, ja, dat vond ik zo erg om te horen. Als ik had gekund, was ik naar de begrafenis gekomen.'

'Ja, nou, nadat ze was overleden, besloot ik de saga te verkopen, via professor Agnar. En de politie denkt dat die saga de reden is waarom Agnar is vermoord.'

'Zit het zo. Maar ik snap nog steeds niet wat dit met Tómas heeft te maken.'

Ingileif kon aan Erna's gezicht echter zien dat het haar begon te dagen.

'Het voert allemaal terug naar de dood van mijn vader.'

'Ah, ik had al zo'n vermoeden.' Erna was nu op haar hoede.

'Ik weet zeker dat de politie je er binnenkort naar gaat vragen. Misschien vandaag nog,' zei Ingileif. 'Ik beloof dat ik ze niet zal vertellen wat jij mij vertelt.' Die belofte ging haar gemakkelijker af nu Magnus zich als een idioot had gedragen. 'Maar ik wil weten wat er met mijn vader is gebeurd. Ik móét het weten.'

'Het was een ongeluk,' zei Erna. 'Hákon heeft het gezien. Een vreselijk ongeluk. Er is een politieonderzoek geweest en alles.'

'Heeft je man je verteld wat hij en mijn vader dat weekend deden?'

'Nee. Hij deed daar heel geheimzinnig over, en eerlijk gezegd interesseerde het mij niet. Ze deden onderzoek naar iets, ik heb geen idee wat.'

'Heeft hij het ooit over een ring gehad?'

'Een ring? Nee. Wat voor ring?'

Erna leek oprecht verbaasd. Ingileif haalde diep adem. De vragen zouden pijnlijker worden, daar viel niet aan te ontkomen.

'Het was een ring die wordt genoemd in Gaukurs Saga, het manuscript dat de vermoorde professor probeerde te verkopen. De politie gelooft namelijk dat mijn vader en jouw echtgenoot dat weekend de ring hebben gevonden.'

Erna fronste. 'Hij heeft het er nooit over gehad. En ik heb nooit een ring gezien. Maar het is net iets voor hem om door zoiets gefascineerd te raken. En er was wel íéts. Iets verborgen in het altaar in de kerk. Ik zag hem daar verscheidene keren naar binnen sluipen.'

'Heb je nooit gekeken wat het was?' vroeg Ingileif.

'Nee. Ik vond dat het mij niets aanging.' Erna huiverde. 'Maar om je de waarheid te zeggen, ik wilde niet kijken. Ik wilde het niet weten.

Hákon hield er nogal ongebruikelijke interesses op na. Ik was bang voor wat ik kon aantreffen.'

'De politie denkt dat mijn vader misschien is vermoord vanwege de ring,' zei Ingileif.

'Door wie?' vroeg Erna. 'Toch zeker niet door Hákon?'

'Dat is wat ze denken.' Ingileif slikte. 'En ook wat ik denk.'

Erna keek geschokt. De schok ging over in woede. 'Ik weet dat mijn ex-man excentriek is. Ik weet dat er allerlei vreemde verhalen over hem worden verteld in het dorp. Maar ik ben er absoluut zeker van dat hij je vader niet heeft vermoord. Ondanks die hele fascinatie voor de dui-vel, zou hij niemand van het leven beroven. Nooit. En...'

Er welde een traan op in Erna's oog.

'En?'

'En je vader was de enige echte vriend die Hákon ooit heeft gehad. Soms denk ik wel eens, nou ja, ik wéét het gewoon, dat Hákon meer gaf om hem dan om mij. Hij was echt kapot van de dood van je vader. Hij ging er bijna aan onderdoor.' Ze snoof en pinkte een traantje weg. 'Hij begon zich nog vreemder te gedragen, veronachtzaamde zijn taken als pastoor, luisterde naar die vreselijke muziek van Tómas. Er viel daarna onmogelijk met hem te leven. Onmogelijk.'

Ingileif besefte dat ze niets wijzer zou worden over Hákon. Ze zou het verhoren van Erna aan de politie overlaten. Ze geloofde nog altijd dat Hákon haar vader had vermoord, maar ze was ervan overtuigd dat Erna het niet geloofde, en ze voelde niet de behoefte om tegen haar in te gaan.

'Maar wat heeft dit allemaal te maken met Tómas?' vroeg Erna.

'De politie denkt dat hij bij Hákon en mijn vader was. De schapen-hoeders bij wie Hákon om hulp ging vragen, zagen hem. Ze zagen al-thans een jongen, van wie de politie denkt dat het Tómas was.' Ingileif wilde de zaak niet ingewikkelder maken door te beginnen over ver-borgen mensen.

'O, dat is werkelijk te absurd,' zei Erna. 'Denken ze dat Tómas dr. Ásgrímur heeft vermoord? Maar hij was toen pas twaalf!'

'Dertien,' zei Ingileif. 'En ja, ze denken toch dat hij erbij was. Hij zou op z'n minst getuige kunnen zijn geweest van wat er is gebeurd.'

'Dat is belachelijk,' zei Erna. 'Het moet iemand anders zijn geweest.' En toen lichtten haar ogen op. 'Wacht eens. Tómas kan het niet zijn geweest!'

'Waarom niet?'

'Omdat hij dat weekend bij mij was. In Reykjavík. Hij zong in de Hallgrímskirkja met het dorpskoor. Ik ben erheen gegaan om te luisteren. We logeerden die zaterdagnacht bij mijn zus in Reykjavík.'

'Weet je dat zeker?'

'O, dat weet ik heel zeker. We kwamen pas zondagavond terug. Ik herinner me dat ik Hákon zag toen we thuis arriveerden. Hij was nog maar net terug uit de heuvels. Hij was er vreselijk aan toe.' Ze glimlachte tegen Ingileif. 'Zie je wel. Mijn zoon is onschuldig!'

De drie mannen zaten opeengepakt in Axels auto, die honderd meter verderop in de straat stond geparkeerd vanaf het huis dat Ingileif had betreden. Axel zat achter het stuur, Isildur op de achterbank, en Gimli op de passagierszetel, met een computer opengeklapt op schoot. Omdat geld geen rol speelde, had Axel vier microfoontjes bij Ingileif verborgen toen hij in de kleine uurtjes van de vorige nacht bij haar had ingebroken. Een in haar tas, een in haar jas, een in de slaapkamer van haar eenkamerappartement – dat was het lastigst geweest – en een in haar auto. Het microfoontje in de auto fungeerde tevens als zendertje, en de locatie van de auto knipperde op de GPS-kaart op de computer.

Het zendertje had hen in staat gesteld Ingileif op een veilige afstand te volgen, helemaal vanaf Reykjavík naar Hella. Ze waren voorbij het huis gereden waar ze was gestopt, en hadden hun auto toen buiten het zicht geparkeerd. Het zendertje in de jas gaf een luid en duidelijk signaal door via een ontvanger, die in de computer was geplugd, maar het gesprek werd in het IJslands gevoerd. Axel mompelde halve vertalingen terwijl hij luisterde, maar ze waren frustrerend onvolledig.

Toen Axel begon te prevelen over een ring, raakte Isildurs geduld op en wilde hij meer weten, maar Axel weigerde een verdere toelichting omdat hij niets van de conversatie wilde missen.

Zodra Ingileif het huis verliet, vroeg Isildur Axel om een vertaling.

'Moeten we haar niet volgen?' opperde Axel.

'We kunnen haar later inhalen. Het zendertje laat ons zien waar ze is. Ik wil een volledige vertaling, en wel nu meteen!'

Axel pakte de computer van Gimli's schoot en tikte op wat toetsen. Het gesprek was opgenomen op de harde schijf van de computer. Hij nam de hele conversatie door, langzaam, stukje bij beetje.

Isildur raakte buiten zichzelf van opwinding. 'Waar is die kerk?' wilde hij weten. 'De plaats waar de ring is verstopt?'

'Weet ik niet,' zei Axel. 'De dichtstbijzijnde kerk vanaf Hella staat in een plaatsje dat Oddi heet. Dat is niet ver.'

'Zo te horen waren ze buren toen Ingileif jong was,' merkte Gimli op. 'Die Hákon is duidelijk de vader van Tómas Hákonarson. Weten we waar hij is geboren? Waar hij is opgegroeid? Of waar Ingileif eigenlijk is opgegroeid? Dat was misschien niet in Hella. Ik maakte eruit op dat die vrouw Erna was verhuisd, of vertrokken.'

'Googel hem,' zei Isildur. 'Je hebt toch Google in IJsland?'

'Wie moet ik googelen?'

'Tómas Hákonarson. Als hij in dit land zo'n grote ster is, is er vast wel ergens een biografie van hem te vinden.'

Axel bracht de zoekmachine tevoorschijn op het scherm, tikte een paar woorden in, klikte en scrolde. 'Hier heb je 'm. Hij is geboren in een dorpje in de Westfjorden, maar opgegroeid in Flúdir. Dat ligt niet zo ver van hier.'

'Waar wacht je dan nog op? Naar de kerk van Flúdir!' beval Isildur. 'Schiet op!'

Axel gaf de laptop terug aan Gimli en startte de auto.

'Vanaf Flúdir staat de dichtstbijzijnde kerk in Hruni,' zei Axel. 'Dan moet die man de pastoor van Hruni zijn.' Hij grijnsde.

'Wat is daar zo bijzonder aan?'

'Laten we zeggen dat het plaatje klopt.'

33

Toen Magnus door het dal van de Thjórsá in de richting van de Hekla reed, die ergens in het zuidoosten achter de wolken loerde, werd het landschap hoe langer hoe troostelozer. Gras ging over in zwart gesteente en hopen zand, als het puin van een reusachtig verlaten kolenveld. De rivier stroomde langs de afgeronde homp steen, enkele tientallen meters hoog, die bekendstond als de Búrfell, het verblijf van trollen in oude volksverhalen. Net daarachter stak de weg een rivier over, een zijarm van de Thjórsá, maar nog altijd krachtig, en Magnus kwam bij een kruising en een bord. Nou ja, twee borden. Op het ene stond 'Stöng'. Op het andere 'Weg afgesloten'.

Magnus nam de afslag. Het was geen weg. Het was zelfs geen spoor. Er volgden kronkels, bochten, steile hellingen, steile afdalingen. Op een bepaald punt bestond de weg uit niets meer dan zwart zand. De mist wervelde om Magnus heen terwijl hij zijn auto door het geblakerde terrein probeerde te manoeuvreren. Onder en links van hem stroomde een kleine krachtige rivier, de Fossá. Vingers van sneeuw reikten omlaag vanaf de bergen boven hem, en een paar weken eerder, voor het smelten van de sneeuw, zou de weg zelfs volledig onbegaanbaar zijn geweest. Een paar keer overwoog Magnus om terug te gaan. Maar Hákons terreinwagen zou hier natuurlijk minder moeite mee hebben gehad.

Toen hij een bocht omging, zag hij hem staan. De rode Suzuki. Hij stond geparkeerd op een kort stukje weg, vijftien meter boven de rivier. Magnus stopte ernaast en controleerde het nummerbord. Beslist het voertuig van de eerwaarde Hákon.

Hij zette zijn motor af en stapte uit zijn auto.

De vochtige lucht drong door in zijn neusgaten. Na het gejank van zijn eigen automotor en het gekletter van steentjes en gruis tegen het chassis, leek alles stil, klammig stil. Alleen was er nog een laag gebulder te horen, het geluid van water dat beneden voorbijraasde.

Ergens in de mist kwaakte een eend. Vreemd om in dat landschap een levend wezen te horen.

Hij keek om zich heen. Het zicht reikte niet verder dan tientallen meters. Hij kon Hákon niet ontwaren. Overal om Magnus heen zweefde mist rond de pieken van verwrongen lavasteen, vreemde groteske figuren, als vulkanische waterspuwers. Onder zijn voeten bevond zich zwart grit en schilfers obsidiaan, gesteente dat diep in de aarde tot zwart glas was gesmolten en daarna uitgespuwd, precies op de plek waar hij stond.

Misschien had Hákon de auto hier achtergelaten om te voet verder te gaan naar Stöng? Een mogelijkheid. Magnus kon de weg niet ver genoeg zien om de toestand ervan in te schatten. Maar Hákon was een IJslander en reed in een terreinwagen. Hij zou het waarschijnlijk niet zo snel opgeven.

Magnus wist dat de man gek was. Hij kon een lange wandeling zijn gaan maken over het desolate landschap, naar god mocht weten waar. De grot bij Álfabrekka misschien? De Hekla? In dat geval kon hij dagenlang wegblijven.

Magnus zocht rond de Suzuki naar voetafdrukken. Hij zag er een paar, maar ze waren onduidelijk. Hij bewoog zich in steeds groter wordende cirkels bij het voertuig vandaan, maar de grond was te hard om te zien welke kant Hákon kon zijn opgegaan. Hij vond echter wel iets interessants.

Bandensporen. Zo'n tien meter van de Suzuki, op een strookje zachte grond. Er had hier nog een auto gestaan. Maar wanneer?

Magnus had geen idee wanneer het op deze specifieke plaats voor het laatst had geregend. Het was de vorige dag, toen hij en Ingileif naar Álfabrekka waren gereden, mooi weer geweest in het Thjórsárdalur. Het was mogelijk dat het sindsdien niet meer had geregend. Het was evengoed mogelijk dat er twintig minuten eerder nog regen was gevallen.

Hij overwoog of hij verder moest rijden naar Stöng. Hij herinnerde zich de verlaten boerderij uit zijn jeugd. Ze stond op een lapje groen naast een beek. Maar eerst moest hij aan Baldur rapporteren wat hij had gezien.

Hij haalde zijn telefoon tevoorschijn. Geen signaal, niet echt verwonderlijk. En er zat geen politieradio in de auto.

Hij besloot dus terug te rijden naar de hoofdweg totdat hij een signaal kreeg om het telefoontje te plegen.

Na twee kilometer, waarbij al zijn botten rammelden, begon zijn mobieltje, dat hij op de stoel naast zich had gelegd, te rinkelen.

Hij zette de auto aan de kant, en pakte het op. Hij kon op deze weg niet rijden met maar één hand.

'Hoi, Magnus, met Ingileif.'

'Hallo,' zei Magnus, op zijn hoede, maar ook blij dat zij het was.

'Alles goed met je?'

'Ja, met mij gaat het prima.'

'Want ik hoorde vanochtend op de radio dat er een schietpartij was geweest. Een agent in het ziekenhuis. Een Amerikaan gearresteerd. Ik nam aan dat jij een van de twee was.'

'Ja, het gebeurde net nadat ik gisteravond bij jou langsging. Mijn partner Árni is neergeschoten. Ik heb de dader te pakken gekregen.'

'En hij had het op jou gemunt?'

'Hij moest mij hebben, ja.'

Er volgde een korte stilte. Toen sprak Ingileif weer. 'Ik ben net bij Erna geweest, de moeder van Tómas. Ze woont in Hella.'

'O ja?'

'Ze is er zeker van dat Tómas mijn vader niet heeft vermoord. Hij kon er niet bij zijn geweest. Hij zong dat weekend met het dorpskoor in de Hallgrímskirkja in Reykjavík.'

'Dat beweert ze althans. Vergeet niet, het is wel zijn moeder.'

'Maar dat kan toch worden nagetrokken? Zelfs zeventien jaar later?'

'Ja, dat kan,' gaf Magnus toe. Ingileif had gelijk. Het was een onwaarschijnlijke leugen. 'Wat zei ze over Hákon?'

'Ze is er ook zeker van dat hij pa niet heeft vermoord. Maar daar heeft ze geen bewijzen voor.'

'Ik denk dat we dat gerust kunnen negeren,' zei Magnus.

'Ik denk het,' zei Ingileif. 'Maar ze klonk overtuigend. Ze vertelde me ook waar Hákon de ring verbergt.'

'In het altaar in de kerk?'

'Hoe weet jij dat?'

'Tómas vertelde het me gisteren.'

'Heb je hem gevonden? Hákon, bedoel ik.'

Magnus keek achterom naar de weg. 'Nee. Maar ik heb een paar minuten geleden wel zijn auto gevonden. Op de weg naar Stöng. Hij moet een wandeling zijn gaan maken of zoiets. Of hij heeft iemand ontmoet. Ik vond vlakbij nog een stel bandensporen.'

Het bleef stil aan de andere kant van de telefoon. Even dacht Magnus dat de verbinding was verbroken. Het signaal was nog altijd zwak. 'Ingileif? Ingileif, ben je er nog?'

'Ja, ik ben er nog. Dag, Magnús.'

En ze was weg.

Pétur lag onder zijn auto, en wreef het chassis schoon met een doek. Hij was van de autowasserette naar huis gereden, had een doek en een emmer gepakt, en de BMW toen geparkeerd in een woonstraat, een kilometer verderop. Hij wilde niet dat zijn buren zagen hoe zorgvuldig hij zijn auto waste.

Zijn mobiel, in de zak van zijn spijkerbroek, ging over. Hij rolde onder de BMW uit en nam op.

'Pési? Met Inga.'

Hij krabbelde overeind. Hij moest zijn gedachten goed op een rijtje krijgen voor dit gesprek.

'Inga! Hoi! Hoe is het?'

'Waarom mocht ik niet van je zeggen dat ik je gisteren heb gezien?'

'Je had toch die grote agent bij je?'

'Ja. We waren net langs geweest bij de schapenboeren die met Hákon naar pa gingen zoeken. Pési, ik weet vrij zeker dat pa is vermoord. Het was geen ongeluk.'

Pétur besefte dat ze hem de mogelijkheid had gegeven om in de aanval te gaan. 'Ik dacht dat we hadden afgesproken het daar niet meer over te hebben,' zei hij. 'Waarom heb je er met de politie over gesproken? Wat hoop je daarmee te bereiken?'

'Pési, waar ging je gisteren naartoe?'

Pétur haalde diep adem. 'Dat kan ik niet zeggen, Inga. Het spijt me. Vraag het me niet meer.'

'Daar neem ik geen genoegen mee, Pési. Ik moet weten wat hier gaande is. Had je een ontmoeting met Hákon? Op de weg naar Stöng?'

'Luister, waar ben je nu?'

'Net buiten Hella.'

'Oké. Je hebt gelijk. Je hebt recht op een verklaring. En ik zal je er een geven, een volledige verklaring.'

'Toe dan.'

'Niet door de telefoon. We moeten dit onder vier ogen bespreken.'

'Oké. Ik kom vanmiddag terug in Reykjavík.'

'Nee, niet hier. Weet je nog waar pa ons altijd mee naartoe nam om te picknicken? Wat hij altijd zijn favoriete plekje in IJsland noemde?'

'Ja.'

'Oké, dan spreken we daar af. Over, zeg, anderhalf uur.'

'Waarom daar?'

'Ik ga daar vaak heen, Inga. Pa is daar. Ik ga erheen om met hem te praten. En ik wil dat hij erbij is als ik met jou praat.'

Het bleef stil aan de andere kant van de telefoon. Ingileif zou weten dat dergelijke sentimentaliteit niet bij Pétur paste, maar aan de andere kant wist ze hoezeer hun vaders dood hem had aangegrepen.

'Oké. Over anderhalf uur.'

'Zie ik je daar. En beloof me dat je niets tegen de politie zegt. Tenminste niet voordat ik de kans heb gekregen om alles uit te leggen.'

'Ik beloof het.'

Nu hij een signaal had, belde Magnus Baldur.

'Ik heb Hákons auto gevonden,' zei hij, voordat de rechercheur een kans had gekregen om op te hangen.

'Waar?'

'Op de weg naar Stöng. Hij is zelf in geen velden of wegen te bekennen. En het is te mistig om heel ver te kunnen zien.'

'Ben je nu daar?' blafte Baldur.

'Nee. Ik moest een paar kilometer terugrijden tot ik een signaal kon krijgen om je te bellen.'

'Ik zal een team sturen om ernaar te kijken.'

'En om hem te zoeken,' zei Magnus.

'Dat is niet nodig.'

'Waarom niet? Heb je hem gevonden?'

'Ja. Onder aan de Hjálparfoss. Een werknemer van de waterkrachtcentrale heeft daar een halfuur geleden een lichaam ontdekt. Een grote man met een baard, en een priesterboord.'

Hjálparfoss was een waterval op zo'n kilometertje vanaf de afslag naar Stöng. Magnus had een bord gezien met de naam erop. De krachtige rivier onder hem, de Fossá, mondde erin uit.

'Hij kan zijn gesprongen,' zei Baldur.

'Ik denk het niet,' zei Magnus. 'Ik zag bandensporen naast de Suzuki. Hij werd geduwd.'

'Hoe dan ook, ga niet terug naar de locatie,' zei Baldur. 'Ik wil niet dat je je nog langer bemoeit met dit onderzoek. Ik ben onderweg naar Hjálparfoss en je kunt er maar beter niet zijn als ik arriveer.'

Magnus voelde de neiging om terug te bijten. Hij was degene die het vermoeden had gehad dat Hákon naar Stöng was gereden. Hij had de auto gevonden. Maar hij hield zijn mond.

'Blij dat ik je van dienst kon zijn,' zei hij, waarna hij de verbinding verbrak.

Nou ja, hield bijna zijn mond.

Baldur zou er minstens een uur over doen, misschien wel zo'n twee uur, om vanuit Reykjavík bij Hjálparfoss te komen, wat Magnus voldoende tijd gaf.

Hij reed kalm over het spoor naar de hoofdweg. De voet van de Búrfell dook griezelig op in de mist voor hem. De afslag naar Hjálparfoss was een veel beter weggetje, nog altijd langs zwarte hopen steen en zand. Na een paar honderd meter verscheen de waterval zelf: twee krachtige waterstromen gescheiden door een basaltrots, tuimelend in een poel. Onder de waterval stond op de oever van de rivier een politieauto geparkeerd, het zwaailicht aan, en een groepje van drie tot vier mensen stond om iets heen.

Magnus parkeerde naast de politiewagen en stelde zichzelf voor. De agenten waren vriendelijk en deden een stap achteruit om hem naar het lichaam te laten kijken.

Het was inderdaad Hákon. Zwaar toegetakeld door zijn tocht stroomafwaarts in de rivier en over de rand van de waterval.

Magnus keek naar de vingers van de pastoor van Hruni.

Geen ring.

34

Magnus reed terug naar Reykjavík. De Thjórsá, die de vorige dag had gesprankeld, stroomde breed en onheilspellend grijs in de richting van de Atlantische Oceaan.

Dit veranderde de zaak. Dit veranderde de zaak absoluut.

Het leek er sterk op dat iemand Hákon had vermoord. Tómas was het niet, die zat nog veilig achter slot en grendel. Wie dan wel?

Steve Jubb en Lawrence Feldman?

Sinds hij in IJsland was gearriveerd, had Magnus al veel gevallen gehoord van mensen die in de loop der jaren plotseling om het leven waren gekomen. Niet alleen Agnar en nu Hákon. Maar ook dr. Ásgrímur. En zelfs de stiefvader van Ingileif.

Te veel in zo'n vredig land om toeval te zijn.

Weer een dodelijke val. Weer een verdrinkingsdood.

Dr. Ásgrímur was omgekomen bij een val van een rots. Wat moest doorgaan voor een ongeluk. Agnar was op zijn hoofd geslagen en toen verdronken. Zelfs Ingileifs stiefvader was in de haven van Reykjavík gevallen, waarbij hij zijn hoofd stootte en verdronk.

Dat was het. Het was dat sterfgeval dat eerder bij Magnus twijfels had opgeroepen toen hij met de commissaris sprak.

Het was een klassieke MO, een *modus operandi*, een methode die de voorkeur leek te genieten van een moordenaar. Zelfs de slimste moordenaars hielden vaak vast aan dezelfde vertrouwde methode.

Er waren maar twee mensen die met álle moorden in verband konden worden gebracht. Een broer en een zus. Pétur en Ingileif.

Magnus wees Ingileif van de hand. Maar Pétur?

Hij had alibi's. Hij zat op de middelbare school in Reykjavík toen zijn vader was gestorven. Maar misschien was hij er dat weekend in geslaagd ertussenuit te knijpen zonder dat iemand het wist? Misschien was hij de verborgen man die de oude boer had gezien? Hij zou in Londen hebben gezeten toen zijn stiefvader om het leven was gekomen, maar hij kon gemakkelijk voor een paar dagen zijn teruggevlogen naar Reykjavík zonder dat iemand het wist. Als hem ter ore was gekomen wat de man zijn zus, Birna, had aangedaan, zou hij zich misschien geroepen hebben gevoeld om wraak te nemen. Vooral als hij eerder had gemoord.

Maar hoe zat het dan met de moord op Agnar? Pétur had daar een alibi voor. Hij was heel de avond in zijn clubs. Árni had dat uitgezocht.

Magnus sloeg met zijn hand op het stuur. Árni! Dat had hij proberen te zeggen voordat hij buiten westen raakte nadat hij was neergeschoten. Niet '*goodbye*' maar '*alibi*'. Hij wilde Magnus iets vertellen over een alibi. Péturs alibi.

Magnus kon zich wel voorstellen wat er was gebeurd. Árni had de ronde gemaakt langs alle drie de clubs van Pétur, waar men hem had verzekerd dat Pétur daar op de avond van de moord op enig moment was gezien. Hij had de tijden niet onderling met elkaar vergeleken, geen exacte tijdlijn opgesteld van waar Pétur zich die avond precies bevond en wanneer. Het was net iets voor Árni om zo'n slordige fout te maken. Maar, eerlijk is eerlijk, het was ook net iets voor hem om zich daar later schuldig over te voelen.

Pétur had ervoor gezorgd dat hij begin van de avond werd gezien, om vervolgens naar het meer Thingvellir te rijden, waar hij na halftien arriveerde toen Steve Jubb was vertrokken. Nadat hij Agnar had vermoord, had hij misschien een uurtje gewacht tot het compleet donker was, alvorens hem naar het meer te dragen. Dat zou de sporen van vliegen op het lichaam in het zomerhuis verklaren. Daarna zou hij natuurlijk genoeg tijd overhouden om in de nachtelijke uurtjes terug te gaan naar zijn clubs, waar nog altijd werd gedanst.

Vier doden. En Pétur was voor alle vier verantwoordelijk.

Magnus reed sneller naar Reykjavík. Hij wilde Ingileif bellen. Ze was natuurlijk de zus van Pétur, haar loyaliteit lag in eerste instantie bij hem. Maar ze zou geen moordenaar in bescherming nemen. Of wel soms?

Magnus belde haar nummer. 'Ingileif? Met mij, Magnús.'

'O.'

'Waar ben je?'

'Ik zit op de weg naar Flúdir.'

De weg van Hella naar Flúdir passeerde de afslag naar het Thjórsádal, niet ver bij Magnus vandaan.

'Ik moet met je praten. Ik zit in de buurt. Als je je auto aan de kant zet en vertelt waar je staat, kom ik naar je toe.'

'Dat kan niet, Magnús, ik heb een afspraak.'

'Het is belangrijk.'

'Nee, het spijt me, Magnús.'

'Het is heel belangrijk!'

'Luister, als je mij wilt arresteren, arresteer me dan. Laat me anders met rust.'

Magnus besefte dat hij te veel had aangedrongen, maar hij verbaasde zich niettemin over haar ontwijkende reactie.

'Ingileif, waar is Pétur?'

'Weet ik niet.' Opeens klonk de stem zachter, minder opstandig. Ze loog.

'Waar ga je naartoe?' vroeg Magnus.

Stilte.

'Heb je met hem afgesproken?'

Ingileif verbrak de verbinding.

Een politieauto kwam met loeiende sirene en flitsend zwaailicht voorbij. Het voertuig reed op hoge snelheid stroomopwaarts met versterking voor de agenten die zich vergaapten aan het lijk van de pastoor.

Magnus herinnerde zich hoe Ingileif de vorige dag op diezelfde weg plotseling was verstijfd. Alsof ze iets had gezien. Misschien de bestuurder van een passerende auto? Pétur?

Als ze hem had gezien, zou de informatie dat Hákons auto was gevonden haar aan het denken zetten. Haar dezelfde gedachtegang laten volgen die Magnus zojuist had doorlopen. En net als Magnus zou ze met Pétur willen spreken. Ze ging nu naar hem toe.

In Flúdir. Als ze daar niet over had gelogen.

Magnus belde Ingileif terug. Zoals verwacht nam ze niet op. Maar hij liet voor haar het bericht achter dat Hákons lichaam was gevonden, stroomafwaarts vanaf zijn auto. Als ze met haar broer had afgesproken, was dat iets wat ze moest weten.

Hij bleef doorrijden. Het was nog een paar kilometer tot de kruising waar hij linksaf kon gaan naar Reykjavík, of rechtsaf naar Flúdir. Maar eerst moest hij Baldur over Pétur vertellen.

Hij belde zijn mobieltje. Geen antwoord. De rotzak wilde hem niet spreken.

Hij probeerde Vigdís. Zij zou tenminste naar hem luisteren.

'Vigdís, waar ben je?'

'Op het politiebureau.'

'Ik wil dat je Pétur Ásgrímsson arresteert.'

'Waarom?'

Magnus legde het uit. Vigdís luisterde, stelde een paar relevante vragen. 'Klink logisch,' zei ze. 'Heb je het Baldur verteld?'

'Hij wil mijn gesprek niet aannemen.'

'Ik praat wel met hem.'

Een minuut later ging Magnus' telefoon weer.

'Hij doet het niet.' Het was de stem van Vigdís.

'Wat niet?'

'Mij de opdracht geven om Pétur te arresteren.'

'Wat!'

'Hij zegt dat het te vroeg is om conclusies te trekken. Hij heeft nog niet eens het lijk gezien. Er zijn bij dit onderzoek te veel vroegtijdige arrestaties verricht.'

'Het komt alleen omdat ik het voorstelde,' zei Magnus verbitterd.

'Dat zou ik niet weten,' zei Vigdís. 'Maar ik weet wel dat ik Pétur niet kan arresteren als mijn baas mij heeft verteld het niet te doen.'

'Nee, natuurlijk niet, Vigdís. Ik breng je in een lastige situatie.'

'Dat doe je zeker.'

'Alleen denk ik dat hij met zijn zus heeft afgesproken. Ik dénk dat zij hem doorheeft. Ik maak me zorgen dat als ze elkaar inderdaad ontmoeten, hij misschien probeert haar het zwijgen op te leggen. Voorgoed.'

'Zijn dat niet wat al te veel overhaaste conclusies?'

Magnus fronste. Hij was bezorgd over Ingileif. Wie weet had Vigdís gelijk, misschien liep hij te hard van stapel, maar na wat Colby was overkomen, maakte hij zich ongerust over de veiligheid van Ingileif. Heel ongerust.

'Misschien,' gaf hij toe. 'Maar ik trek liever te veel overhaaste conclusies dan te weinig.'

'Luister. Ik zal kijken of ik Pétur kan vinden in zijn clubs of bij hem thuis. Daarna zal ik hem volgen als hij ergens naartoe gaat. Oké?'

Magnus wist dat Baldur absoluut niet blij zou zijn als hij erachter kwam wat Vigdís deed. 'Bedankt,' zei hij. 'Dat waardeer ik.'

Magnus naderde de kruising. Nu Vigdís in Reykjavík naar Pétur zocht, kon Magnus het zich veroorloven om zich op Ingileif te concentreren.

Hij sloeg rechts af naar Flúdir.

Pétur kon het meer Thingvellir nauwelijks zien in het duister voor hem. Het was iets meer dan een week geleden sinds hij er voor het laatst was geweest. Een week waarin veel was gebeurd. Een week waarin hij zijn zelfbeheersing had verloren.

Alles was geruïneerd op die ene dag, zeventien jaar terug, toen zijn vader naar beneden was gestort, zijn dood tegemoet. Sindsdien had hij zijn hele leven getracht de schade te beperken.

Hij had getracht afstand te nemen: van die hele saga van Gaukur; van zijn familie; van IJsland. Dat had tot op zekere hoogte gewerkt, hoewel hij zijn vaders dood nooit uit zijn hart, uit zijn ziel, zou kunnen verdrijven. Hij dacht er elke dag aan. Al zeventien jaar lang had hij er echt elke vervloekte dag aan gedacht.

Maar het lijden had een soort van evenwicht bereikt, totdat Inga de hele sagakwestie weer had opgerakeld. Pétur had geprobeerd haar te vertellen hem niet te verkopen. Hij had meer overredingskracht aan de dag moeten leggen, véél meer. Inga's en Agnars verzekering dat het mogelijk zou zijn de verkoop geheim te houden, had nooit geloofwaardig geklonken.

Het was allemaal de schuld van Inga.

Hij was nerveus om haar nu te ontmoeten. Hij zou alles uitleggen, zodanig uitleggen dat zij het kon begrijpen. Hij wist dat ze naar hem opkeek als de grote betrouwbare broer. Dat was precies waarom ze zo boos op hem was geweest toen hij haar en haar moeder, en de rest van de familie, aan hun lot had overgelaten. Misschien zou dat betekenen dat ze zou begrijpen waarom hij Sigursteinn had gedood. Die man verdiende het om te sterven voor wat hij Birna had aangedaan.

Agnar zou moeilijker uit te leggen zijn. Net als Hákon. Maar Pétur had geen keuze gehad. Het kon niet anders. Inga was intelligent, ze zou dat wel begrijpen.

Hij was de controle aan het verliezen. Bij Agnar had hij zijn sporen goed uitgewist. Maar bij Hákon minder goed. En bij Inga?

Hij hoopte dat ze het in godsnaam begreep. Dat ze haar mond zou houden. Want als ze dat niet deed. Wat dan?

Pétur tastte in zijn zak naar de ring. Hij voelde het plotse verlangen om hem te bestuderen. Hij stopte aan de kant van de weg en zette de motor af.

Stilte. Rechts van hem lag het meer, donkergrijs. Wolken versluierden het eiland in het midden van het meer, laat staan dat je de bergen aan de overkant kon ontwaren. In de verte hoorde hij het geluid van een auto, steeds luider, passerend met een suizende windvlaag en toen afzwakkend.

Opnieuw stilte.

Hij bekeek de ring aandachtig. Hákon had hem in zeer goede conditie gehouden. Hij zag er niet uit als duizend jaar oud, maar bij goud hoefde dat niet per se het geval te zijn. Hij tuurde naar de binnenrand. Hij kon de vorm van de runen onderscheiden. Wat hoorden ze ook alweer te spellen? *Andvaranautur*. De Ring van Andvari.

De ring. Het was de ring die zijn familie had verwoest. Zodra Högni hem vond, waren ze verdoemd.

De ring was een obsessie geworden voor zijn vader, die dat met de dood had moeten bekopen. Pétur was er korte tijd door in de ban geraakt, voordat hij had geprobeerd hem achter zich te laten. Agnar en de buitenlandse fans van *The Lord of the Rings* waren erdoor geobsedeerd geraakt. Net als Hákon erdoor geobsedeerd was geraakt. Nee, Hákon was erdoor bezéten geraakt.

Alleen zijn grootvader, Högni, had de moed kunnen opbrengen om de ring terug te leggen waar hij hoorde. Buiten het bereik van mensen.

Pétur had zich zijn hele leven verzet tegen de macht van de ring. Hij moest de feiten onder ogen zien. Hij had verloren. De ring had gewonnen.

Pétur deed de ring om zijn vinger.

Als Inga weigerde haar mond te houden, zou ze moeten sterven. Zo simpel was het.

Pétur keek op zijn horloge. Nog een uur te gaan. Hij schakelde zijn BMW in de eerste versnelling en vervolgde zijn weg naar de rendez-vous met zijn zus.

Magnus reed snel naar Flúdir. De oprit voor Ingileifs huis was leeg. Hij sprong uit de auto en drukte op de deurbel. Niets. Hij deed een stap naar achteren en keek naar de ramen. Geen teken van leven. Het was een donkere dag, en als er iemand thuis was, zou er toch minstens één lichtje moeten branden.

Verdomme! Waar zat ze in hemelsnaam?

Hij keek om zich heen, zoekend naar inspiratie. Een oude man met een overall en een platte pet scharrelde wat rond in de tuin ernaast.

Magnus riep naar hem. 'Goedemorgen!'

'Goedemiddag,' corrigeerde de man hem.

'Hebt u Ingileif gezien?' Magnus wist vrijwel zeker dat in een dorp ter grootte van Flúdir de man zou weten wie Ingileif was, ook al woonde ze er zelf al jaren niet meer.

'Je hebt haar net gemist.'

'Hoe lang geleden?'

De man ging rechtop staan. Rekte zich uit. Zette zijn pet af, waaronder piekerig grijs haar tevoorschijn kwam. Bekeek Magnus eens goed. Zette zijn pet weer op. Krabde aan zijn kin. Hij was op zich niet zo heel oud, maar Magnus kon aan zijn gezicht zien dat hij tientallen jaren buiten in de kou en de regen had doorgebracht. En hij scheen niet precies te weten of hij deze vreemdeling moest helpen.

'Hoe lang geleden is ze vertrokken?' herhaalde Magnus.

'Ik heb je wel gehoord. Ik ben niet doof.'

Magnus forceerde een glimlach. 'Ik ben een vriend van haar. Het is belangrijk dat ik haar vind.'

'Zo'n tien minuten geleden,' antwoordde de man ten slotte. 'Ze bleef niet lang.'

'Welke kant ging ze op?'

'Zou ik niet met zekerheid kunnen zeggen.'

'In wat voor auto rijdt ze?' vroeg Magnus. Hij had zelf geen idee.

'Als je het mij vraagt,' zei de man, 'hoor je dat toch te weten als jij haar vriend bent.'

Magnus wist met moeite zijn ongeduld te bedwingen. 'Dit klinkt misschien melodramatisch, maar ik geloof dat ze in gevaar is. Ik moet haar echt vinden.'

De man bromde alleen en keerde zich weer om naar zijn tuin.

Magnus sprong over het hek, greep de arm van de oude man en draaide die achter zijn rug. 'Vertel me in wat voor auto ze rijdt, of ik breek 'm!'

De man gromde van de pijn. 'Ik vertel jou niets. Dr. Ásgrímur was een goede vriend van me, en ik ga niet iemand helpen die zijn dochter kwaad kan doen.'

'Godverdomde IJslanders!' vloekte Magnus in het Engels, en hij gooide de man tegen de grond. Koppige ezels, stuk voor stuk.

Hij stapte weer in zijn auto. Waar nu naartoe? Als ze was teruggereden naar Reykjavík om Pétur daar te ontmoeten, zou Magnus haar hebben opgemerkt – hij had goed naar haar gezocht onder de tegenliggers die hem onderweg waren gepasseerd. Er lag niet veel ten noorden van Flúdir. Maar in het oosten lag Hruni. Misschien was ze daar naartoe. Hetzij om Pétur te ontmoeten, of om de ring te zoeken.

De afslag naar Hruni lag even ten zuiden van het dorp. Haastig legde hij de drie kilometer in twee minuten af. Zoals hij verwachtte, stond er op het parkeerterrein voor de kerk een politieauto, met één agent die op de voorste stoel een boek las.

Misdaad en straf. De agent had het boek bijna uit.

Hij herkende Magnus en begroette hem.

'Heb je Ingileif Ásgrímsdóttir gezien?' vroeg Magnus. 'Blonde vrouw, eind twintig?'

'Nee, en ik sta hier al vanaf acht uur 's ochtends.'

'Verdomme!'

'Heb je het al gehoord? Ze denken dat ze Hákons lichaam hebben gevonden,' vervolgde de agent.

'Ja, ik heb het gezien, onder aan de Hjálparfoss. Hij is dood, daar is geen twijfel over mogelijk. Maar ik maak me zorgen om Ingileif. Ik denk dat degene die de pastoor heeft vermoord het nu op haar heeft gemunt.'

'Als ik haar zie, laat ik het je via de radio weten.'

'Kun je me op mijn mobiel bellen?' zei Magnus, die de agent zijn nummer gaf.

'Je zou het nog aan die kerels achter ons kunnen vragen.'

Magnus draaide zich om. Aan de kant van de weg stond een auto geparkeerd, tegenover de kerk en de pastorie.

'Wie zijn dat?'

'Drie mannen. Een IJslander en twee buitenlanders. Ik vroeg hun wat ze hier deden, maar daar wisten ze geen antwoord op. Of althans geen antwoord dat ergens op slaat.'

Feldman en Jubb, dacht Magnus. 'Ze wachten tot jij vertrekt zodat ze de kerk kunnen doorzoeken,' zei Magnus. 'Maar bedankt, ik zal eens met hen gaan praten.'

Hij reed naar de auto. Er zat een kleine IJslander achter het stuur, met Jubb naast hem en Feldman achterin. Ze leken duidelijk niet op hun gemak bij het zien van Magnus.

Magnus stapte uit zijn eigen voertuig en liep naar dat van hen. De IJslander deed zijn raampje omlaag.

'Hallo, Lawrence, Steve,' zei Magnus in het Engels, met een knikje naar de twee buitenlanders.

'Goedemiddag, agent,' zei Lawrence vanaf de achterbank.

'En jij bent?' vroeg Magnus aan de IJslander.

'Axel Bjarnason. Ik ben privédetective. Ik ben ingehuurd door meneer Feldman.'

'Om wat te doen?'

Axel haalde zijn schouders op.

'Hij helpt ons om het een en ander te onderzoeken,' zei Feldman.

Magnus stond op het punt te vertellen dat ze hun tijd verspilden, want de kerk was grondig doorzocht en er lag geen ring, maar hij bedacht zich. Laat hen maar heel de dag in de mist doorbrengen op dit godvergeten heideveld.

'Heeft een van jullie Ingileif Ásgrímsdóttir gezien?' vroeg hij.

Axels uitdrukking van stoïcijnse onverschilligheid bleef onveranderd. Maar hij gaf geen antwoord op de vraag. Jubb fronste.

'Nee, agent, niet gezien,' zei Feldman. 'Althans niet vandaag. We probeerden haar gisteren te spreken te krijgen, maar ze was niet echt opgetogen om ons te zien.'

'Dat verbaast me niets,' zei Magnus. 'Als je haar ziet, laat het mij weten.' Hij krabbelde zijn nummer op een stukje papier dat hij uit zijn notitieboekje had gescheurd, en gaf het aan Feldman. 'De pastoor is zojuist gevonden. Vermoord. Ik ben er vrij zeker van dat de dader nu achter Ingileif aan zit.'

Feldman pakte het vodje papier aan. 'We zullen je zeker bellen,' zei hij.

Magnus draaide zich om om naar de kerk te kijken, verscholen onder de steile rotswand in de nevel. Een raaf daalde neer uit de wolken en landde in de berm, op een paar passen van hen vandaan. De vogel stapte parmantig in het rond, keek naar de twee auto's.

'Een fijne dag nog,' zei Magnus, en hij sprong weer in zijn voertuig. Hij reed snel van de heuvel af en terug naar de grote weg.

Hij moest haar onderweg over het hoofd hebben gezien. Reykjavík. Zijn beste gok was Reykjavík.

35

Steve Jubb zag de auto van de agent verdwijnen over de heuvel. 'Je weet dat we dit niet kunnen maken.'

'Wat niet, Gimli?' vroeg Feldman.

'Om te beginnen, ik heet geen Gimli, maar Steve.'

'We hebben het daar eerder over gehad. We moeten onze bijnamen gebruiken.'

'Nee, Lawrence. Mijn naam is niet Gimli, maar Steve. En jij heet niet Isildur, maar Lawrence. Dit is niet Midden-aarde, maar IJsland. *The Lord of the Rings* is niet echt, het is een verhaal. Een verdomd goed verhaal, maar niettemin een verhaal.'

'Maar Gimli, de ring kan in die kerk liggen! De ring uit de Völsungensaga. De ring waarover Tolkien heeft geschreven. Besef je dan niet hoe gaaf dat is!'

'Eerlijk gezegd kan het me geen ruk schelen. Die professor met wie ik vorige week heb gesproken, is dood. Nu is er een dominee dood. Er loopt daar ergens een gek rond die een meisje wil vermoorden. Een echt levend persoon, Lawrence, begrijp je dat dan niet?'

'Hé, luister, dat heeft niets met ons te maken,' zei Feldman. Hij keek Jubb wantrouwig aan. 'Zo is het toch?'

'Wat bedoel je?'

'Nou, je hebt de professor toch niet vermoord?' verduidelijkte Feldman.

'Doe niet zo idioot. Natuurlijk niet.'

'Dat kun je wel zeggen, maar hoe kan ik weten dat je de waarheid spreekt?'

'Luister. Die agent is op zoek naar Ingileif. Wij weten waar ze is. We moeten het hem vertellen.' Jubb pakte zijn mobiele telefoon. 'Geef me zijn nummer.'

'Nee, Gimli. Nee.'

'Godallemachtig!' riep Jubb. Hij sprong uit de auto, gooide het achterportier open en trok Feldman van de achterbank. De kleine man probeerde zich vast te houden aan zijn veiligheidsgordel, maar Jubb verbrak zijn greep. Jubb balde zijn vuist. 'Geef me dat nummer of ik sla je in elkaar.'

Feldman dook ineen op de grond en overhandigde de grote man uit Yorkshire het stukje papier met Magnus' nummer.

Jubb liep naar de bestuurderskant. 'Hoe zit het met jou?' vroeg hij aan Axel.

'Steve, het probleem is dat het niet echt legaal was om dat zendertje in de auto van het meisje te plaatsen.'

Jubb had geen tijd om in discussie te gaan. Hij boog zich voorover, greep de privédetective, en smeet hem op de weg. Hij sprong achter het stuur en startte de motor. Met Feldman en Axel bonkend tegen de zijkant van de auto, keerde hij op de weg en reed snel achter de agent aan, daarbij Feldmans benen schampend met zijn bumper.

Magnus minderde snelheid toen hij de kruising van de hoofdweg, even ten zuiden van Flúdir, bereikte. Zijn mobiele telefoon tjirpte.

'Hallo?'

'Met Steve Jubb. Wacht waar je bent! Ik zit pal achter je.'

'Oké,' zei Magnus. Hij wíst dat Feldman en Jubb meer hadden geweten dan ze lieten merken, hoewel het hem verbaasde dat ze hadden besloten hem te vertellen wat. 'Ik wacht op je.'

Magnus stopte aan de kant van de weg. Binnen twee minuten zag hij de auto van de privédetective in vliegende vaart naar hem toe komen. Het voertuig stopte achter hem en Steve Jubb sprong eruit, met een laptop onder zijn arm. Hij was alleen.

Jubb nam plaats op de passagierszetel naast Magnus.

'Een momentje,' zei hij, terwijl hij de laptop inschakelde, en een ontvanger die eraan vastgekoppeld zat. 'Hiermee kunnen we zien waar Ingileif is.'

'Uitstekend,' zei Magnus. Hij zette de auto in de versnelling en sloeg links af naar Reykjavík. Dat was verreweg de meest voor de hand liggende richting, en hij wilde haar inhalen. 'Waar zijn je vrienden?'

'Stelletje lijpo's,' foeterde Jubb terwijl hij met de computer prutste.

Magnus wist niet precies wat Jubb met lijpo's bedoelde, maar hij wilde hem graag op zijn woord geloven. 'Bedankt dat je me achterna bent gekomen.'

'Ik had daar al iets moeten zeggen,' zei Jubb. 'Ik had je beter alles kunnen vertellen toen je me arresteerde.' Hij tikte op een paar toetsen. 'Kom op...' mopperde hij.

'Dus jullie hebben haar auto voorzien van een zendertje?'

Jubb bromde alleen en bleef op het toetsenbord tikken. 'Hier heb je d'r. Ze rijdt ten noorden van hier. Ver ten noorden. Omkeren.'

'Weet je het zeker?'

'Natuurlijk weet ik het zeker! Kijk maar.'

Magnus minderde vaart en tuurde naar het computerscherm op Jubbs schoot. Het toonde een kaart van Zuidwest-IJsland, en een rond cirkeltje dat zich voortbewoog over een weg aan de andere kant van Flúdir.

'Waar gaat ze in hemelsnaam naartoe?' vroeg Magnus. 'Er is daar toch niets te vinden? Kijk eens op de kaart. Er ligt er een in het handschoenenkastje.'

Jubb haalde een kaart tevoorschijn. 'Je hebt gelijk, er ligt niet veel ten noorden van hier. Ik denk dat het een stel gletsjers zijn. De weg loopt recht door het midden van het land.'

'Rond deze tijd van het jaar zal die nog wel zijn afgesloten,' merkte Magnus op.

'Wacht even. Hier staat wat. Gullfoss? Weet jij wat dat is?'

'Een waterval,' zei Magnus. 'Een reusachtige waterval.'

Pétur reed het grote parkeerterrein op. Zo vroeg in het seizoen, en met dit weer, lag het er verlaten bij, op een touringcar na.

Hij stapte uit zijn BMW. De enorme waterval brulde naar hem, onzichtbaar, vanaf de andere zijde van het informatiecentrum. Toeristen kwamen aanlopen over het pad dat naar de waterval leidde, kirrend tegen elkaar over het majestueuze natuurgeweld waarvan ze zojuist getuige waren geweest. Over vijf minuten zouden ze snel worden afgevoerd naar de volgende halte op hun rondreis, de geisers bij Geysir misschien, of het vergaderterrein van het Althing bij Thingvellir.

Mooi, dacht Pétur.

In plaats van rechtstreeks omlaag naar de waterval te lopen, sloeg Pétur links af, stroomopwaarts. Er lag nu een goed onderhouden pad naar de top van de lage heuvel; in zijn jeugd was het niet meer dan een smal schapenspoor geweest.

Net over de heuveltop lag een ondiepe uitholling. Op zonnige dagen nam dr. Ásgrímur graag zijn gezin hiernaartoe voor een picknick. Toeristen wandelden meestal naar de voet van de waterval, of tot halverwege, of volgden het smalle ravijn stroomafwaarts. De holte, boven de waterval, bood enige privacy, zelfs in het hartje van de zomer. Het gras en mos, zacht en verend, waren comfortabel om op te zitten, als alles droog was.

Aan het begin van mei, in de mist, was alles heel nat en viel er nergens een ziel te bekennen. Het parkeerterrein lag op nog geen paar honderd meter afstand, maar je kon vanaf daar onmogelijk worden gezien of gehoord boven het donderend geraas.

Pétur liep naar de rivier. Het doffe gebulder ging over in een crescendo toen de magnifieke waterval zich onder hem uitstrekte. De kracht ervan was buitengewoon. De Hvíta stortte zich in twee trappen naar beneden in de kloof, en bij elke trap werd er een dicht gordijn van stuivend water opgeworpen. Het resulterende tumult stond bekend als de Gullfoss, de 'gouden waterval', vanwege de lichteffecten die bij laagstaande zon konden optreden in de fijne nevel van waterdruppeltjes boven de kolkende massa. Onder de juiste omstandigheden dansten regenbogen in goud en purper boven de waterval.

Op een heldere dag was het mogelijk de Langjökull, de 'Lange Gletsjer', te zien, die al dit water voortbracht en dertig kilometer ten noorden half verscholen lag tussen de bergtoppen. Maar vandaag niet. Vandaag werd alles bedekt door een grijze sluier van vocht, nevel en wolk ineen.

Ook mooi.

Pétur bleef staan en wachtte op Ingileif.

Hij was tevreden dat hij deze plek had uitgezocht om haar te ontmoeten. Net als bij de weg naar Stöng. Pétur had Hákon naar dat afgelegen oord gelokt met een vergezocht verhaal over dat hij wist waar de helm van Fáfnir verborgen lag. Hij herinnerde zich de opgewonden en verwachtingsvolle blik op het gezicht van de pastoor, geparkeerd boven de Fossá, toen hij hem was genaderd. Pétur had de pastoor omlaag naar de rivier geleid, en was toen blijven staan om hem te laten passeren. Na een klap met een steen op het achterhoofd was de pastoor voorover getuimeld; Pétur had ternauwernood kunnen voorkomen dat hij meteen het water in viel. Hij hield hem net lang genoeg tegen om de ring van zijn vinger te halen, en dumpte hem toen in de woeste stroom. Het kon weken duren voordat zijn lichaam werd gevonden, zo dat ooit al gebeurde.

Dat was nog een effect dat de ring had op mensen: hij bracht hen ertoe om hun kritisch denkvermogen uit te schakelen, om het ongelofelijke te geloven. Pétur glimlachte. De ironie dat de pastoor in dezelfde valstrik was gelopen die Gaukur duizend jaar eerder fataal was geworden, stemde hem tevreden.

Pétur stond te staren naar de waterval, en dacht aan zijn vader. Deze plek herinnerde hem werkelijk aan die zonnige periode voordat alles zo fout was gegaan. Misschien was het waar wat hij tegen Inga had gezegd. Misschien waarde hun vader hier echt rond.

Pétur huiverde. Hij hoopte van niet. Hij zou niet willen dat zijn vader getuige was van wat er mogelijk met Inga gebeurde als ze niet beloofde te zullen zwijgen.

Pétur vroeg zich af wat de politie zou denken als ze het lichaam van de pastoor vonden, of zijn auto, wat waarschijnlijker leek. Een ongeval? Zelfmoord misschien?

Dat was een idee. In het ergste geval, als Inga in de waterval eindigde, kon Pétur beweren dat ze zichzelf van het leven had beroofd. Ze had hem opgebeld. Ze was overstuur, verward door gevoelens van verraad omdat ze Gaukurs Saga had proberen te verkopen. Ze vertelde hem dat ze naar Gullfoss ging. Hij vreesde dat ze zelfmoord zou plegen, en reed hierheen in een poging haar tegen te houden. Maar hij kwam net te laat. Hij zag haar springen.

Dat zou zijn eigen aanwezigheid bij de waterval verklaren. Het zou de waarheid dicht genoeg naderen om ermee weg te komen.

Hij speelde met de ring om zijn vinger. Ze zouden hem vrijwel zeker arresteren, en het zou lastig zijn uit te leggen hoe de ring in zijn bezit was gekomen. Hij kon hem veel beter ergens verstoppen voordat hij alarm sloeg.

Maar hij liep op de zaken vooruit. Zolang hij alles maar goed wist uit te leggen aan Inga, zou ze hem begrijpen, zou ze beseffen dat hij geen andere keuze had gehad.

Toch?

Magnus en Steve Jubb reden snel door Flúdir naar het erachter gelegen landbouwgebied, met her en der koepelvormige kassen en vulkanische stoom die in spiralen opsteeg. Kort daarna voerde de weg langs de Hvítà, een onstuimige watermassa.

'Ik ben zo'n stomme zak geweest,' zei Jubb. 'Ergens vond ik dat Agnar die het loodje legde niets met mij te maken had. Ik wist dat ik onschuldig was, maar ik hoopte het bestaan van de saga en de ring geheim te houden. Leek toen de moeite waard.'

'Ik dacht dat jij de professor had vermoord,' zei Magnus.

'Dat weet ik. Maar ik wist ook dat ik het niet had gedaan. En ik ging ervan uit dat je dat uiteindelijk wel zou ontdekken.'

'En je hebt nooit zaken gedaan met Pétur?'

'Nooit,' zei Jubb. 'Ik had de kerel nog nooit ontmoet tot ik eergisteren bij hem langsging met Lawrence Feldman. Die Feldman is overigens vreemd. Slim. Rijk. Maar vreemd.'

'En jij niet?' vroeg Magnus.

'Er is niets mis met fan zijn van *The Lord of the Rings*,' verdedigde Jubb zichzelf. 'Er is wél iets mis mee als het je blind maakt voor wat er in de echte wereld gebeurt.' Hij keek naar het uitzonderlijke landschap dat langsflitste door de nevel om hen heen. 'Hoewel ik soms moeilijk kan geloven dat dit land deel uitmaakt van de echte wereld.'

'Ik begrijp wat je bedoelt.'

Magnus' telefoon ging. Vigdís.

'Pétur is thuis niet te vinden, en ook niet in de Neon. Ze hebben hem daar al heel de dag niet gezien. Ze weten niet waar hij is. Ik ga nu in de twee andere clubs kijken.'

'Doe geen moeite,' zei Magnus. 'Hij is naar Gullfoss. Hij gaat daar wachten op zijn zus. En dan ruimt hij haar uit de weg.'

'Weet je dat zeker?'

Magnus aarzelde. Hoe zeker wist hij het? Hij had bij dit onderzoek al eerder fouten gemaakt. 'Ja, ik ben er zeker van. Kun je een arrestatieteam sturen? Hoe noemen jullie het ook alweer – de Vikingbrigade? Er is waarschijnlijk te veel laaghangende bewolking voor een helikopter, maar hoe sneller ze hier zijn, hoe beter.'

'We krijgen nooit toestemming voor de Vikingbrigade,' zei Vigdís. 'Ik zal Baldur bellen. Maar we weten allebei wat hij gaat zeggen.'

'Verdomme!' Magnus wist dat Baldur zijn verzoek zou negeren. 'Kun je niet zelf komen, Vigdís?'

Een stilte. 'Goed dan. Ik kom eraan.'

'En neem een wapen mee.'

'Ik kom zo snel mogelijk. Ongewapend.' Ze hing op.

'Pas op!' Steve Jubb zette zich schrap terwijl hij de waarschuwing riep.

Magnus raakte bijna van de weg af toen hij, met slechts één hand aan het stuur, te snel een bocht nam. Naarmate ze verder noordwaarts reden, begon de weg alweer slechter te worden. Steentjes knalden tegen de bodem van de auto, als waren het kogels.

'Ze is gestopt bij Gullfoss!' zei Jubb, die op zijn scherm keek.

Na over enkele heuvels te zijn gevlogen, daalden ze af om bij een hangbruggetje een smalle kloof over te steken. Toen kwamen ze terecht op een betere weg, en schoten over vlak heideland de mist in.

36

Pétur zag de vertrouwde gestalte van zijn zus opdoemen in het half-duister boven de rand van de uitholling. Ze liep nog net zo als het meisje van vroeger – zelfs haar jas had dezelfde kleur. Het riep herinneringen op aan die picknicks met het gezin, voordat alles was geruïneerd. Inga had er als twaalfjarige echt heel beeldig uit gezien, zelfs met haar ernstige bril op, maar ze was altijd overschaduwd door de verbluffende Birna. Pétur voelde plotseling een grote genegenheid voor zijn kleine zusje.

Ze zou hem niet teleurstellen. Ze kon hem onmogelijk teleurstellen.

Hij stak zijn hand op om haar te begroeten.

'Waarom wilde je in godsnaam hier afspreken?' vroeg ze, rillend.

'Het is de juiste plek,' zei Pétur gewichtig. 'Het is de juiste plek om het over pa te hebben.' Dit was geen goed begin.

'Wat ik wil weten, is waarom je gisteren naar Stöng bent gereden. Wist je dat ze Hákons auto hebben gevonden? En zijn lichaam aan de voet van de Hjálparfoss.'

'Ik zal het je vertellen. Maar ik wil je eerst over pa vertellen.'

'Mijn god!' riep Ingileif. 'Je weet hoe hij is gestorven, hè?'

Pétur knikte, keek haar in de ogen. Die stonden angstig, vragend, maar ook kwaad.

'Ik was dat weekend bij hen. Bij de pastoor en pa.'

'Ik dacht dat je op school zat.'

'Weet ik. Pa wilde dat ik met hem meeging op de expeditie. Hij was ervan overtuigd dat ze de ring zouden vinden. Ik stond nogal in tweestrijd. Zoals ik je heb verteld, was ik er fel op tegen dat ze de ring zouden meenemen – ik herinnerde me de waarschuwingen van opa. Maar uiteindelijk wist hij me over te halen.'

'Probleem was alleen dat ma het had verboden. Dus vertelden we het haar niet. Ik nam vanaf Reykjavík de bus naar Hella, en ze pikten me daar op.'

'Dus ma heeft het nooit geweten?'

'Nee.' Pétur schudde zijn hoofd. 'We kampeerden in de heuvels, en de volgende ochtend gingen we naar de grot. Al was het niet echt een grot, meer een gat in de lavasteen. We hebben er drie uur naar moeten zoeken, maar pa was degene die de grot ontdekte. Hij was zo opgewonden!'

Pétur glimlachte bij de herinnering. 'En wie kan het hem kwalijk nemen? Het was verbazingwekkend. Er lag een ring, bedekt met een dun laagje stof. Hij glom niet of wat ook, je moest hem eerst opwrijven voordat je kon zien dat het goud was. Maar dit vormde het bewijs dat de saga van Gaukur, dat verhaal dat al die jaren door al onze voorvaderen was doorverteld, echt waar was.'

'Maar jij en pa dachten toch altijd al dat het waar was?'

'Wij geloofden dat,' zei Pétur. 'Wij vertrouwden daarop. Maar als je moet afgaan op geloof of vertrouwen in plaats van dat je simpelweg iets weet, ken je altijd twijfels. En als die twijfels dan worden weggenomen. Fantastisch.

'Dus raakte ik ook in vervoering. Maar na een paar minuten zei ik tegen pa dat we de ring moesten terugleggen. Ik had het over al het kwaad dat de ring zou aanrichten in de wereld, dat opa mij had opgedragen erop toe te zien dat pa hem nooit meenam. We kregen grote ruzie. Pa zocht steun bij de eerwaarde Hákon, en kreeg die ook. Ik probeerde zelfs de ring van hem af te pakken, maar hij duwde me aan de kant.

'Ik had alles min of meer verpest,' zei Pétur. 'Ze liepen samen verder, en ik volgde twintig meter achter hen, mokkend zou je kunnen zeggen. Toen sloeg het weer om. Het ene moment was het zonnig, het andere moment begon het te sneeuwen.

'Ik zag mijn kans schoon. Pa liep voorop, de pastoor erachter en toen kwam ik. Ik glipte langs de pastoor en probeerde de ring van pa af te pakken: ik wist in welke jaszak hij zat. Ik was van plan om weg te rennen in de sneeuw en hem terug te leggen in de grot. Ik wist vrij zeker dat ik ze voor kon blijven in de sneeuwstorm, en dat ze het al snel zouden opgeven.

'Pa en ik rolden door de sneeuw, toen gaf ik hem een duw en viel hij met zijn hoofd op een steen.' Pétur slikte. De tranen welden op in zijn ogen. 'Ik dacht dat hij alleen bewusteloos was, maar hij was dood. Zomaar.'

'O, kom nou toch! Je hebt hem van een steile rots geduwd! Hij is onder aan de rots gevonden.'

'Nee, ik zweer het. Hij viel maar een paar meter. Hij kwam alleen ongelukkig terecht met zijn hoofd. Op zijn slaap – hier,' en Pétur tikte tegen zijn eigen geschoren schedel.

'Hoe verklaar je dan zijn val van die rots?'

'De eerwaarde Hákon zag wat er was gebeurd. Hij nam de leiding. Ik was een wrak toen ik zag wat ik had gedaan. Ik was volledig van de kaart. Ik kon niets zeggen, ik kon niets denken. Hákon wist dat het een ongeluk was. Hij zei dat ik moest gaan, wegrennen, doen alsof ik er nooit was geweest. Dus rende ik weg.

'Hij duwde pa over de rand van die rots. Maar hij was toen al dood, dat is zeker, de lijkschouwers hadden het mis toen ze zeiden dat hij nog een paar minuten had geleefd. Maar Hákon nam mij in bescherming.'

Ingileif sloeg een hand voor haar mond, fronste ontzet haar voorhoofd. 'Ik kan het niet geloven,' zei ze. 'Dus jij was de elf die de oude schapenboer heeft gezien?'

'Elf?' Pétur keek verwonderd.

'Laat maar.'

Pétur wierp zijn zus een glimlachje toe. 'Het is waar. Ik heb pa gedood. Maar het was een ongeluk. Een vreselijk, afschuwelijk ongeluk. Als Hákon nog zou leven, zou hij je dat kunnen vertellen.' Hij deed een stap naar voren. Nam de handen van zijn zus in de zijne. Keek haar in de ogen – ontsteld, geschokt, verward. 'Kun je het me vergeven, Inga?'

Ingileif bleef even als verdoofd staan. Toen deinsde ze achteruit.

'Het was geen moord, Inga. Dat begrijp je toch zeker wel?'

'Maar Aggi dan? En de pastoor? Heb je die soms ook gedood?'

'Ik moest wel, snap je dat dan niet?'

'Hoe bedoel je: je moest wel?'

'Zoals je inmiddels weet, pakte Hákon de ring. Toen Agnar hem bezocht, vermoedde hij dat de pastoor de ring had. Hij beschuldigde Hákon ervan pa te hebben vermoord en de ring te hebben afgepakt. Hákon smeet hem natuurlijk naar buiten, maar toen benaderde Agnar

Tómas, wilde hem laten optreden als tussenpersoon. Hij probeerde Hákon via hem te chanteren.'

'Maar wat had dat allemaal met jou te maken?'

'Hákon had mij beschermd. Hij wist mij compleet buiten het politie-onderzoek te houden. Tot dan toe had ik geen idee wat er met de ring was gebeurd. Ik had zo geprobeerd er niet aan te denken, of er vragen over te stellen, maar het verbaasde mij eigenlijk niet dat Hákon hem van pa had afgepakt. Dus uiteindelijk werd ik gebeld door Hákon. Hij legde uit wat er gaande was, dat het ernaar uitzag dat hij de waarheid moest vertellen over wat er met pa was gebeurd, tenzij ik iets deed.'

'Wat?'

'Dat zei hij niet. Maar we wisten allebei wat.'

'O, mijn god! Je hebt Agnar dus echt vermoord!'

'Ik kon niet anders. Snap je dan niet dat ik het moest doen?'

Ingileif schudde haar hoofd. 'Natuurlijk moest dat niet. En daarna heb je Hákon vermoord?'

Pétur knikte. 'Toen zijn zoon eenmaal was opgepakt en de politie achter hem aan zat, wist ik dat de waarheid aan het licht zou komen.'

'Hoe kon je?'

'Hoe bedoel je: hoe kon je?' protesteerde Pétur, met een flits van woede. 'Jij was degene die zo nodig Gaukurs Saga in de verkoop moest gooien. Als je dat niet had gedaan, zou er niets zijn gebeurd.'

'Dat is lulkoek. Ja, ik heb een fout gemaakt. Maar ik had geen idee wat er zou gebeuren. Jij hebt het gedaan! Jij hebt ze vermoord!' Ingileif deed een stap naar achteren. 'Oké, misschien heb je pa per ongeluk gedood, maar de andere twee niet. Wacht even – heb je ook Sigursteinn vermoord?'

Pétur knikte. 'Je moet toegeven dat hij het verdiende na wat hij Birna had aangedaan. Ik vloog terug uit Londen, ontmoette hem in Reykjavík, gaf hem een paar drankjes.'

'En toen eindigde hij in de haven?'

'Ja.'

'Wie ben jij?' vroeg Ingileif, met haar ogen wijd open. 'Je bent mijn broer niet. Wie ben jij?'

Pétur sloot zijn ogen. 'Je hebt gelijk,' zei hij. 'Het komt hierdoor.' Hij haalde zijn hand uit zijn zak. Toonde haar de ring om zijn vinger. 'Hier. Kijk maar.'

Hij deed de ring af en gaf hem aan haar. Het was zijn laatste kans. Misschien zou de ring zijn zus corrumperen zoals hij erdoor gecorrumpeerd was, net als zijn vader, Hákon en alle anderen.

Ingileif staarde ernaar. 'Dit is de ring?'

'Ja.'

Ze sloot haar vuist eromheen. Pétur voelde de drang om ernaar te grijpen, maar bood weerstand. Laat haar de ring maar hebben. Laat de ring zijn kwade magie maar op haar loslaten.

'Wat ga je nu doen?' vroeg Pétur.

'Ik ga naar de politie,' zei Ingileif. 'Wat dacht je dan dat ik zou doen?'

'Weet je dat zeker?' zei Pétur. 'Weet je dat heel zeker?'

'Natuurlijk,' zei Ingileif. Ze keek kwaad naar haar broer. Naast angst en ontzetting, was er nu ook haat in haar ogen te zien.

Pétur liet zijn schouders zakken. Hij sloot zijn ogen. Nou, goed dan. De ring zou zijn zin krijgen. Het was dwaas om te denken dat dit op enige andere manier kon eindigen.

Hij deed een stap naar voren.

37

Magnus passeerde een touringcar die wegreed, en kwam met gierende remmen tot stilstand op het parkeerterrein. Het was bijna verlaten. Er stonden twee auto's naast elkaar geparkeerd: een grote SUV en een veel kleinere hatchback, met iets verderop een derde voertuig.

'Die is van Ingileif,' zei Jubb, en hij wees naar de hatchback.

'Blijf hier!' riep Magnus, terwijl hij uit de auto sprong.

Hij rende over het parkeerterrein en omlaag over een houten trap. Voor hem kwam de waterval in zicht, een heksenketel van bulderend water. Het pad voerde naar een richel met een observatiepunt, halverwege de waterval.

Niets. Niemand. Alleen water. Een onvoorstelbare hoeveelheid water.

Hij keek omhoog naar de watervallen. Het pad eindigde er net voor, en hij kon alles vrij goed overzien. Maar stroomafwaarts zag hij nog meer treden, een pad, nog een parkeerplaats, een kloof. Genoeg plekken om je uit het zicht te verbergen.

Magnus rende de trap af naar de kloof.

'Pési? Wat doe je?' Ingileif sperde haar ogen open, maar de woede won het van de angst. Pétur wist dat er een worsteling zou ontstaan. Zijn zus zou zich hevig verzetten. Had hij maar een steen of een ander stomp voorwerp bij de hand om haar eerst een klap te geven. Als hij haar hard genoeg raakte met zijn vuist, zou hij haar misschien buiten westen slaan.

Hij slikte. Het zou heel moeilijk worden om Ingileif te slaan.

Maar... maar hij moest wel.

Hij deed nog een stap naar voren. Maar toen zag hij vanuit zijn ooghoek iets bewegen. Boven de rand van de uitholling verscheen een stelletje met een statief. Een van hen wuifde, aan de grootte en contouren te zien was het een vrouw. Pétur negeerde haar en wendde zich weer tot Ingileif, die het niet had opgemerkt.

Hij moest tijd zien te rekken, totdat ze waren verdwenen.

'Wil je dat ik mezelf aangeef?' vroeg hij aan zijn zus.

'Ja,' zei ze.

'Waarom zou ik?' zei Pétur.

Twee minuten lang hielden ze een haperende conversatie, terwijl Pétur het stelletje in zijn perifere gezichtsveld in de gaten hield. Hij zag hen het statief opstellen, verplaatsen, en toen inklappen. Of ze een foto hadden genomen van de waterval, of hadden besloten het plaatje niet te schieten, wist Pétur niet. Maar hij was opgelucht toen hij hen weer over de rand van de uitholling zag verdwijnen.

Hij zette nog een stap in de richting van zijn zus.

Jubb bleef niet in de auto zitten. Hij keek rond op het parkeerterrein, en zette toen koers naar het informatiekantoor. Een vrouw van middelbare leeftijd wenste hem in het Engels een goedemiddag, na hem te hebben ingeschat als een buitenlander.

'Hebt u hier twee mensen gezien?' vroeg Jubb. 'Een man en een vrouw? De man is kaal, en de vrouw is blond. IJslanders.'

'Nee, ik geloof het niet. Ik heb net wel een Duits echtpaar gesproken. De man had een wollen muts op, dus ik kon niet zien of hij kaal was. Maar de vrouw had donker haar, daar ben ik zeker van. Ze gingen foto's maken van de waterval.'

'Maar geen IJslanders?'

'Nee, het spijt me. Al heb ik vanaf hier uiteraard geen goed uitzicht op het parkeerterrein.'

'Bedankt,' zei Jubb.

Toen hij uit het informatiecentrum stapte, zag hij het Duitse echtpaar over wie de vrouw het had gehad. Ze liepen omlaag naar het parkeerterrein vanaf de heuvel erboven, dicht tegen elkaar aan om beschutting te zoeken tegen het weer. De man droeg een statief op zijn schouder.

Jubb liep op een drafje naar hen toe. 'Hallo?' riep hij. 'Spreken jullie Engels?'

'Ja, ik spreek Engels,' zei de vrouw.

'Hebben jullie daarboven een man en een vrouw gezien? Een kale man, een blonde vrouw?'

'Ja,' zei de vrouw. 'Net achter de top van die heuvel daar.'

Jubb dacht een momentje na. Moest hij zelf naar boven rennen, of moest hij Magnus gaan halen?

Haal Magnus.

Hij rende vanaf het parkeerterrein omlaag naar de waterval.

Pétur besloot Ingileif niet te slaan, tenminste nu nog niet. Hij draaide zich om en slenterde naar de rand van de kloof.

'Waar ga je naartoe?' riep Ingileif hem achterna.

'Naar de waterval kijken.'

'Luister je wel naar me?'

'Ja, ik luister.'

Zoals hij had gehoopt, volgde Ingileif hem. Ze probeerde hem nog steeds te overreden, smeekte hem om zichzelf aan te geven. Maar ze bleef op afstand.

Pétur hield telkens stil, praatte en liep dan weer verder. Dit leek te werken. Ten slotte stond hij op een paar stappen van de rand van de kloof. Hij moest roepen om zich verstaanbaar te maken.

Ingileif was plots blijven staan. Ze verzette geen voet meer.

Toen zag hij in haar ogen dat ze begreep wat hij aan het doen was – haar voorwaarts lokken naar haar dood. Ze deed een paar stappen naar achteren, keerde zich om en rende weg. Pétur stormde achter haar aan. Zijn benen waren langer, hij was sterker, fitter, hij haalde haar in, gooide haar op de grond.

Ze gilde, maar de gil werd gedempt door de mist en het gebrul van het water. Hij drukte haar tegen het gras, maar ze hief haar rechterhand en krabde in zijn gezicht.

Verdomme! Dat zou moeilijk uit te leggen zijn aan de politie. Hij zou er wel iets op verzinnen.

Hij sloeg haar in het gezicht. Ze krijste, maar bleef onder hem kronkelen. Hij sloeg haar opnieuw, harder. Ze bleef stil liggen.

Hij slikte. Zijn ogen prikten van de tranen. Maar hij had geen keuze gehad. Hij had nooit een keuze gehad.

Hij sleepte haar naar de rand van de kloof. Al leek die plek hem niet echt geschikt. Onder het klif liep een grassige helling omlaag naar het water. Ze was steil, maar nog niet steil genoeg. Hij moest een paar meter stroomopwaarts gaan.

Hij trok haar over een ruig pad, haar benen en lichaam bonkend tegen de kale stenen. Ze leek bij te komen. Maar hij was haast bij een goede plek: de punt van een rots met een nagenoeg loodrechte val naar beneden in de rivier, die voortraasde naar de waterval.

De ring! Ze had de ring. Verdraaid. Misschien had ze hem laten vallen toen ze hadden gevochten. Of misschien had ze hem in haar zak gestoken.

Hij legde haar neer. Ze kreunde. Hij begon haar zakken te doorzoeken.

En toen, uit het niets, vloog er een grote gedaante door de lucht die hem omver kegelde.

Magnus had Steve Jubb niet horen roepen boven het lawaai van de waterval. Maar hij bleef wel even stilstaan en keek om in de richting vanwaar hij was gekomen.

Hij zag de gezette figuur van Jubb omlaag over het pad schommelen, zwaaiend met de armen.

Magnus rende terug. Het was heuvelopwaarts, een steile helling, maar hij trok een sprintje.

Hij hield zichzelf doorgaans in zeer goede conditie en ging elke dag een paar kilometer hardlopen als hij kon. In IJsland had hij daar niet de kans voor gekregen, en nu al merkte hij dat hij minder in vorm was. Zijn hart bonsde en hij snakte naar adem. Het was een steil oplopend pad, maar hij legde het zo snel mogelijk af.

'Daarboven!' zei Jubb. 'Boven de waterval.'

Magnus wachtte niet op nadere uitleg, maar bleef heuvelopwaarts rennen.

Toen hij over de rand van de heuvel klauterde, leek zijn borst op het punt van exploderen.

Hij zag hen. Twee gedaanten, op enige afstand van de rand van het klif, de een lag op de grond, de ander boog zich over haar.

Magnus rende sneller heuvelafwaarts in hun richting. Met al het kabaal kon Pétur hem met geen mogelijkheid horen aankomen, en hij concentreerde zich te veel op Ingileif om te zien wat er op hem afkwam.

Magnus wierp zichzelf op Pétur, en samen rolden ze naar de rand van de afgrond.

Pétur kronkelde, wist los te komen en krabbelde overeind. Hij stond wankelend op de klifrand boven de rivier.

Magnus keek naar hem, bewaarde een afstand van een paar stappen. Hij wilde niet van het klif naar beneden storten bij een worsteling op leven en dood met Pétur. Arresteren zou al lastig genoeg worden. Om te beginnen had Magnus geen handboeien bij zich. Hij wist niet wat hij zou doen als hij erin slaagde Pétur te overmeesteren – misschien kon hij Steve Jubb een uurtje op hem laten zitten totdat Vigdís kwam opdagen. Als hij niet in zo'n sprookjesland had gezeten, zou hij natuurlijk een wapen hebben gedragen, wat de zaken veel simpeler zou hebben gemaakt. Maar nu...

Maar nu kon Magnus zien dat Pétur hem inschatte. Pétur was lang en mager. Magnus was echter groot, en hij wist dat hij eruitzag als iemand die zijn mannetje kon staan. Mensen solden meestal niet met Magnus.

Magnus hoorde een kreun achter zich. Ingileif. Dat was goed nieuws: ze leefde tenminste nog.

'Oké, Pétur,' zei Magnus kalm. 'Je kunt jezelf nu beter overgeven. Je kunt niet meer ontsnappen. Kom met mij mee.'

Pétur aarzelde. Toen keek hij achterom, naar de kolkende rivier en de puntige rotsen die eruit verrezen. In een oogwenk had hij zich omgedraaid en was hij verdwenen.

Magnus deed een paar stappen naar voren en keek over de rand. Eronder bevond zich een soort pad, of beter gezegd een reeks van hand- en voetgrepen die omlaagvoerden naar wat rotsen aan de rand van de rivier. Hij kon zien dat het net mogelijk zou zijn om hier naar beneden te klauteren, tot bijna aan de rivier, en verder stroomopwaarts weer omhoog te klimmen.

Magnus begon net als Pétur aan de afdaling. Door het opstuivende water waren de stenen bijzonder glibberig geworden, en Magnus had grote moeite om steun te vinden voor zijn voeten. Pétur nam meer risico, vergrootte zijn afstand. Magnus besefte dat hij veel beter op de top van het klif had kunnen blijven; hij had waarschijnlijk stroomopwaarts kunnen rennen naar het punt waarop Pétur afstevende voordat Pétur het bereikte. Daar was het nu te laat voor.

Magnus voelde zijn voeten wegglippen. Hij greep de rots met één hand vast. Onder hem stroomde de onstuimige rivier naar de bovenrand van de waterval. Het water zag eruit als een dodelijk mengsel van groen en wit.

Pure kille dood.

Magnus trok zichzelf met beide armen omhoog en bleef hijgend op het gesteente liggen. Hij zag Pétur over drie rotsen springen, op nauwelijks anderhalve meter boven de rivier. Het evenwicht van de man was opmerkelijk.

Maar toen gleed Pétur uit. Net als Magnus greep hij met één arm naar de rots en hield zich vast. In tegenstelling tot Magnus kon hij geen houvast voor zijn andere hand vinden. Zo bleef hij bungelen, schommelen, met zijn benen onder hem ingetrokken, wanhopig pogend om zijn voeten uit het water te houden, opdat de rivier ze niet zou grijpen en hem omlaag zou sleuren.

Magnus sprong op een rots. En nog een. Zijn evenwichtsgevoel was niet zo goed als dat van Pétur. De rotsen lagen nu op zo'n drie meter van de rand van het klif, in de rivier.

Dit was waanzin.

Pétur keek naar hem, zijn gezicht vertrokken van pijn door de inspanning die hij moest leveren om aan één arm te blijven hangen, zijn kale hoofd druipend van het water.

Hij kon het niet veel langer volhouden.

Magnus draaide zich om. Hij zag Ingileif roepend en zwaaiend op de rand van het klif staan. Ze gebaarde hem om terug te komen. Magnus kon boven het gebulder niet horen wat ze riep, maar hij kon haar lippen zien bewegen. 'Laat hem!' leken ze te roepen.

Magnus draaide zich weer om naar Pétur. Ingileif had gelijk. Hij zag de man die vier mensen had vermoord, inclusief zijn eigen vader, en die zojuist zijn eigen zus had willen vermoorden, vechten voor zijn leven.

Pétur ving de blik op van Magnus. Pétur wist dat Magnus niet langer probeerde hem te bereiken.

Hij sloot zijn ogen, zijn greep verslapte en hij viel zonder een schreeuw. Zijn lichaam werd snel meegevoerd in de kolkende massa en over de rand van de waterval.

Binnen twee tellen was hij verdwenen.

38

Magnus zag Ingileif staan naast haar broers witte BMW-terreinwagen, met boven haar de met sneeuw bedekte berg.

Hij parkeerde naast haar en stapte uit zijn auto.

'Je bent laat,' zei ze. Haar gezicht zag roze van de kou, haar ogen straalden.

'Sorry.'

'Geeft niet. Ik ben blij dat je bent gekomen.'

Magnus glimlachte. 'Ik ben blij dat je mij hebt gevraagd.'

'Ik dacht dat je misschien terug was gegaan naar Amerika.'

'Morgen. Al denkt iedereen bij de politie dat ik al ben vertrokken.'

'Waar logeer je dan?' vroeg Ingileif.

'Dat kan ik je echt niet vertellen.'

Ingileif fronste. 'Ik dacht eigenlijk dat je mij onderhand wel zou vertrouwen.'

'O, nee. Dat is het niet. Laten we zeggen dat ik met schade en schande heb geleerd dat hoe minder mensen weten waar ik ben, hoe beter.'

Er bestond een heel kleine kans dat Soto een vervanger zou sturen voor de huurmoordenaar die Árni had neergeschoten, dus had de politiecommissaris besloten iedereen te laten denken dat Magnus was teruggevlogen naar Boston. In werkelijkheid had hij Magnus tijdelijk ondergebracht op de boerderij van zijn broer, op anderhalf uur rijden ten noorden van Reykjavík. Het was een prachtige locatie, aan de rand van een fjord, met een schitterend uitzicht. En de broer van de commissaris en zijn gezin waren gastvrij.

Niemand had iets gehoord van Colby. Dat was een goed teken. Het enige wat ze hoefde te doen, was zich nog een paar dagen schuilhouden.

'En wat doen we nu?' vroeg Magnus, omhoogstarend naar de Hekla die zich boven hen verhief.

'Naar boven klimmen natuurlijk.'

'Mag ik vragen waarom?'

'Ben jij nou een echte IJslander?' zei Ingileif. 'Het is een mooie dag, dus gaan we de berg op. Wil je soms niet?'

'O, jawel,' zei Magnus. 'Is het moeilijk?' Hij had wandelschoenen geleend van de boer, en hij was min of meer goed gekleed voor de gelegenheid.

'In de zomer is het gemakkelijk. Het zal nu lastiger gaan. Zo vroeg in mei ligt er nog een heleboel sneeuw, maar we redden het wel. Kom op.'

En zo begonnen ze aan de beklimming van de flank van de vulkaan. Het was een prachtige dag; de hemel was helder en koel; en achter hen ontvouwde zich reeds een magnifiek uitzicht. De sneeuw lag op lava en puimsteen, en viel eigenlijk makkelijker te belopen dan het zwarte steen en gruis. Magnus voelde zich goed. De lucht was verfrissend, de lichaamsbeweging verkwikkend, en het was fijn om Ingileif aan zijn zijde te hebben. Of liever gezegd, voor hem. Ze zette er flink de pas in, maar Magnus volgde haar tempo met alle plezier.

'Hoe is het met je vriend?' vroeg ze, toen ze pauzeerden om op adem te komen en het uitzicht te bewonderen. 'Degene die is neergeschoten?'

'Met Árni gaat het godzijdank goed. Ze zeggen dat hij er weer helemaal bovenop komt.'

'Ik ben blij dat te horen,' zei Ingileif. Voor hen lag het donkere dal van de rivier de Thjórsá, en daarachter de brede vlakte waar de Hvítá doorheen stroomde. En daarachter nog meer bergen.

'Dus morgen vertrek je?' vroeg Ingileif.

'Ja.'

'Kom je nog terug?' Er lag iets licht aarzelends in de wijze waarop ze de vraag stelde.

'Weet ik niet,' zei Magnus. 'Ik was er eerst fel op tegen. Maar de commissaris heeft mij gevraagd te blijven. Ik denk erover na.'

En hij dacht er ook serieus over na. Deels voelde hij het als een verplichting – uit dankbaarheid voor wat de commissaris en Árni voor hem hadden gedaan. Maar drie dagen eerder was op de weg door het

Thjórsárdalur ook het zaadje geplant van een vermoeden dat aan hem knaagde. Het vermoeden dat de antwoorden op zijn vaders moord mogelijk in IJsland waren te vinden in plaats van op de straten van Boston.

Zoals hij had verwacht, was het zaadje ontkiemd. Het groeide. Het zou nu niet meer afsterven.

'Als het wat uitmaakt,' zei Ingileif. 'Ik zou graag willen dat je blijft.'

Ze keek naar hem, glimlachte verlegen. Magnus voelde een brede grijns op zijn gezicht verschijnen. Hij zag het littekentje op haar wenkbrauw, nu al zo vertrouwd. Vreemd, dat gevoel alsof hij haar zo goed kende, alsof het al veel langer geleden was dan de tien dagen sinds hij haar voor het eerst had ondervraagd in haar galerie.

'Ja, dat maakt zeker wat uit.'

Ze kwam op hem af, reikte omhoog en kuste hem, lang en innig.

Toen trok ze zich terug. 'Kom, we hebben nog een lange weg te gaan.'

Naarmate ze hoger kwamen, werd de berg vreemder. Op de top van de Hekla was geen keurig ronde kegel te zien. In plaats daarvan lag de rug bezaaid met een reeks oude kraters van vorige uitbarstingen. Zwaveldamp steeg op uit spleten, smalle barsten in de berg. De sneeuw werd dunner, de kale plekken talrijker. Toen Magnus zijn hand op de blootliggende zwarte lavasteen hield, besefte hij waarom. Het voelde warm aan. Onder het gesteente, en niet eens zover eronder, borrelde de vulkaan onophoudelijk.

Toen ze de top bereikten, was het uitzicht spectaculair. Overal om hen heen strekte IJsland zich uit aan hun voeten: brede rivieren, steile bergen, trage, krachtige gletsjers.

'Wonderlijk als je bedenkt dat de drie broers duizend jaar geleden ook deze berg hebben beklommen,' zei Magnus. 'Je weet wel, Ísildur, Gaukur en Ásgrímur.'

'Ja.'

Magnus keek om zich heen. 'Waar zou toen de krater zijn geweest waarin ze de ring wilden gooien?'

'Wie zal het zeggen,' antwoordde Ingileif. 'Mijn vader zat daar altijd over te piekeren. Ik kwam hier voor het eerst met hem, dat spreekt vanzelf. De berg is sinds hun tijd meermaals van vorm veranderd.'

'Wat ga je nu met de saga doen? Ga je hem verkopen?'

Ingileif schudde haar hoofd. 'We schenken hem aan het Árni Magnússon Instituut. Maar eerst krijgt Lawrence Feldman hem een jaar in bruikleen, in ruil voor genoeg geld om de galerie financieel te redden. En Birna krijgt uiteraard haar deel.'

'Dat is een slim idee.'

'Ja. Het was een ideetje van Lawrence, maar iedereen lijkt ermee te kunnen leven. Ik denk dat hij zich schuldig voelt.'

'En terecht.' Magnus dacht aan alles wat er de afgelopen twee weken was gebeurd. Hij vroeg zich af of ze de ring ooit zouden vinden. Péturs lichaam was nog niet terecht, want het kon blijkbaar dagen, zelfs weken duren vooraleer het door de waterval zou worden uitgespuwd. Hij had ergens gehoopt dat de ring er zou blijven liggen, op de bodem van de Gullfoss.

Maar dat kon hij niet tegen Ingileif zeggen. Het was tenslotte toch haar broer die daar op de bodem lag.

'Kom,' zei Ingileif. Ze daalde de berg af, links van het pad dat ze hadden gevolgd om boven te komen. Er lag weinig tot geen sneeuw, de grond was zo warm. Ze liep langs een oude krater en stopte bij een kleine spiraal van stoom, die opsteeg uit de spleet in de grond.

'Voorzichtig!' zei Magnus. De sneeuw en lava waarop ze stond, zagen er gevaarlijk uit. Er hing een sterke geur van zwavel in de lucht.

Ingileif haalde iets uit haar zak.

'Wat is dat?' vroeg Magnus.

'De ring.'

'De ring? Ik dacht dat Pétur die had!'

'Hij gaf hem aan mij. Hij hoopte waarschijnlijk dat ik daardoor van gedachten zou veranderen.'

'Maar dat heb je tegen niemand verteld!'

'Weet ik.'

Magnus stond op slechts een paar stappen van Ingileif. Hij verlangde ernaar de ring eens goed te bekijken, de oorzaak van zo veel pijn en leed in de afgelopen paar weken. De afgelopen paar weken? Nee, de afgelopen duizend jaar. 'Wat ga je ermee doen?'

'Wat denk je?' zei Ingileif. 'Ik ga hem in de mond van de hel gooien, zoals Tolkien voorstelde aan mijn grootvader. Zoals Ísildur van plan was.'

'Niet doen,' zei Magnus.

'Waarom niet? Het is de juiste beslissing.'

'Waarom niet?!' Omdat het een van de belangrijkste archeologische vondsten is die dit land ooit heeft gekend. Ik bedoel, is hij echt? Heb je jezelf dat al die tijd niet afgevraagd? Hoe oud is hij? Heeft Högni, of wie dan ook, de ring tachtig jaar geleden verborgen? Of is hij echt eeuwen oud? Of zelfs nog ouder, misschien kwam hij werkelijk uit de Rijn ten tijde van Attila de Hun. Zie je dan niet hoe fascinerend dat soort vragen zijn, zelfs zonder de connectie met Tolkien? En archeologen kunnen ze allemaal beantwoorden.'

'Ja, het zijn fascinerende vragen,' gaf Ingileif toe. 'Ik kan je vertellen dat hij van goud is. En aan de binnenzijde staat in runen een inscriptie gekrast, hoewel ik niet heb geprobeerd die te ontcijferen. Maar wat het ook is, het brengt ongeluk. De ring heeft mijn familie al genoeg schade berokkend. Ik gooi hem weg.'

'Nee, Ingileif, wacht.' Magnus voelde een overweldigende behoefte om de ring van haar af te pakken.

Ingileif glimlachte. 'Ik wilde dat je met mij meeging om ervoor te zorgen dat ik de kracht had om dit te doen. En moet je jezelf nu eens zien.'

Magnus zag de ring tussen Ingileifs duim en wijsvinger. Hij wist niet precies wat het was, of het tien jaar oud was of duizend jaar. Maar hij wist dat ze gelijk had.

Hij knikte.

Ingileif boog zich voorover en gooide de ring in de spleet.

Er klonk geen donder. Er kwam geen bliksem. De zon straalde aan de lichtblauwe IJslandse hemel.

Ingileif klom weer omhoog naar Magnus en kuste hem vluchtig op de lippen.

'Kom,' zei ze. 'Laten we gaan. Als je morgen terugvliegt naar Boston, hebben we nog heel wat te doen en niet veel tijd meer om het te doen.'

Met een brede grijns volgde Magnus haar de berg af.

Nawoord van de auteur

Een lezer die een boek zoals dit terzijde legt, zal zich misschien afvragen in hoeverre het op waarheid dan wel verzinsels berust. Die vraag verdient een antwoord.

Gaukur heeft werkelijk bestaan. Hij woonde in Stöng, een welvarende boerderij die werd verwoest bij de uitbarsting van de Hekla in 1104. Zowel de restanten van het oorspronkelijke bouwwerk als de reconstructie, op een paar kilometer van de hoofdweg in het Thjórsárdalur, zijn zeer de moeite van het bekijken waard. Gaukurs dood door toedoen van zijn pleegbroer Ásgrímur staat vermeld in de Njálssaga. Gaukur had zijn eigen saga, waaraan wordt gerefereerd in het veertiende-eeuwse Mödruvallabók, maar die is nooit opgeschreven. Het verhaal dat de saga vertelt, blijft onbekend.

J.R.R. Tolkien was van 1920 tot 1925 docent Middelengels aan de universiteit van Leeds, en aldaar medeoprichter van de 'Vikingclub', waar men bier dronk en IJslandse drinkliederen zong. Uit zijn brieven blijkt dat hij zich eind 1937, na het schrijven van het eerste hoofdstuk van *In de ban van de ring* (*The Lord of the Rings*), maandenlang het hoofd brak over het vervolg van zijn verhaal en hoe hij het kon laten aansluiten op zijn eerdere roman, *De Hobbit*. *Waar de schimmen zijn* speculeert over een oplossing.

IJsland is een klein land waar iedereen iedereen lijkt te kennen. Het is heel goed mogelijk dat enkele personages in dit boek lijken op echte personen. Zo ja, dan berust een dergelijke gelijkenis op puur toeval.

Ik wil mijn dank betuigen aan wijlen Ólafur Ragnarsson en Pétur Már Olafsson, die mij voor het eerst kennis lieten maken met IJsland. Na dit bezoek was ik vastbesloten een boek te schrijven dat zich in het land afspeelde – het heeft mij vijftien jaar gekost om die ambitie te realiseren. Ik wil ook de volgende mensen bedanken: Sveinn H. Gudmarsson, Sigrídur Gudmarsdóttir, hoofdinspecteur Karl Steinar Valsson van de Reykjavíkse politie, Ármann Jakobsson van de universiteit van IJsland, Ragga Ólafsdóttir, Dagmar Thorsteinnsdóttir, Gautur Sturluson, Brynjar Arnarsson en Helena Pang voor hun tijd en hulp. Richenda Todd, Janet Woffindin, Virginia Manzer, Toby Wyles, Stephanie Walker en Hilma Roest maakten veel nuttige opmerkingen bij het manuscript. Ik ben ook dank verschuldigd aan mijn literair agenten, Carole Blake en Oli Munson, en mijn uitgevers, Nicolas Cheetham bij Corvus en Pétur Már Ólafsson bij Bjartur-Veröld, voor al hun hulp. En als laatste wil ik graag mijn vrouw Barbara bedanken voor al haar geduld en steun.